GELD IS NIET WAAR HET OM DRAAIT

BRENT KESSEL

GELD IS NIET WAAR HET OM DRAAIT

Een spirituele kijk op geld en geluk

Uitgeverij
Ten Have

De oorspronkelijke, Amerikaanse versie van *Geld is niet waar het om draait* bevat een appendix met strategische, praktische en technische informatie over financiële planning. Deze appendix is echter helemaal geënt op de Amerikaanse situatie, en daarom in de vertaling weggelaten.

Oorspronkelijk verschenen onder de titel *It's not about the money; unlock your money type to achieve spiritual and financial abundance*, uitgegeven door HarperOne, een imprint van Harper-Collins Publishers, New York
© 2008 by Brent Kessel
© Nederlandse vertaling: Uitgeverij Ten Have, 2008
Postbus 5018, 8260 GA Kampen
www.uitgeverijtenhave.nl

Vertaald uit het Engels door Karl van Klaveren
Omslag Marion Rosendahl en Wim van de Hulst

ISBN 978 90 259 5897 8
NUR 800

INHOUD

OEFENINGEN

INLEIDING

'Rijk is niet degene die geld heeft, maar die ervan geniet.'

Benjamin Franklin

Wat je ook verdient, als je zoals de meeste mensen bent in onze maatschappij, dan wil je iets veranderen aan de manier waarop je omgaat met geld. Misschien heb je inmiddels een behoorlijke reserve opgebouwd, maar vraag je je nog steeds af of het voor de toekomst wel genoeg is. Misschien worstel je met de basisregels van financieel beheer, met banksaldo's en activa die, gezien het salaris dat je verdient, niet op het gewenste niveau zijn. Of misschien word je elke keer als je een belangrijke financiële beslissing moet nemen verlamd door besluiteloosheid.

Je staat hier niet alleen in. Als het om geld gaat, zijn de meesten van ons vertrouwd met een of meer van de volgende ervaringen:

- Gevoelens van angst en vrees
- Het gevoel dat geld geen deel uitmaakt van het meer spirituele deel van ons leven
- Eindeloze verlangens of het gevoel dat we nooit genoeg geld hebben om gelukkig te zijn
- Problemen met een partner of een familielid dat te veel geld uitgeeft
- Het idee dat je de financiën niet onder controle hebt.

In de twaalf jaar dat ik bedrijfsleider ben van een Amerikaans adviesbureau op het gebied van financiële planning en geldmanagement heb ik talloze cliënten voorbij zien komen. Ondernemers die honderden miljoenen dollars bezaten, maar ook mensen met honderdduizenden dollars schuld. Ik heb advies gegeven aan topmensen uit het bedrijfsleven die naar steeds hogere niveaus van financieel succes streefden en aan sociale activisten die op het punt stonden om hun huis te worden uitgezet. Ik heb workshops geleid voor mensen die zich verdiepten in meditatie en yoga en aan mensen die van het goede leven wilden genieten. Hoewel het niet te ontkennen valt dat het in veel opzichten makkelijker is om rijk te zijn dan arm, heb ik ontdekt dat het geen verschil maakt wat onze uiterlijke levensomstandigheden zijn – ieder mens heeft tot op zekere hoogte wel een probleem met zijn of haar omgang met geld.

Ze hebben allemaal tegenover me gezeten: de eigenaar van een succesvol softwarebedrijf die erover piekerde of hij wel een nieuwe sofa kon kopen; de alleenstaande moeder die gebukt ging onder een creditcardschuld van $25.000, maar geen nee kon zeggen tegen haar zestienjarige zoon die een nieuwe auto wilde; de jonge modeontwerpster die zich zo schaamde voor de erfenis die ze had ontvangen dat ze in een onveilige buurt was gaan wonen om de huur van haar eigen salaris te kunnen betalen. De donkere emoties die worden opgeroepen door geld hebben vaak niets te maken met een reëel gevoel van veiligheid of onveiligheid. Ik ken mensen die $20.000 per jaar verdienen zonder ergens bang voor te zijn en ik ken mensen die miljoenen bezitten en voortdurend worden geplaagd door gevoelens van angst en onzekerheid. Er zijn zelfbewuste mensen die met behulp van psychotherapie of spiritualiteit aan hun persoonlijkheid hebben gewerkt, maar een uiterst onbewuste en onbevredigende relatie hebben met geld. Miljoenen landgenoten die in de jaren zestig en zeventig zijn opgegroeid zijn inmiddels maatschappelijk geslaagde burgers, maar koesteren nog steeds een groot wantrouwen tegenover Wall Street en grote Amerikaanse ondernemingen. Ze zitten gevangen in een ongezond financieel gedragspatroon en blokkeren als over geld gaat. En ten slotte zijn er velen onder ons die nooit genoeg hebben, waarbij het vaak weinig uitmaakt of we rijk zijn of arm, van welke generatie we zijn en hoe we over geld denken. We willen gewoon meer geld, meer materiële bezittingen, meer succes op de beurs, zelfs als de financiële behoefte niet bestaat. Misschien beseffen we dat we verslaafd zijn geraakt aan ons eeuwig verlangen naar meer, maar meestal weten we niet wat we daaraan moeten doen.

Veel mensen zitten vast in een ongezond bestedingspatroon, ondanks alle goede adviezen en pogingen om er in de loop der tijd iets aan te veranderen. De zaak wordt nog gecompliceerder als er partners of gezinsleden bij betrokken zijn die er ergernis wekkende financiële ideeën, angsten of gewoonten op na houden. Van oude gewoonten kom je moeilijk af. Iemand die zich altijd arm heeft gevoeld, blijft zich arm voelen en blijft beslissingen nemen die uit dat mentale patroon voortkomen. De vrek blijft gierig, vaak ook tegenover zichzelf.

Het gaat niet om het geld

De overheersende boodschap van onze cultuur is dat alles om geld draait – dat meer geld of veranderingen in onze financiële omstandigheden ertoe leiden dat we ons geen zorgen meer hoeven te maken en kunnen genieten van het leven. Maar veel mensen lukt het niet om te veranderen. Ze blijven vastzitten in hetzelfde financiële patroon, wat ze ook proberen. Maar hoe je jaarbalans er ook uitziet, je hebt vast ook hoop dat er een manier is om blijvende en diepgaande veranderingen in je financiële leven aan te brengen – anders zou je dit boek niet lezen.

Een van de redenen waarom veel mensen niet gelukkig zijn met hun financiële levensstijl, is dat de manier waarop ze van huis uit hebben geleerd om met geld om te gaan domweg niet werkt. Er is hun voorgehouden om niet te veel uit te geven en vooral veel te sparen, of om de voorspoed of rijkdom te creëren door middel van positieve gedachten. We stellen onszelf doelen, maken budgetten, sluiten de juiste verzekeringen af, passen ons testament en ons vermogensplan aan en investeren op een bepaalde manier. Hoewel dat allemaal belangrijk is, voldoet het niet. Waarom? Omdat we onze geldzaken op die manier van buiten naar binnen benaderen in plaats van van binnen naar buiten.

Of we ons geld nu het liefst oppotten, verkwisten of weggeven, meestal herhalen we steeds dezelfde inefficiënte gedragspatronen. We doen dat omdat we gewend zijn aan deze manier van omgaan met geld en de gevoelens die dat oproept. We zijn gewend aan een bepaalde mate van angst of gemoedsrust, hunkering of vermijdingsgedrag, schaarste of overvloed. Welke verandering er ook plaatsvindt in onze uiterlijke omstandigheden, onze geest probeert deze oude toestand steeds opnieuw te creëren in ons financiele leven – tenminste, als we er geen acht op slaan, ons er niet van bewust worden en er geen werk van maken.

Dit raadselachtige gegeven is de reden waarom ik mensen voor miljoenen dollars hun zaak heb zien verkopen om vervolgens, als gevolg van een aantal slechte beslissingen, hun appeltje voor de dorst te verkwisten, uit te lenen of verkeerd te investeren, zodat ze uiteindelijk in precies dezelfde financiële situatie belandden als daarvoor. Hun geest was er zo aan gewend dat ze voor elke cent moesten vechten dat ze zich letterlijk geen raad wisten met het geld en de vrijheid die ze opeens hadden, zodat hun oude financiële omstandigheden zich onbewust al heel snel weer manifesteerden. Amerikanen hebben een hogere levensstandaard dan de rest van de wereld, in elk geval in financiële zin. Toch blijkt steeds weer dat als mensen het financiële succes bereiken dat zo hoog gewaardeerd wordt in onze cultuur, ze vaak nog steeds niet tevreden zijn. We kennen allemaal wel iemand met veel geld die ongelukkig of rusteloos is. In boeken en kranten vinden we talloze verhalen over workaholics die de ene na de andere onderneming oprichten, ook al gaat het ten koste van hun gezin of hun huwelijk. Ik ken welgestelde erfgenamen en gescheiden vrouwen die tot de meest geplaagde zielen behoren die ik ooit heb ontmoet.

Begrijp me niet verkeerd. Ik beweer niet dat het onmogelijk is om tegelijkertijd rijk *en* gelukkig te zijn. Maar of je nu een fonds beheert van meer dan een miljoen of een stapel onbetaalde rekeningen op de keukentafel hebt liggen, om werkelijk vrij te zijn zul je je moeten richten op je innerlijke gesteldheid en niet op je uiterlijke financiële omstandigheden.

Lezers die een stapel rekeningen hebben liggen die ze niet kunnen betalen, vragen zich misschien verbaasd af hoe je je uiterlijke omstandigheden kunt veranderen door je te richten op je innerlijk, maar het is een feit dat ik het talloze malen heb zien gebeuren bij mensen. Het is zeker niet gemakkelijk om de antwoorden in jezelf te zoeken, maar dit boek zal je erbij helpen en laten zien hoe je dat doet. De strategieën in dit boek heb ik met succes gebruikt in mijn eigen leven en in het leven van honderden cliënten en deelnemers aan workshops. De inzichten die je hier zult vinden zijn gegroeid uit mijn eigen ervaring met twee heel verschillende werelden.

Financieel planner overdag, yogi in de avonduren

Van jongs af ben ik gefascineerd door het verdienen van geld, maar ik wist ook altijd dat er meer was in het leven. Ik studeerde economie en psychologie en begon mijn professionele carrière in de commerciële hypotheekwereld. Ik wilde echter een veel ruimer financieel advies geven dan was toegestaan in de hypotheekbusiness. Daarom richtte ik in 1996 Abacus Wealth Management op, dat later fuseerde met het bedrijf van mijn partner, Spencer Sherman. Zo ontstond Abacus Wealth Partners, dat aan cliënten een financieel planningsadvies geeft zonder commissie of bonussen te ontvangen van derden. Het advies richt zich zowel op de interne als de externe factoren die wezenlijk zijn voor het creëren van een financieel bevredigend leven.

Met dit bedrijf werken we voornamelijk voor rijke cliënten. Toen Abacus groeide, zagen we hoe slecht de meeste investeerders werden geadviseerd. In een poging om een grotere en minder welgestelde doelgroep te bereiken richtten we Kubera Portfolios op voor cliënten die op zoek waren naar een goedkopere vorm van professioneel begeleid investeren. Inmiddels hield ik me twee uur per dag bezig met ashtanga-yoga. Ik had me, al vele jaren daarvoor, verdiept in allerlei vormen van Oosterse spiritualiteit. Overdag was ik een gediplomeerd en professioneel financieel planner en na zonsondergang een yogi. Zo ging ik van yogazaal naar kantoor, van afspraken met cliënten naar het meditatiekussen en van financiële conferenties naar retraites. Ik begon een diepgaand verschil op te merken tussen de manier waarop financiële planners onze dagelijkse problemen en zorgen benaderen en hoe 's werelds oudste wijsheidstradities daarmee omgingen. In de wereld van de financiële planning gaat men een probleem te lijf met behulp van een betere financiële strategie die meer voldoening en geluk moet brengen. De oplossing wordt daarbij vooral gezocht in de tastbare wereld buiten ons. De impliciete vooronderstelling van deze benadering is dat als we van 'buiten' iets veranderen,we van 'binnen' gelukkiger worden.

In de wereld van yoga en meditatie is de aandacht echter vooral gericht op het innerlijk, op een beter verstaan van hoe we werkelijk zijn, waarom we ons gedragen zoals we ons gedragen en wat de hoofdoorzaken zijn van ons lijden. Als we dit hebben ontdekt, worden we aangemoedigd om onze uiterlijke handelingen in overeenstemming te brengen met ons nieuwe innerlijk inzicht. Financiële planners zijn vooral gericht op de toekomst, terwijl yoga en meditatie zich vooral richten op het heden. Volgens de spirituele benadering zullen we in de toekomst niet vrij zijn als we niet proberen om die vrijheid nu al te vinden via zelfonderzoek. Terwijl financieel adviseurs ons tot actie manen, roepen spirituele tradities ons op tot bewustwording.

Ik heb veel cliënten gehad die hun financiële planning op orde hadden, de juiste dingen deden met hun geld en bijna al hun persoonlijke doelstellingen haalden, maar zich in financieel opzicht toch nog steeds ongemakkelijk voelden. Ze meenden dat er een verandering van buitenaf nodig was voordat ze innerlijk tot rust zouden kunnen komen. Sommigen van hen hadden meer geld dan ze in één leven konden uitgeven. Toch vroegen ze zich vol onzekerheid af of ze genoeg hadden. We leven immers in een cultuur waar geldt: 'Meer is beter.'

Zo ontmoette ik een gepensioneerde professor en haar echtgenoot die samen een behoorlijk vermogen hadden, waaronder een TIAA-CREF-pensioen, verschillende rekeningen bij fondsen en twee IRA-rekeningen – genoeg om tot aan hun oude dag hun levensstandaard op peil te houden en de studie van hun kinderen, kleinkinderen en achterkleinkinderen te bekostigen. Toch hadden ze voortdurend ruzie over geld. Zij voelde zich schuldig en beschaamd als ze meer dan het noodzakelijke uitgaf, wat ze 'extravagant' en 'opzichtig' vond. Hij bekritiseerde voortdurend het advies van de effectenmakelaar en bracht uren door met het spellen van alle financiële bladen waarop hij was geabonneerd.

Ze waren niet de enigen die meer uit hun relatie met geld wilden halen dan materiële welstand. Dit probleem bleek vaker voor te komen bij mijn cliënten en de cliënten van mijn collega's. Ook mensen om mij heen die niet zo rijk waren, zag ik hunkeren naar innerlijke vrede. Het werd me duidelijk dat ik een nieuwe manier moest vinden om zowel rijke als minder rijke mensen te helpen om meer voldoening en geluk te vinden in hun omgang met geld. De traditionele methoden van financiële planning voldeden niet.

In 1999 ging ik op zoek naar trainingen die werden gegeven door financiële planners en meditatieleraren die zich hadden gespecialiseerd in geestelijke zaken en vooral waren gericht op de oorzaak van het lijden en de uitweg daaruit. Ik las begerig elk boek, luisterde naar elke tape en woonde elke workshop bij die me iets kon vertellen over spiritualiteit en geld. Ik begon de inzichten uit deze lessen toe te passen in mijn dagelijkse praktijk. De reactie was buitengewoon positief. Veel cliënten zeiden dat ze meer dan ooit inzicht hadden gekregen in de relatie die ze hadden met geld. Het aantal interviews in de media en de uitnodigingen om over dit thema te spreken op financiële conferenties nam toe. Mijn cliëntenbestand groeide enorm. Het was alsof de mensen snakten naar deze samensmelting van de wereld van het geld en de wereld van de geest.

In aanvulling op een training die ik gaf aan andere professionals begon ik praktijken en inzichten van yoga en meditatie te integreren in mijn financiële expertise. Ik las oude teksten over de yogafilosofie en ging op zoek naar passages over begeerte, gehechtheid, zelfobservatie en verlangen. Ik was verbaasd over het grote aantal openlijke verwijzingen naar geld en rijkdom dat ik vond. Uit dit onderzoek ontstond de workshop 'De yoga van geld', die ik in de Verenigde Staten en Europa hield voor cliënten, yogastudenten en een breder publiek. De participanten, die vaak een heel verschillende sociaal-economische achtergrond hadden, werden zich daarbij niet alleen bewust van hun financiële dromen – het verdubbelen van hun nettowaarde, het opzeggen van hun baan en het beginnen van een eigen bedrijf of het vereenvoudigen van hun leven om zich te kunnen richten op creatieve ambities – maar vertelden ook dat ze meer dan ooit tevoren inzicht hadden gekregen in hun relatie met geld en nu ook meer gemoedsrust hadden.

Waarom dit boek?

Er zijn talloze boeken over geld en waarschijnlijk zijn die je niet onbekend. Misschien heb je boeken gelezen over de geheimen van financiële planning, of boeken die je vertellen hoe je miljonair wordt door te investeren in onroerend goed of je dagelijkse cappuccino op te geven, of boeken die je helpen om rijkdom en succes te visualiseren of de aandelenmarkt effectiever te bespelen. Veel auteurs leren je om 'te denken als een miljonair' of om er een eenvoudiger levensstijl op na te houden zodat je uit de carrièremolen kan stappen. Afhankelijk van je persoonlijke belangstelling kan elk van deze benaderingen goed zijn, maar de meeste bieden in wezen toch uiterlijke oplossingen voor een probleem waarvan het echte antwoord in het innerlijk ligt.

Dit boek zal je helpen om innerlijk en uiterlijk een rijk mens te worden. Innerlijke welvaart betekent:

• bevrijd worden van het gevoel nooit genoeg te hebben
• het nastreven van een gevoel van financiële keuze in plaats van dwang
• de ervaring van overvloed die ons inspireert om geld aan te wenden voor een groter doel
• het inzicht dat we verbonden zijn met elkaar, dat ons individuele welbevinden gerelateerd is aan het welbevinden van onze medemensen.

Hoewel uiterlijke welstand zelden tot innerlijk welbevinden leidt, leidt innerlijk welbevinden wel vaak tot uiterlijke welstand. Door de hiernavolgende ideeën en praktijkoefeningen wordt dit allemaal mogelijk en zul je in staat zijn om een bloeiend financieel leven op te bouwen.

Geld is niet waar het om draait is gebaseerd op mijn expertise als financieel adviseur van mensen van verschillende sociaal-economische achtergronden, op interviews met een aantal van de beste spirituele leiders ter wereld en

KENNIS IS MACHT

Als je structurele veranderingen nastreeft in je relatie met geld zul je eerst moeten observeren wat je nu precies ervaart, zonder meteen te proberen om daar iets aan te veranderen. Haal om te beginnen diep adem en stel jezelf een paar eenvoudige vragen: Hoe voel ik me als ik aan geld denk? Welke van de volgende woorden geven mijn stemming het beste weer? Voel je vrij om je eigen lijst te maken:

Bezorgd	Angstig	Hebzuchtig	Paniek	Hoopvol
Tevreden	Gelukkig	Verveeld	Woedend	Ellendig
Gefrustreerd	Opgewonden	Neutraal	Blij	Rustig
Verward	Jaloers	Genoeg	Kalm	Overdonderd

Observeer en oordeel niet. Probeer de dingen waar je je van bewust wordt niet te veranderen. Beschrijf je de emotie zonder jezelf eruit te praten en zonder te proberen om je gevoelens te rechtvaardigen. Kijk naar je gevoelens alsof het een weersysteem betreft, iets wat helemaal los staat van jezelf. Regent het of is het zonnig, is het bewolkt of vriest het als het gaat om je ideeën over geld? Merk de kwaliteit op van je emoties. Merk ook op wanneer je emoties op een natuurlijke wijze vanuit zichzelf beginnen te veranderen. En hoe ze veranderen. Deze techniek van observatie zonder oordeel en zonder verandering af te dwingen vormt het basisinstrument voor de radicale veranderingen die je bij het lezen van dit boek nastreeft. Maak een gewoonte van de technieken die je in dit boek leert en je zult versteld staan van wat er gebeurt in je leven.

op twee decennia yoga- en meditatiebeoefening. Het boek geeft je een heel ander perspectief op je financiële leven. Je krijgt dezelfde professionele financiële planningadviezen die mijn cliënten miljoenen dollars opleverden en hen in staat stelden om zich ontspannen en gelukkig te voelen. Je zult in dit boek ook inzichten en oefeningen vinden die ik heb verzameld uit wijsheidstradities van over heel de wereld en waarmee je bewustzijn, groei en financiële voldoening kunt optimaliseren.

Verder steunt dit boek op een opvoeding in een middenklassemilieu en

mijn financiële adviespraktijk, die in de laatste jaren vooral gericht is geweest op rijkere cliënten. De verhalen van hun worstelingen (identiteit en
persoonlijke details zijn veranderd uit respect voor de privacy) bevestigen
de gemeenplaats dat geld niet gelukkig maakt. Maar ik heb ook mensen
geholpen die creditcardschulden hadden, moeite hadden om hun baan te
behouden of met een hopeloos gevoel van verwarring worstelden ten aanzien van geld – ook hun verhalen vertel ik hier. Terwijl je dit boek leest, dien
je je ervan bewust te zijn dat de basisinzichten voor iedereen gelden, wat ook
de hoogte van hun salaris mag zijn.

Financiële vrijheid voor de ziel

Hoewel dit boek je van alles leert over investeren, cashflow, belastingen en
andere strategieën die kunnen helpen om je financiële dromen te realiseren,
is het geen financiële handleiding in spirituele verpakking. Het is een innerlijke zoektocht waarbij geld het belangrijkste thema is. Het is geen filosofisch
boek, maar een persoonlijke en praktische bron voor het leren kennen van
jezelf langs de weg van het geld. In deel 1, 'De aard van de geest', onderzoek
ik de manier waarop onze geest werkt (en niet werkt!) als het om geld gaat.
In deel 2, 'De acht financiële archetypen', bied ik gedetailleerde beschrijvingen van typische en diep gewortelde gedragspatronen en opvattingen ten
aanzien van geld die ons ervan weerhouden om echt financieel vrij te zijn.
In deel 3, 'In de wereld en van de wereld', laat ik manieren zien om onze
oude patronen met geld te overwinnen en geef ik investeringsadviezen en
een nieuwe benadering van filantropie. Ik raad je aan om aantekeningen te
maken en je reacties te noteren. Je kunt een speciale map aanmaken in je
computer of je kunt www.BrentKessel.com bezoeken, waar je een aantal van
de oefeningen terugvindt.

   Terwijl je mij vergezelt op mijn pad vraag ik je om bereid te zijn om eerlijk naar jezelf te kijken en even te vergeten wat je al denkt te weten over de
verhouding tussen geld en geluk. Als je bereid bent om je relatie met geld
diepgaand te onderzoeken, verzeker ik je dat je het volgende zult vinden:

• Een blijvend gevoel van financiële voldoening
• Een helder inzicht in de krachten die je financiële leven hebben vormge-
  geven

- Een diep gevoel van zekerheid en vertrouwen ten aanzien van de toe-komst
- Een verbeterde financiële relatie met je levensgezel, ouders en kinderen
- Een groter vermogen om je meest belangrijke financiële doelstellingen te halen.

Geld is niet waar het om draait. Ga met me mee en ontdek waar het wel om gaat.

DEEL 1

DE AARD VAN DE GEEST

HOOFDSTUK EEN

JE ZULT NOOIT GENOEG HEBBEN

'Een klein beetje meer.'

John D. Rockefeller
(toen hem werd gevraagd hoeveel genoeg is)

Een vriend van me gaf onlangs op straat een dollar aan een dakloze. De man keek naar het geld in zijn hand, keek op en zei koeltjes: 'Niet genoeg.' Een dollar was blijkbaar te weinig om de nood van deze ongelukkige kerel te lenigen. Maar zelfs mensen die over meer dan genoeg financiële middelen beschikken hebben de neiging om geld vanuit dit perspectief te bekijken – het 'niet genoeg'-perspectief. Waarom hebben we als het om geld gaat altijd het gevoel dat we te weinig hebben?

Goed beschouwd zijn we rijk. Niet alleen in vergelijking met iemand die zijn inkomen bij elkaar moet bedelen, maar ook als we ons leven vergelijken met dat van een vorst uit de negentiende eeuw. Je hebt waarschijnlijk een verwarmd huis en comfortabele kleding. Je kunt bijna overal naartoe reizen met een snelheid die vijftig maal zo hoog ligt als de snelheid van de snelste paarden. En als je ziek wordt, wordt je geholpen in een modern ziekenhuis zonder dat iemand je bloed probeert af te tappen of je probeert te genezen met aderlatingen.

Misschien denk je: 'Maar natuurlijk heb ik het gevoel dat ik nooit genoeg heb. Ik *heb* namelijk ook niet genoeg!'. Het kan zijn dat je moet knokken om de eindjes aan elkaar te knopen. Misschien word je niet eens toegelaten in dat moderne ziekenhuis omdat je verzekering het niet dekt en je het zelf niet kunt betalen. Het zou kunnen zijn dat je voor de keuze staat tussen het betalen van de gasrekening of je autoverzekering. Of dat je twijfelt over het kopen van een huis omdat je bang bent dat je de vermogensbelasting niet kunt betalen. Als je voor dergelijke dilemma's staat, verkeer je inderdaad in een lastige positie, een positie die ik vanuit mijn eigen financiële ervaringen moeilijk kan doorgronden.

Maar hoe onze financiële omstandigheden ook zijn, we hebben allemaal de neiging om onszelf de valse belofte te doen dat we gelukkiger zullen worden als we meer hebben van hetgeen waar we naar verlangen – lekkerder voedsel, een groter huis, een mooiere auto, leukere vakanties, een betere gezondheid, om maar een paar mogelijkheden te noemen. Maar als dat werkelijk zo was, zouden we dan intussen niet zielsgelukkig moeten zijn?

In de afgelopen decennia ging de economische groei in bijna alle ontwikkelde landen gepaard met een uiterst bescheiden toename van het subjectief welbevinden. Tussen 1945 en 1995 groeide het gemiddelde inkomen in de geïndustrialiseerde wereld spectaculair en daalde het aantal uren dat we moeten werken om iets te kopen aanmerkelijk. Toch voelen de meeste Amerikanen zich volgens wetenschappelijk onderzoek nauwelijks gelukkiger dan toen. Dat geldt ook voor andere landen. In 1958 had Japan een gemiddeld inkomen per hoofd van ongeveer $3000, wat behoorlijk onder de armoedegrens van de Verenigde Staten ligt. Aan het einde van de twintigste eeuw was Japan een van de welvarendste landen ter wereld, maar er was weinig waarneembaar verschil in subjectief welbevinden (een toename van slechts 3 procent in veertig jaar). En uit een onderzoek onder de vierhonderd 'rijksten' bleek dat de meest vermogende mensen op aarde hun levensvoldoening precies even hoog inschatten als de Inuït uit het noorden van Groenland en de Masaï uit Kenia, die geen elektriciteit of stromend water hebben. Blijkbaar zijn we ondanks onze materiële vooruitgang niet zoveel gelukkiger geworden. Waarom eigenlijk?

De Verlangende Geest

De meesten van ons zullen zichzelf niet als hebzuchtig zien. Als we een groter huis in een betere buurt wensen, willen we dat voor ons gezin dat steeds groter wordt. Als we een mooiere auto willen van het nieuwste model dan heeft dat te maken met de veiligheidsvoorzieningen en het efficiënte brandstofverbruik of omdat onze positie binnen het bedrijf dat vraagt. Misschien zijn het wel geen materiële dingen die we willen, maar verlangen we naar een beter salaris of een hogere levenskwaliteit, de kans om meer op vakantie te kunnen gaan en meer tijd te kunnen doorbrengen met onze levenspartner of onze vrienden. Maar ook als we iets ongrijpbaars wensen zoals veiligheid of vrije tijd valt niet te ontkennen dat we onze tijd vooral besteden aan verlangen. Vaak reageren we op ons verlangen op een manier die ons in financiële zin alles behalve vrij maakt. Het lijkt wel alsof er een kracht buiten ons is die ons dwingt om ons kapitaal uit te geven, of dat nu financieel is of spiritueel. Boeddhistische tradities noemen deze kracht de *Verlangende Geest*.

De Verlangende Geest verlangt altijd naar iets anders dan wat hij heeft. Of het nu gaat om geld, liefde, die prachtige nieuwe sweater, een investeringsrendement van 20 procent of een meer rechtvaardige wereld, de Verlangende Geest probeert ons ervan te overtuigen dat we alleen gelukkig kunnen zijn als de dingen om ons heen veranderen. Geld is een van de favoriete doelen waar de Verlangende Geest zich op richt. Voor de Verlangende Geest is de belangrijkste reden tot bestaan het plannen van en het streven naar een betere toekomst. Zijn vooronderstelling is dat wat we nu op dit moment hebben en ervaren niet genoeg is. In zijn pogingen om ons in de toekomst gelukkiger te maken rukt de Verlangende Geest ons voortdurend weg uit het heden. Als we ons niet bewust worden van de subtiele en vaak verborgen methoden van de Verlangende Geest en nagaan of zijn beloftes van geluk wel waar zijn, blijven we zijn slaaf en besteden we ons hele leven aan het najagen van zijn beeld van vrijheid.

Onderzoek toont aan hoe groot de macht is van de Verlangende Geest. In *The overspent American* schrijft Juliet Schor dat tussen 1975 en 1991 het aantal mensen dat vond dat een vakantiehuis een belangrijk element is voor een goed leven, met 84 procent groeide. Tijdens de periode van 1987 tot 1994 steeg het inkomen dat mensen nodig dachten te hebben om 'al hun dromen in vervulling te doen gaan' van $50.000 naar $102.000, wat veel meer is dan de inflatie. Volgens een andere psychologische studie willen de meeste mensen in de industriële wereld meer dan ze bezitten: 61 procent van de onderzochte groep zei dat ze altijd wel iets in gedachten hadden wat ze graag zouden willen kopen.

We wijzen allemaal graag met een beschuldigende vinger naar mensen die geld over de balk smijten of vreselijk materialistisch zijn. *Zij* zijn de echte geldverslaafden. Mijn ervaring is echter dat *iedereen* in de ban is van de Verlangende Geest, van mensen op de onderste sporten van de sociaaleconomische ladder tot de meest bewuste spirituele leraren en de rijkste mensen in de samenleving.

Gemaakt om te verlangen

Alle wezens hebben van nature een biologische drang om te overleven. Zonder die drang sterven we. Een boom groeit naar het zonlicht dat door het bladerdak van het woud dringt. Walvissen trekken duizenden kilometers om in de warme Zee van Cortez te bevallen van hun kalveren. Een menselijke baby schreeuwt van honger totdat het wordt gevoed. Zonder deze aangeboren drang om te overleven zouden levende organismen doodgaan en zou de evolutie tot stilstand komen.

Deze drang vormt de kern van ons verlangen. Ons lichaam is gemaakt om voortdurend informatie te verzenden over wat ons bedreigt, wat onze kans is om te overleven en hoe we ons veilig kunnen voelen. Van nature willen we eten totdat we geen honger meer hebben en liefst nog een beetje meer. Als onze huid een daling in temperatuur waarneemt, zoeken we de warmte op. Pijn, lijden en zelfs ongemak ervaren we als een waarschuwingssignaal dat ons leven in gevaar zou kunnen zijn.

Niets in onze moderne maatschappij is zo nauw verbonden met overleven als geld. Is het dan een wonder dat we – alsof ons leven ervan afhangt – roepen 'Die wil ik hebben!' als we een nieuwe spijkerbroek of draagbare dvd-speler zien die aan al onze verwachtingen voldoet? Ook al beseffen we rationeel dat het geen kwestie is van leven of dood, toch koppelt onze Verlangende Geest onbewust een soort overlevingsdrang aan onze begeerte naar de dingen die we willen hebben. Vaak kunnen we iets wat we graag willen hebben niet uit ons hoofd zetten totdat we het hebben gekocht. Deze gerichtheid en intentie is in een periode van miljoenen jaren in ons lichaam geprogrammeerd. Deze lichamelijke reflexen werken nu nog steeds door, tot in de meest platvloerse aankopen die we doen.

> 'Als je werkelijk begint te begrijpen hoezeer je er op bent toegelegd om naar plezier te verlangen en pijn te vermijden, een soort basale instinctieve drift – als je daar doorheen leert kijken, ga je het minder persoonlijk opvatten.'
>
> WES NISKER,
> MEDITATIELERAAR

Meer willen hebben is een universeel probleem. Als je goed kijkt, zul je ontdekken dat er niet veel kan worden gedaan om dit verlangen te stoppen

– het verlangen naar materiële dingen en betere emotionele condities gaat maar door. Je zou willen dat de mensen om je heen anders waren, of dat het weer een beetje beter was, of dat je wat ontspannener was, wat guller, wat vriendelijker. Er is geen stoppen aan als we eenmaal worden verleid door het eindeloze verlangen naar meer, beter, groter, sneller.

Ik herinner me een gepensioneerde tandarts die op een conferentie van Abacus bij ons aan tafel zat. Pronkend in zijn poloshirt en kakibroek keek hij door zijn goudgerande leesbril naar zijn investeringsportefeuille. Daarin stond overduidelijk dat zijn oorspronkelijke nettowaarde van $4 miljoen in iets minder dan vijf jaar was uitgegroeid tot bijna $8 miljoen. Hij keek me aan en zei: 'Ik weet dat ik me pas echt financieel onafhankelijk zal voelen als ik $15 miljoen heb. Dat is mijn streefgetal.'

Voor mensen die minder geld hebben dan deze tandarts lijkt zo'n uitspraak absurd. 'Dat zou ik niet durven zeggen als ik 8 miljoen had!' denk je waarschijnlijk. Het is niet moeilijk om van anderen te zeggen dat ze extreme wensen hebben. Maar in ons harde oordeel over anderen zouden we wel eens blind kunnen zijn voor het feit dat ook onze eigen omgang met geld wordt gemotiveerd door het oneindige verlangen om ons aangeboren gevoel van schaarste en onzekerheid te boven te komen.

Getallen doen er niet toe. De waarheid is dat ieder van ons het gevoel 'niet genoeg' te hebben duizenden keren per dag ervaart. Veel van onze gedachten hebben een 'niet genoeg'-component. Elk van deze gedachten wil dat we iets doen om ons leven te veranderen. Deze gedachten vertellen ons voortdurend: 'Het nu is niet genoeg. Daarom wil ik ....' Door al die gedachten te benadrukken denkt de Verlangende Geest ons gerust te kunnen stellen en ons gelukkiger te kunnen maken.

> 'Er is nooit genoeg in de wereld om een ontevreden hart te bevredigen.'
>
> CHRISTINA FELDMAN,
> MEDITATIELERAAR

Als ik

Bijna alle mensen die ik ooit heb ontmoet, of ze nu rijk waren of arm, hebben op een bepaald moment in hun leven meegemaakt dat er niet genoeg geld was. Sommigen hebben als kind moeten meemaken dat hun ouders geen geld hadden toen de huur moest worden betaald en werden hun huis uitgezet. Anderen voelden zich op school sociaal minder dan andere kinderen die betere kleren, vakanties of auto's hadden. Omdat deze ervaringen zo pijnlijk kunnen zijn, compenseren veel mensen dit door zich ervan te verzekeren dat ze in hun eigen leven genoeg geld hebben. Zelfs mensen die in het geld lijken te baden hebben het idee dat hun gedachten voortdurend zijn gericht op hun financiële situatie, op hoe alles nog beter zou kunnen gaan. Net als andere gedachten hebben ook onze gedachten over geld de neiging om het heden te negeren. Klinken sommige van de volgende gedachten je misschien bekend in de oren?

- Als ik .... euro zou winnen, zou ik met mijn ellendige baan kunnen stoppen en kunnen doen wat ik wilde.
- Als mijn salarisverhoging een beetje hoger was geweest, zouden we ons een .... kunnen veroorloven.
- Als ik mijn partner zou kunnen afhouden van het uitgeven van al ons geld aan .... dan zouden onze maandelijkse kosten niet zo onder druk staan
- Als ik mijn bedrijf zou kunnen verkopen voor .... euro, dan zou ik mijn schaapjes op het droge hebben.
- Als ik niet meer zou aankomen, zou ik ook geen nieuwe kleren meer hoeven kopen en zou ik dat geld voor .... kunnen gebruiken.
- Als de creditcardbedrijven niet zo'n hoge rente zouden rekenen, zou ik al lang uit de schulden zijn.
- Als de aandelenmarkt weer op het niveau zou zijn van .... dan zou ik ophouden met piekeren.
- Als ik .... euro aan vermogen heb, ga ik het rustiger aandoen en van het leven genieten.

Als jouw excuus niet op de lijst staat, kun je hieronder je eigen 'als ik'-argument noteren:
- Als ik ....
  dan ....

Nogmaals, ik beweer niet dat het verkeerd is om deze wensen te koesteren. Waar het om gaat is dat je inziet dat in al deze gedachten het 'niet genoeg'-perspectief opduikt, dat het leven zoals het nu is ondermijnt. Elk van deze gedachten veronderstelt dat we gelukkig of tevreden zouden zijn als er iets

ONTHECHTEN

Probeer op dit moment, zonder dat je je boek neerlegt, een minuut lang te stoppen met lezen. Probeer niet aan de buitenwereld te denken. Sluit als je wilt de ogen. Let op welke gedachten er in je opkomen zonder te proberen om die gedachten te controleren. Klaar? Af!

Denk er vervolgens over na. Welke gedachten kwamen er in je op? Vroeg je je af hoe laat het was of wat je zou gaan eten? Wenste je dat je dit hoofdstuk had gelezen zonder deze oefening te doen, zodat je eindelijk de financiële problemen zou kunnen oplossen waarvoor je dit boek had gekocht? In welke zin gingen de gedachten die je had over de problemen die je wilt oplossen? Aanvaardde je deze ervaring zoals ze was? Met andere woorden, dacht je eenvoudig: 'Ik zit hier met mijn ogen dicht en voel me gelukkig en tevreden!' Of waren je gedachten, wat waarschijnlijker is, gericht op iets in de toekomst wat moet veranderen om je gelukkig of tevreden te maken?

Probeer als het maar even kan om in de komende dagen door deze bril naar je gedachten te kijken. Ben je in gedachten tevreden over je leven zoals het nu is? En zo niet, wat willen je gedachten dat je doet (of anderen doen) om dat gevoel te krijgen.

verandert. Daar is op zich niets mis mee. Het zou zelfs een heel goede strategie zijn... *als* we er werkelijk gelukkig van zouden worden en daarmee onze verlangens zouden bevredigen. Maar dat is niet zo. We krijgen hierdoor alleen maar meer verlangens.

Als mensen de televisie uitdoen, wakker liggen of voor het eerst proberen te mediteren, ontdekken ze tot hun ontzetting hoeveel gedachten er door hun hoofd spoken, hoe weinig lijn daarin zit en hoezeer die gedachten hen afleiden. Als je stil wordt en aandacht hebt, zul je ontdekken dat het 'niet genoeg' in heel veel van die gedachten voorkomt.

In de flow

De meesten van ons hebben wel eens een ervaring gehad van diepe verbondenheid: met een geliefde, in de natuur, toen we alleen waren of via kunst of muziek. Ook atleten bereiken soms een staat van volledige overgave, waarin hun denken vrijwel lijkt te zijn verdwenen en hun lichamelijke inspanning lijkt te worden gevoed door een kracht van buitenaf. Kunstenaars, dichters en ondernemers ervaren vergelijkbare momenten van creatieve 'flow'. De ideeën lijken uit het niets te komen en verrassen ons. Er is op dat soort momenten sprake van een gevoel van tijdloosheid, van verhevenheid. De onophoudelijke strijd met het leven en het verlangen naar meer lijkt even ten einde. We voelen een diepe innerlijke vrede.

Hoe we ze ook noemen en waar ze ook vandaan komen, we kennen ze allemaal. Momenten waarin we ons verbonden voelen met iets wat groter is dan wijzelf. Toch kunnen zelfs deze momenten, hoe mooi en puur ze ook zijn, de Verlangende Geest voeden. Waarom? Omdat elke ervaring vergankelijk is. Na een poosje keren onze gedachten terug en voelen we ons weer gescheiden van de werkelijkheid. Vaak zeggen deze gedachten: 'Wauw! Dat was geweldig. Ik wil meer. Wat moet er veranderen om dit altijd te kunnen ervaren?'

En zo keert de Verlangende Geest weer terug en daarmee ook het gevoel gescheiden te zijn van de vrede en de verbondenheid die we zojuist ervoeren. Onze geest is ervan overtuigd dat het mogelijk moet zijn terug te keren naar deze gelukzalige toestand. Tenslotte hebben we die ervaring ook eerder gehad. Dus waarom zou het niet nog een keer kunnen? Het enige pad dat de geest kent is meer gedachten denken en zo proberen te krijgen wat het wil – kortom, de geest vecht voortdurend met onze ervaring zoals die is. En dat is de kortste route naar het je *niet* verbonden voelen!

Maar het voelt zo goed

Een paar jaar geleden kocht ik mijn eerste nieuwe auto. Daarvoor had ik in een acht jaar oude Toyota 4Runner gereden. De nieuwe was een zilveren Audi Sports Sedan. Ik was dol op het ding. Ik had er maandenlang naar gezocht. Avonden lang had ik doorgebracht met het doorbladeren van een brochure die de Audi toonde terwijl hij in scherpe bochten door de Alpen reed, luxueuze hotels aandeed en de inzittenden beschermde tegen de bedreigingen van Moeder Natuur of andere vierwielers. Ik had een proefrit gemaakt en was verbaasd over het bedieningsgemak en de schitterende stereo. Voor de eerste keer in mijn leven mankeerde er echt niets aan mijn auto.

Terwijl ik hem naar huis reed, was ik in de zevende hemel. Al mijn verlangens waren vervuld en ik voelde me heerlijk. Mijn geest schreef dit geweldige gevoel toe aan de nieuwe aanwinst: ik had wat ik wilde! Maar dat bevredigende gevoel duurde niet lang.

De meeste cliënten met wie ik heb gewerkt hebben hun eigen verhaal met geld en de Verlangende Geest. Voor sommigen richt het verlangen zich op het kopen van schoenen of kleding. Het maakt niet uit hoeveel paar schoenen ze thuis in de kast hebben staan, als ze een paar schoenen in de etalage zien staan die er goed uitzien, ontstaat er opnieuw begeerte. De begeerte vraagt bevrediging en blokkeert ons bewustzijn van de dingen om ons heen. Alle aandacht richt zich op ons verlangen.

In de Tweede Yogasoetra, een oude tekst die lang voor het ontstaan van de beurs of zelfs het papiergeld werd geschreven, legt de wijze Patanjali uit dat extreme gehechtheid is gebaseerd op de veronderstelling dat het gewenste voorwerp, als het eenmaal is verworven, eeuwigdurend geluk zal creëren. Als een voorwerp een verlangen bevredigt, verschaft het een geluksmoment. Vanwege dit soort momenten acht onze geest het bezitten van voorwerpen belangrijk, ja zelfs onontbeerlijk.

De financiële tol van het verlangen

Bij veel mensen leiden de onophoudelijke wensen van de Verlangende Geest tot persoonlijke schulden, faillissementen of gebroken gezinnen. Bij anderen creëert de Verlangende Geest het gevoel dat ze gevangen zitten in een gat waar ze niet uit kunnen komen. Sommige van mijn cliënten bleken, zo niet financieel bankroet, dan toch wel zo verslaafd te zijn aan hun begeerten dat ze niet in staat waren om hun geld te besteden aan dingen die echt belangrijk voor hen waren –een schuldenvrij leven, een vakantiehuis, vrije tijd om zichzelf om te scholen, een artistieke droom of zelfs de mogelijkheid om een geliefde in nood te helpen. Hoewel deze doeleinden evenzeer verlangens zijn, zijn ze van een heel andere orde dan de eindeloze parade van begeerten die de Verlangende Geest te berde brengt. We zullen deze verschillen later in dit hoofdstuk bespreken.

Als we de Verlangende Geest de ruimte geven om ons financiële leven te beheersen gaat dat gepaard met hoge kosten, zowel financieel als emotioneel. Ik herinner me een cliënt die haar huis voortdurend opnieuw wilde inrichten, waarbij ze elke keer dacht dat de volgende herinrichting de laatste zou zijn. Haar Verlangende Geest begeerde een mooiere omgeving en meer leefruimte. Voor haar was de waarde van dit verlangen onbespreekbaar. Ik herinner me dat ze op een keer zei: 'Iedereen heeft een ruimte nodig die afgescheiden is van de woonkamer'. Met die gedachte rechtvaardigde ze een uitbreiding van meer dan 400 vierkante meter. Het financieren van drie herinrichtingen in vijf jaar dwong haar om werk te blijven doen dat ze tien jaar voor haar pensioen eigenlijk niet meer wilde doen! Ik ken een autoverkoper uit San Fernando Valley met een passie voor reizen. Als hij er niet in slaagde om een deal te sluiten of als hij zich gespannen voelde, ging hij de stad uit. Soms voor een wandeltocht van een paar dagen in de Sierra, soms voor een weekend in Palm Springs. Zijn inkomen was niet hoog – in feite was het niet genoeg om zijn gezin te onderhouden, zelfs zonder deze reisjes. Zijn wens om te ontsnappen aan de zorgen in zijn leven leidde tot steeds hogere uitgaven – uitgaven die hij zich niet kon veroorloven.

Veel mensen verkeren in een vergelijkbare situatie. Onze Verlangende Geest dwingt ons om te vaak uit eten te gaan, om het jaar een nieuwe auto te kopen, de laatste mode- of fitnessrage te volgen of de meest recente schoonheidsbehandeling of therapeutische workshop uit te proberen. Of we nu meer spullen, meer zekerheid of gewoon meer vrije tijd willen, we vallen al snel ten prooi aan de eindeloze begeerten van de Verlangende Geest.

Afnemende opbrengsten

Heb je ooit in een nieuw restaurant gegeten met een uitzonderlijk goede keuken, waar elk gerecht een verrassende smaak had en de goede sfeer al je zintuigen prikkelde? Zo'n ervaring willen we graag herhalen en zo raken we in de ban van het idee om deze gelukservaring opnieuw te creëren, in dit geval door plannen te maken om snel weer eens te gaan eten in dat heerlijke restaurant.

Is het je ook opgevallen dat de volgende keer dat je daar gaat eten, alles minder goed smaakt als de keer daarvoor? Misschien zag je opeens een paar onvolmaaktheden in de bediening of de inrichting. De derde of vierde keer dat je er gaat dineren is het restaurant teruggevallen op het niveau van andere restaurants en de voldoening van de eerste keer is geheel verdwenen. Zeker, we kunnen teruggaan en hopen dat we hetzelfde ervaren als toen.

Maar wat we daarmee niet onderkennen is dat de magie van de eerste keer kon plaatsvinden omdat we in een toestand van niet-weten verkeerden – wat zenboeddhisten een 'beginnersgeest' noemen. Met andere woorden, we hadden geen of weinig verwachtingen toen we voor het eerst het restaurant betraden. Toen we terugkwamen hadden we daarentegen juist heel hoge verwachtingen. Onbewust maakt onze geest vergelijkingen, wat in dit geval hetzelfde is als problemen zoeken.

Hetzelfde principe is van toepassing op de plezierige zintuiglijke ervaringen die we hebben als we iets kopen. De opbrengst van bijna al onze uitgaven wordt op den duur minder. Als we geld aan iets uitgeven probeert onze geest vaak om een eerdere ervaring te doen herleven in de veronderstelling dat dit koopgedrag tot een gelukkig leven leidt. Door je zo op het verleden te richten laat je eigenlijk zien dat je niet werkelijk in het heden leeft, niet bereid bent om te worden verrast door het moment. En toch houdt de geest met een ijzeren greep vast aan de opvatting dat we gelukkiger kunnen zijn dan we nu zijn.

Hoe meer we willen, hoe meer we willen

De meest gebruikelijke oplossing voor de inflatie van ons plezier is om de financiële inzet te verhogen. Hoewel we het afgelopen zomer nog geweldig vonden om naar Yosemite te rijden, willen we nu met het vliegtuig naar New England om de bladeren van kleur te zien veranderen. Het jaar daarop is Europa aan de beurt. Als we economy class te druk gaan vinden, kiezen we business class. Hoe vaak gebeurt het niet dat mensen een nieuwe woning of een nieuwe auto kopen die (nog afgezien van inflatie en prijsstijgingen) duurder is dan de vorige? Iedereen wil toch een stap vooruit? Deze algemene behoefte in ons consumptiepatroon om een stap voorwaarts te maken heeft alles te maken met het feit dat een vorige ervaring ons plezier heeft gedaan en we dit graag nog een keer willen meemaken.

Lezers die denken dat dit niet voor hen geldt omdat ze het geld niet over de balk gooien, moeten oppassen. Dit gedragspatroon is niet alleen van toepassing op consumptief ingestelde mensen. Dit principe is ook bepalend voor andere vormen van financieel gedrag waarvan we denken dat het in het verleden goed heeft gewerkt, zoals sparen, zuinig zijn of het opbouwen van een bedrijf. We leggen steeds meer geld opzij, investeren meer in de hoop op een hoger rendement of wisselen van baan omdat we een salarisverhoging willen. We kunnen zelfs 'tijd kopen' door voor een baan te kiezen die meer vakantie biedt of minder werkuren vereist zodat we iets kunnen doen wat we nog graag zouden doen in onze carrière. En voor een moment krijgen we wat we willen en zijn we gelukkig. Het probleem? Dat we daar niet genoeg aan hebben.

De geest verleidt ons tot dit gedragspatroon door ons te vertellen dat hoe meer we willen, hoe meer we krijgen en hoe gelukkiger we worden. De waarheid is dat hoe meer we nu willen, hoe meer we zullen willen in de toekomst. Mensen zijn gewoontedieren. Als we ons vandaag op een bepaalde manier gedragen, zullen we ons ook in de toekomst zo gedragen. Als we vandaag water geven aan het zaad van het verlangen, hoeven we niet te verwachten dat we morgen zullen zeggen: 'Wauw! Kijk nou eens. Ik heb opeens minder verlangens.' In werkelijkheid zal de hoeveelheid water die we nu aan de zaadjes geven, bepalen hoe groot en dorstig het verlangen van morgen zal zijn.

Helaas brengt verlangen veel onvoorziene kosten met zich mee. Latere hoofdstukken gaan dieper in op de kosten van onbewust financieel gedrag en wat je daaraan kunt doen. Mensen hebben verschillende financiële behoeften en dus zullen de kosten van buitensporige verlangens ook heel verschillend zijn. Maar ik zal je hier wel een voorbeeld geven:

> Je spaart voor de studie van je kinderen. Stel dat je nu $3.000 per maand uitgeeft en je verhoogt die uitgaven met 3 procent per jaar (de gemiddelde inflatie). De buren, die graag 'genoeg' hebben, verhogen hun levensstijl met een uitgavenpatroon dat 6 procent per jaar stijgt. In dat geval zul je binnen achttien jaar $475.000 meer hebben voor de studie van je kinderen dan de buren (ervan uitgaande dat je 7 procent rente krijgt op de spaarrekening voor de kinderen).

Financiële planning alleen is niet genoeg

Financiële planning is een belangrijk instrument voor het creëren van een meer gebalanceerde en spirituele relatie met geld. Voor veel mensen lukt dit het beste als ze een gediplomeerde financiële planner in dienst nemen of een andere geschoolde adviseur. Stel je voor dat je op bezoek bent bij een financiële planner. Je hebt een vaag plan in gedachten. In de wereld van de financiële planning begint alles met het 'bepalen van je doelstelling'. Met behulp van een competente financiële planner definieer je een specifiek doel en verander je je gewoonten en gedragspatronen om zo snel mogelijk bij dat doel te komen. Het idee is dat je gelukkiger zult worden als je 'er' bent.

Maar als jij en je financieel planner niet heel goed oppassen bij het bepalen van de doelstelling, zul je uiteindelijk minder gelukkig zijn dan je had gedacht. Door onderscheid te maken tussen de wensen van de Verlangende Geest en de werkelijke doeleinden die je in het leven nastreeft, wordt de kans groter dat je een weg kiest die je op een meer duurzame wijze zal bevredigen. In de volgende tabel vind je een paar belangrijke verschillen:

WENSEN VAN DE Verlangende Geest	ECHTE LEVENSDOELEN
• Voornamelijk gericht op jezelf	• Gewoonlijk ook gericht op anderen
• Hoogdravend, meestal doordat het meer financiële reserves vereist dan redelijkerwijs verwacht kan worden of door uit te gaan van een onrealistische termijn	• Realistisch en bereikbaar
• Kinderlijk ongeduld	• Gekenmerkt door geduld
• Comparatief of competitief: wensen lijken op 'dwangbevelen' die het gezin, vrienden of de cultuur worden opgelegd	• Van binnenuit: vanuit jezelf.
• Onbevredigbaar: zodra de ene wens is vervuld ontstaat er weer een andere	• Een gevoel van wezenlijk belang – 'Ik wil dit doen voordat ik dood ga' – wat een meer blijvende bevrediging geeft

WAT ZIJN JE ECHTE LEVENSDOELEN?

Pak een wit vel papier of een schrift en schrijf de volgende drie minuten zoveel mogelijk wensen, doelen en dromen op als je kan. Vraag je niet af of ze echt zijn of triviaal, buitensporig of redelijk. Associeer vrijelijk en blijf schrijven – niemand anders dan jij krijgt de lijst te zien. Censureer je gedachten niet en aarzel niet of je iets wel of niet moet opschrijven. Schrijf alles wat er in je gedachten komt op, wat het ook is. Doe dit voordat je verder leest.

Neem vervolgens nog een tweede vel papier en trek een verticale lijn in het midden die het vel in twee kolommen verdeelt. Noem de ene kolom 'Wensen van de Verlangende Geest' en de andere 'Echte levensdoelen'. Vergelijk je wensen of doelen met de genoemde criteria en plaats ze in de ene of de andere kolom op grond van de belangrijkste eigenschappen. Een wens of doel hoeft niet aan alle criteria te voldoen om in de rechterkolom te kunnen worden geplaatst – het gaat erom met welke van de twee kolommen de wens of het doel het meest overeenstemt.

Als je geen papier hebt of geen zin hebt om deze oefening in geschreven vorm te doen, concentreer je dan op de eerste drie doelen of dromen die in je opkomen en evalueer die aan de hand van de criteria. Houd in gedachten dat er niets verkeerd is aan de wensen van de Verlangende Geest! Maar het is wel zo dat we gedoemd zijn om teleurgesteld te worden als we denken dat we blijvend geluk vinden door ons verlangen te volgen.

Ik heb regelmatig vreselijke trek in ijs, wat zeker tot de linkerkolom behoort. Soms behoren doelen niet automatisch in de ene of de andere kolom thuis. Voor de een kan met vervroegd pensioen gaan aan de linkerkant thuishoren omdat het een droom is die door de omgeving is opgedrongen, terwijl het voor een ander een authentiek levensdoel kan zijn.

Je hoeft niet te weten hoe of wanneer je je levensdoelen zult bereiken. Sluit voor een minuut je ogen en verplaats je in een leven waarin je al je doelen hebt bereikt. Probeer zoveel mogelijk zintuigen in te schakelen: Hoe ziet de omgeving waarin je bent eruit? Wat hoor je? Wat is de temperatuur? Hoe ruikt en proeft het daar? Geniet van de sensatie dat het je is gelukt. Deze fantasie moet je een tastbaar gevoel van vrede en voldoening geven. Als dat niet zo is gaat het waarschijnlijk niet om een echt levensdoel, maar om een wens van de Verlangende Geest. Volg de adviezen die in het vervolg van dit boek ter sprake komen en je zult in staat zijn om de levensdoelen te bereiken die voor jou het meest belangrijk zijn!

Als we niet de tijd nemen om te onderscheiden tussen wensen en echte levensdoelen zal onze geest niet lang na de bevrediging van het verlangen meer willen. Het gevoel dat we 'niet genoeg' hebben houdt aan en de geest zal blijven denken dat het probleem kan worden opgelost door te streven naar meer. Kortom, hoewel financiële planning een geweldig instrument is, is het vaak geen oplossing voor ons dilemma. Als we niet goed oppassen kan het gebeuren dat we onder leiding van onze financiële planner slechts de groeven in onze geest verdiepen die zeggen: 'Als je een beter leven wilt, stel jezelf dan een aantal doelen, spaar meer, geef minder uit en investeer beter en je zult gelukkig zijn.'

Het vak financiële planning zweert immers bij de formule:

$$Doelen + Reserves = Geluk$$

Een goed financieel planner zal je leren om je doelen te verfijnen. Hij of zij zal je helpen om een ideaal leven te visualiseren waarin je meer dan genoeg hebt. Een slimme financiële adviseur kan je helpen om je geld zo te investeren dat je vermogen sneller groeit dan zonder zijn hulp. Hij of zij kan je helpen met het verminderen van je uitgaven, het minimaliseren van de belastingen en het aanwenden van je reserves voor de realisatie van je levensdoelen. Maar ik zou slechts de helft van het verhaal vertellen als ik hier ophield. Als je naar je eigen ervaringen kijkt of naar die van je vrienden dan zul je, of ze nu rijk zijn of niet, ontdekken dat de formule in werkelijkheid anders is, namelijk:

$$Doelen + Reserves = Grotere \ Doelen + Meer \ Reserves$$
$$= Nog \ Grotere \ Doelen + Nog \ Grotere \ Reserves$$

En ga zo maar door.

Een beter investeringsrendement willen

In de financiële wereld is de Verlangende Geest niet alleen van invloed op onze uitgaven. Hij heeft ook een enorme invloed op ons investeringssucces of het gebrek daaraan. Als investeerders op onbekend terrein komen weten de meesten niet wat er gaat gebeuren. Daarom richten ze zich in de regel op wat er in het verleden is gebeurd. Dat zien ze als het meest waarschijnlijke scenario van wat er in de toekomst zou kunnen gebeuren. 'Wat als de beurs opnieuw 25 procent keldert?' is een gebruikelijke reactie na een beurscorrectie. Onmiddellijk verkopen veel mensen hun aandelen. Maar als de koers weer bijdraait, vragen ze zich wanhopig af waarom ze niet de vruchten plukken van de nieuwe hausse. Als je je financiële beslissingen laat bepalen door de Verlangende Geest is het moeilijk om te stoppen.

Een van de grootste beleggingsfondsen in de Verenigde Staten bestudeerde het investeringsrendement van 1969 tot 1999. Men ontdekte dat de gemiddelde investeerder in hun fonds slechts 5 procent had verdiend, ondanks een gemiddeld rendement van 16 procent. Het verschil was te wijten aan het feit dat de beleggers op ongelegen momenten hun aandelen verkochten of aankochten. Vijf procent is minder dan wat de investeerder in dezelfde periode had kunnen verdienen met een eenvoudige spaarrekening!

De denktank Dalbar in Boston bestudeerde de reële rendementen van alle investeerders in beleggingsfondsen in de gehele Verenigde Staten van 1987 tot 2006. De QAIB, zoals Dalbars onderzoek werd genoemd, constateerde dat de gemiddelde investeerder in deze periode zijn geld in een investeringsrekening stopte als de beurskoers omhoogging, maar de aandelen snel weer verkocht als de beurskoers daalde. Over een periode van tweeëntwintig jaar zag de gemiddelde investeerder zijn rekening groeien van $10.000 naar $23.252. De meest gebruikte maatstaf van de Amerikaanse aandelenmarkt, de Standard & Poor's index van vijfhonderd van de grootste bedrijven (de S&P 500) verdiende 11,8 procent. Als investeerders $10.000 zouden hebben geïnvesteerd in de S&P 500 zonder zich uit het fonds terug te trekken dan zouden ze uiteindelijk aan het eind van deze periode $93.050 hebben gehad. Hoe kan dat? De meeste mensen blijken het slachtoffer te worden van de voortdurende jacht van de Verlangende Geest naar nieuwe 'veelbelovende' fondsen, waardoor ze te vaak hun aandelen verhandelen.

Ook de massieve groei van persoonlijke schulden en het tekort in pensioensspaargelden in de Verenigde Staten in de laatste twintig jaar is een direct gevolg van de invloed van de Verlangende Geest. Ons collectief onvermogen om aankopen uit te stellen en het onvermogen om gedisciplineerd te handelen bij investeringsbeslissingen lijkt een epidemie te zijn geworden. Het feit dat we onze investeringsbeslissingen laten bepalen door de Verlangende Geest heeft ons letterlijk miljarden dollars gekost. Maar het leidt niet alleen tot slechte financiële resultaten. Ook onze emotionele toestand wordt er niet beter van als de Verlangende Geest de touwtjes in handen heeft.

In oorlog met jezelf

Als we in een staat van verlangen zijn is er een innerlijk conflict tussen wat we hebben – wat we nu ervaren – en wat we willen. Er is een deel van onszelf dat hier en nu aanwezig is en de huidige ervaring observeert – wat dat ook mag zijn: 'De zon schijnt', 'Deze auto maakt rare geluiden', 'Ik voel dat ik boos ben'. Dit deel van onszelf ontvangt alle informatie die de zintuigen oppikken zonder te interpreteren of op deze informatie te reageren. Tegelijkertijd is er een ander deel van onszelf waarvan de aandacht is gericht op de vraag hoe we deze ervaring zouden willen veranderen: 'Ik zou willen dat het niet zo heet was'. 'Ik heb een nieuwe auto nodig', 'Ik zou willen dat ze me niet zo irriteerde'.

Als je zegt: 'Het is *zus*, maar ik wil het *zo*', dan worstel je met de realiteit. Bij deze vorm van denken trek je als het ware ten strijde tegen je eigen leven. Naast de negatieve financiële consequenties die deze vicieuze cirkel met zich meebrengt, trekt dit een enorme hoeveelheid energie weg van ons zijn in het hier en nu. En dat is goed beschouwd behoorlijk uitputtend.

Er is een alternatief, een weg die de moed vraagt om niet voorspelbaar te reageren door onmiddellijk de impulsen van je verlangen te volgen. Dat betekent niet dat je nooit meer iets kunt kopen of dat je naar een hutje in de bergen moet verhuizen en alles wat je hebt moet weggeven. Het betekent ook niet dat je moet stoppen met het zoveel mogelijk sparen van alles wat je verdient. Nee, als je echt vrij wilt zijn, zul je voordat je in financiële zin actie onderneemt, eerlijk moeten kijken naar de wortels van je gedrag. Gedrag waarvan je geest altijd heeft beweerd dat het je gelukkig zou maken. Die weg is niet gemakkelijk. Het betekent dat je een jarenlange programmering moet terugdraaien, een proces waarin je hebt geleerd dat je gelukkig zult worden als je er maar voor zorgt dat je krijgt wat je wilt. Er zullen momenten zijn waarin elke cel in je lichaam zich zal verzetten tegen de oefeningen die ik je voorschrijf. Maar als je dit boek leest omdat je werkelijk geïnteresseerd bent in het vinden van meer rust, helderheid en vrijheid, dan zul je de vastberadenheid vinden die nodig is om deze uitdaging aan te gaan.

LOSLATEN

De inspiratie voor deze oefening komt van Christina Feldman, die samen met de boeddhistische meditatieleraar Jack Kornfield de spirituele bestseller *Soul food* heeft geschreven.

Terwijl je bezig bent kijk je of je een van de impulsen van het verlangen kunt identificeren en loslaten. Bijvoorbeeld: je passeert een winkel en wordt verliefd op een elegante pantalon in de etalage. Misschien wilde je al heel lang je garderobe opfrissen. Deze pantalon zou perfect passen bij je andere kleding.

Ga om te beginnen niet naar binnen. Koop niets. Creëer een pauze tussen het voelen van wat je wilt en het ondernemen van actie. Dat schept misschien een licht gevoel van spijt. 'Maar, maar, maar...', werpt je innerlijke stem tegen. Terug op kantoor begin je misschien te fantaseren over de nieuwe aankoop en zie je voor je waar en wanneer je hem voor het eerst zal dragen. Merk je dat deze fantasieën ook een lichamelijk effect hebben? Gaat je hart sneller kloppen? Voel je je gelukkiger? Kalmer? Concentreer je voor dit moment op hoe je je voelt als je nadenkt over het voorwerp dat je wilt kopen. Probeer geen besluiten te nemen. Veroordeel jezelf niet. Hoe voelt het verlangen? Voel je het in je buik? Voel je een golf van adrenaline door je heen stromen? Verandert de energie die door je heen stroomt of blijft alles hetzelfde? Neemt je energie af of toe? Laat verschillende uren voorbijgaan. Wil je die pantalon nog steeds of is je aandacht verschoven naar iets anders? Voel je de volgende dag of de dag erna sacherijnig, omdat je geen gevolg hebt gegeven aan deze impuls van verlangen?

Doe deze oefening minstens eenmaal per week – het kost je nog geen minuut. Doe het met elk voorwerp, hoe klein ook: een donut, een nieuwe cd, een cadeau voor iemand of zelfs een impuls zoals het willen controleren of veranderen van je investeringen – alles waar geld bij komt kijken. Observeer en schrijf op wat je ziet of voelt. Een voorbeeldpagina kan er ongeveer zo uit zien:

Verlangensimpulsen 2/10

– een kaascroissant van de bistro op de hoek
– een salarisverhoging voor het extra aantal uren dat ik werk
– de nieuwe iPhone
– het verkopen van mijn aandelen in het biotechnologisch fonds waarvan ook deze maand de koers daalde

Ga niet op de impulsen in. Blijf observeren en merk in de komende uren en dagen op hoe je ervaring verandert en verschuift. Of je nu wel of niet op de impuls ingaat, op den duur ga je inzien hoeveel handelingen door deze gewoonte worden gestuurd. De gewoonte om elke impuls te bevredigen die zich voordoet. (Ga naar mijn website via www.BrentKessel.com en download een gratis begeleide meditatie voor het observeren van je geest, evenals een lijst van oefeningen, leraren en cursussen die ik behulpzaam vind.)

Niet willen

Veel spirituele leraren hebben hun hele leven doorgebracht met het observerend onderzoeken van de Verlangende Geest. Adyashanti, een leraar en auteur uit Californië die is getraind in de traditie van de zenmeditatie, beweert dat het belangrijkste plezier dat we ervaren als we krijgen wat we willen is dat het verlangen stopt. Voor één keer genieten we gewoon van iets zoals het is – of het nu een kunstwerk is, een heringerichte woning of een nieuwe jurk. Verward richt onze geest zich op het voorwerp zelf als de bron van ons geluk. Het is immers die heerlijke maaltijd, dat prachtige uitzicht of dat nieuwe horloge dat

'De eenvoudige daad van bespiegeling, de eenvoudige daad het gaan zitten om te overwegen, om na te denken, kan al een effect hebben.'

ZIJNE HEILIGHEID DE DALAI LAMA EN HOWARD CUTLER, THE ART OF HAPPINESS AT WORK onze bewuste aandacht vasthoudt. Maar we missen de boot door het voorwerp zelf te zien als de bron van ons tijdelijke geluk. Als we echt goed kijken naar wat ons geluk veroorzaakt, dan is het niet de maaltijd, het uitzicht of het nieuwe horloge. Dit zijn slechts de sleutels die op dat moment de deur naar de wensloosheid openen. Een bosbes kan dat gevoel net zo goed teweegbrengen als een Rolex. Of de lach van een kind. Ook een mooie film, een concert of een roman zouden onze aandacht kunnen vasthouden en ons kunnen bevrijden van het verlangen.

Zoals we maar al te goed weten, is de wensloze toestand niet blijvend. Het duurt niet lang voordat er iets in ons leven naar voren treedt wat niet ideaal is, iets waarvan de geest denkt dat het beter zou kunnen of anders zou moeten.

Herinner je je mijn nieuwe Audi? Een maand na aankoop stuitte ik al op de eerste gebreken. Als ik de hoek omging met 65 km per uur piepten de banden een beetje, terwijl ik toch zeker dacht te weten dat ik dat tijdens de proefrit niet had gehoord. Ook bleken de metalen wielen zo'n tien centimeter over de banden heen te steken, wat ik me nooit had gerealiseerd totdat ik op een dag inparkeerde en het gekras van aluminium op de stoeprand hoorde. Ten slotte vroeg een vriend me op een feestje waarom ik, gezien de groei van mijn gezin, niet het volgende model had gekocht dat een slag groter was. Dat vroeg ik me ook af.

Ik was ervan overtuigd geweest dat deze auto perfect was omdat hij voldeed aan een groot aantal wensen die ik had na mijn ervaring met andere auto's. Maar na een poosje wilde ik meer dan dat alleen – slechts een paar kleine veranderingen, geen grote dingen. Mijn geest was eraan gewend te denken dat ik gelukkig zou worden als ik zou krijgen wat ik wilde. Ook al was ik er eerder vast van overtuigd geweest dat deze auto perfect was, mijn geest had nu een nieuw wensenlijstje met betrekking tot het maken van bochten, de wielen en wat andere mensen over mijn auto dachten.

Omdat we bepaalde voorwerpen of ervaringen als de bron van ons geluk zien is het onvermijdelijk dat de geest vergelijkbare voorwerpen of ervaringen als de bron van ons toekomstig geluk ziet. Dat is de reden waarom mensen steeds meer aanschaffen van datgene wat hen in het verleden gelukkig heeft gemaakt – of het nu auto's zijn, kleren of exotische reizen. Blijkbaar geven deze dingen een bepaald soort bevrediging. En we zouden daar ook van moeten genieten. Maar als ons verlangen uit balans is, als we een gat proberen te vullen dat niets in de wereld om ons heen ooit kan vullen, dan kunnen de financiële consequenties rampzalig zijn.

van het willen hebben
als je iets
weer wilt (verlost)
her ik dwa

JE ZULT NOOIT GENOEG HEBBEN   45

Als we goed kijken en eerlijk zijn tegenover onszelf, zullen we zien dat het geluk dat we op dat moment voelen veroorzaakt wordt door de afwezigheid van het willen. Als we diezelfde afwezigheid van verlangen zouden kunnen ervaren zonder iets te kopen, zouden we in staat zijn om het heden

WAT JE WILT

Wat wil je precies als het om geld gaat? Zet je alarm op twee minuten en maak een lijst, waarbij elk item begint met 'Ik wil...' De lijst hoeft niet beperkt te blijven tot materiële zaken, maar kan ook immateriële verlangens bevatten zoals vervroegd pensioen, meer kinderopvang of de tijd om een roman te schrijven, zolang het maar met geld te maken heeft. Natuurlijk mag je ook een nieuw plasmascherm, een paar nieuwe laarzen, een nieuwe keuken of een nieuwe laptop opschrijven. Schrijf op wat je wilt, zonder je gedachten te corrigeren. Niemand zal je lijst lezen.

Na twee minuten stop je met schrijven. Lees de lijst en stel je voor dat je elk van de dingen die je hebt opgeschreven ook werkelijk bezit, of dat nu tien miljoen in belastingvrije obligaties is, een spaarrekening voor de studie van je kinderen of de vrijheid om nooit meer over geld te hoeven nadenken. Stel je voor dat ik je een toverstokje zou geven waarmee je al je wensen in vervulling zou kunnen laten gaan. In feite heb je dat stokje al jaren in je bezit.

Sluit je ogen en merk op hoe het voelt om al deze dingen te hebben. Word je rustiger? Ontspannen je spieren zich? Ga je langzamer ademhalen? Het is een geweldig gevoel, niet? Een gevoel dat je nog niet bezit.

Maar hoe heerlijk dit gevoel van tevredenheid ook is, het is niet blijvend. Als je zoals de meeste mensen bent, is deze lijst slechts een begin. Je financiële wensen zullen in de loop der tijd waarschijnlijk meerdere bladzijden beslaan.

Wat ik hiermee wil zeggen is: het gaat je uiteindelijk niet om de dingen die je op de lijst hebt gezet. Waar je werkelijk naar verlangt, is het gevoel – vrij te zijn van het verlangen. De tragedie is dat het heerlijke, vredige gevoel van vervulling, zelfs als je alles zou krijgen wat je hebt opgeschreven, niet lang duurt als je Verlangende Geest de baas blijft.

te aanvaarden en niet langer ons geluk zoeken in voorwerpen of ervaringen die we begeren. Dan zou ons diepste zelf en niet onze Verlangende Geest de zeggenschap krijgen over de belangrijkste financiële beslissingen die we nemen – beslissingen die onze vrijheid maken of breken.

Als we de dingen die onze Verlangende Geest begeert niet langer najagen, kan onze aandacht bij onszelf blijven, bij het subject, in plaats van bij de dingen die we willen. Als we op die manier contact maken met ons innerlijk vinden we onze diepste voldoening in het gewoon 'zijn', een toestand waarin we bevrijd zijn van het verlangen om iets anders te doen dan we doen.

Zie maar eens wat er gebeurt als je geen afleiding zoekt of weerstand biedt en je geest gewoon laat zijn zoals hij is. Wees eerlijk en kijk met bescheiden nieuwsgierigheid naar jezelf. Wat ontdek je? Zonder het perspectief dat deze eenvoudige oefening je schenkt, zul je voor altijd gevangen blijven in het verlangen en nooit genoeg hebben, zowel materieel als emotioneel. Maar als je bereid bent tot oprecht en consequent zelfonderzoek kan het gebeuren dat je stopt met het onbewust volgen van de Verlangende Geest en zijn beloften van een betere toekomst. Je zult slimmere, meer zelfstandige beslissingen nemen en een nieuwe verhouding ten opzichte van geld ontwikkelen, een houding die gekenmerkt wordt door tevredenheid en helder inzicht.

Op de hiernavolgende bladzijden zul je meer technieken leren die je in staat stellen om die wonderlijke sensatie te ervaren die niet afhankelijk is van uiterlijke omstandigheden. Je bent nu een behoorlijk eind op weg om een meer tevreden en vervuld financieel leven te creëren. Wanneer je je bewust wordt van de Verlangende Geest in je en weet hoe die te werk gaat, dan heb je de eerste stap gezet en een begin gemaakt met het jezelf bevrijden uit zijn greep. De volgende stap is dat we ons verdiepen in de aard van de geest en zien hoe die onze dagelijkse interacties en beslissingen met geld beïnvloedt. Het resultaat? Je zult nog veel krachtiger instrumenten ontvangen die je helpen om belangrijke veranderingen aan te brengen in je relatie met geld.

HOOFDSTUK TWEE

HET ONBEWUSTE WINT ALTIJD

'Een van de valkuilen van de kindertijd is dat je iets niet hoeft te begrijpen om het te voelen. Tegen de tijd dat de geest in staat is om te begrijpen wat er is gebeurd, zijn de wonden van het hart al te diep.'

Carlos Ruiz Zafon, schrijver

Een van mijn cliënten is een zelfstandige zakenvrouw die geen hekel aan haar werk had, maar er ook niet echt van hield. Toen ze kind was, ging haar vader failliet en het gezin leed daar erg onder. Bij elke bijeenkomst in onze conferentiezaal vertelde ze hoe ze verlangde naar de dag dat ze met pensioen zou gaan. Maar zelfs nadat we haar hadden laten zien dat ze zelfs bij het opnieuw uitbreken van de Grote Depressie opnieuw voldoende financiële middelen zou hebben, bleef ze zich zo veel zorgen maken over haar uitgaven dat ze er paniekaanvallen van kreeg. Een bijkomend probleem was dat haar echtgenoot, die ook haar zakenpartner was, voortdurend geld uitgaf aan de herinrichting van het kantoor, bedrijfsauto's, vakantiehuizen en zijn eigen garderobe. Zijn argument, dat moeilijk te weerleggen was, was dat deze uiterlijke tekenen van succes geld aantrokken in de vorm van cliënten die onder de indruk waren van zijn levensstijl. Door haar angsten voelde de vrouw zich gedwongen om voortdurend te blijven werken aan de groei van haar vermogen. Anderzijds hielden zijn opvattingen over geld en status, ongetwijfeld gevormd door zijn jeugdervaringen, hem gevangen in een cyclus van overdadige besteding. Door hun tegengestelde ideeën over geld werkten ze veel meer jaren dan ze eigenlijk wilden.

Ik zie dit soort verschanste gedragspatronen voortdurend om me heen. Goede spaarders neigen ertoe om te blijven sparen, ook al hebben ze inmiddels meer dan genoeg geld bij elkaar gespaard voor hun eigen behoeften en die van hun gezin. Mensen die worstelen om de eindjes aan elkaar te knopen lijken voortdurend in dezelfde hachelijke situatie te verkeren. Ook mensen die te veel uitgeven of de neiging hebben om alles weg te geven blijven dat doen. En degenen die vooral financiële zekerheid zoeken, lijken zich altijd zorgen te blijven maken, hoezeer hun financiële situatie ook verbetert. We hebben allemaal wel eens verhalen gehoord over financiële dwaasheden. Misschien zijn we ons zelfs bewust van het feit dat we steeds dezelfde financiële fouten maken. Maar toch vragen we ons zelden af waarom het is dat we ongeacht onze financiële situatie voortdurend in dezelfde situaties terechtkomen als het om geld gaat.

We krijgen wat we denken dat we verdienen

De meeste mensen beweren dat ze een ander financieel leven willen dan het leven dat ze hebben. Ze streven naar meer geld, meer innerlijke rust, meer bezit, een gemakkelijker contact met de familie over geld of betere instrumenten om hun geld te beheren. Ik beweer echter dat onze relatie met geld onbewust door onszelf is gewild en gecreëerd.

FAILLIET VERKLAARD

Overweeg de volgende statistieken:

• Achtenzeventig procent van de spelers in de National Football League zijn binnen twee jaar na hun laatste wedstrijd bankroet, gescheiden of werkeloos.

• Schattingen laten zien dat ongeveer een derde (33%) van de winnaars van de loterij enige tijd nadat ze hebben gewonnen een faillissement aanvragen.

• Ondanks hun enorme financiële succes zijn sterren zoals Burt Reynolds, Kim Bassinger, Gary Coleman, Mike Tyson, Debbie Reynolds, Michael Jackson en MC Hammer failliet gegaan.

Je zult misschien zeggen: 'Hoe kan dat? Hoe kun je beweren dat iemand die failliet gaat, dat zelf heeft gewild?'

Mijn antwoord is dat we krijgen dat we denken dat we verdienen. Om ons financieel gedragspatroon te veranderen, moeten we ons financiële kernverhaal kennen. Dat kernverhaal bestaat uit de diepste gevoelens en opvattingen die we hebben over geld, datgene wat we onbewust denken te zijn, kunnen en niet kunnen, moeten en niet moeten. De kracht van ons onbewuste is zo sterk dat we ondanks al onze inspanningen om onze financiële situatie aan de buitenkant te verbeteren, aan de binnenkant gewoonlijk heel weinig veranderen. Terwijl we in de buitenwereld wanhopig op zoek zijn naar een andere relatie met geld worden we in onze binnenwereld onbewust door onze eigen geest tegengewerkt. Zolang je je kernverhaal niet onderzoekt en onderkent, zal je financiële leven in uiterlijke zin een afspiegeling blijven van onbewuste verwachtingen. Pas als je begrijpt welke onbewuste gedachten je koestert over je financiële levenslot en wat je onbewust denkt dat je gelukkig of tevreden zal maken, ben je in staat om het verhaal te veranderen dat zich voortdurend opnieuw in je hoofd afspeelt.

Je kernverhaal

Het idee van het kernverhaal komen we in een iets andere vorm ook tegen bij Thich Nhat Hanh. Deze prominente Vietnamese boeddhistische monnik zegt dat het is alsof ieder van ons een kelder in zijn hoofd heeft waarin honderden films liggen opgeslagen. De meeste mensen spelen in hun hoofd steeds dezelfde films af: films over hoe de dingen om ons heen zouden moeten veranderen om gelukkig te kunnen worden, films over de vraag wiens schuld het is dat we lijden, films over wat er niet deugt in ons leven. Het verbazingwekkende is dat hoe vaker we die films afspelen, hoe meer de gebeurtenissen in ons leven op het plot van de films gaan lijken.

Dit zien we ook terug als we kijken naar de relatie die mensen met geld hebben. Hoe vaker iemand de scène afspeelt waarin hij als kind met zijn ouders uit huis werd gezet, hoe groter de kans dat hij zijn leven lang angstig en bezorgd is en misschien ook zelf ooit zijn huis zal verliezen. Anderen spelen steeds weer de scène af waarin ze werden buitengesloten en zijn, om dit pijnlijke gevoel te ontlopen, workaholics geworden die niet van het leven genieten. In beide gevallen gaat het om een reactie op een traumatische ervaring die pijnlijke gevoelens oproept en onbewust tot een onevenwichtig financieel levenspatroon heeft geleid.

Voor veel mensen is het steeds opnieuw afspelen van de films in ons hoofd geen bewuste keuze of handeling. Vaak horen we de soundtrack die ons leven begeleidt alleen onbewust. Maar of het nu een bewust of een onbewust proces is, je verandert je relatie met geld niet tenzij je leert om de film in je hoofd met de objectiviteit van een filmcriticus te bekijken in plaats van met de vertekende en bevooroordeelde blik van de filmproducent, de scenarist, de regisseur en de acteurs.

Het script is geschreven

Ons kernverhaal, de film in ons hoofd, is zo krachtig dat het leidt tot manifestatie van de financiële levensomstandigheden waarmee ons onbewuste vertrouwd is. Daarom blijft Donald Trump, wiens vader ook een vastgoedkoning was, zijn enorme bedrijf alsmaar uitbreiden, ook al heeft hij inmiddels meer dan genoeg geld verdiend om zijn levensstijl tot aan zijn dood te handhaven. Trump deed ooit de uitspraak: 'Ik houd ervan om groot te denken. Als je iets denkt, kun je dat net zo goed groot doen.' Zo'n kernverhaal kan enorme rijkdom en voorspoed creëren, maar kan, als dit doel op een onevenwichtige manier wordt nagejaagd, ook ten koste gaan van persoonlijke relaties, lichamelijke gezondheid en welzijn of een gebalanceerd en geïntegreerd leven.

Een ander voorbeeld van hoe het script in ons hoofd ons beïnvloedt, is George Soros, die miljarden bezit en vooral bekend is geworden als filantroop. Soros geeft op een ongebruikelijke manier zijn enorme rijkdom weg. Hij verdient zijn geld graag op een creatieve en verfijnde manier en is niet gericht op het opbouwen van een groot en publiek imperium. Als Hongaars vluchteling van na de Tweede Wereldoorlog werd hij geraakt door de ellende van de mensen die hij zag lijden. Daardoor koesterde hij op jonge leeftijd al het ideaal om rijk te worden, zodat hij anderen kon helpen, maar ook zelf een plezierig leven te hebben.

Waarom kunnen we ons financiële gedrag zo moeilijk veranderen? Het antwoord is dat ons kernverhaal ons leven bepaalt zolang we ons er niet van bewust zijn. Als het kernverhaal ons vertelt dat een groot zakelijk imperium ons gelukkig zal maken en ons tegen alle gevaren zal beschermen, dan zullen we ons hele werkzame leven rondom dit thema vormgeven. Als ons kernverhaal zegt dat geld vooral moet worden gebruikt om kleding of eten te kopen omdat we ons dan geliefd en verzorgd voelen, dan zullen we ons geld vooral verdienen om die behoefte te bevredigen. Als we geloven dat we er nooit in zullen slagen om een huis te verkopen, dan zal dat ook niet gebeuren. Het kernverhaal bepaalt onbewust waarom sommige mensen keer op keer met financiële 'losers' trouwen en waarom anderen al het geld dat ze verdienen uitgeven. Bij vrijwel iedereen speelt het kernverhaal zich achter de schermen af, buiten de schijnwerpers van hun bewuste aandacht. We hebben misschien bewuste verlangens en gedachten over het financiële leven dat we nastreven, maar als ons kernverhaal niet grondig wordt onderzocht zal onze onbewuste geest uiteindelijk toch steeds zijn zin krijgen.

Mensen die in de financiële dienstverlening werkzaam zijn komt dit waarschijnlijk bekend voor. Ze zien vaak mensen voorbijkomen die een vergelijkbare achtergrond hebben maar volstrekt anders met geld omgaan – soms broers en zussen uit eenzelfde gezin. Laat ik het voorbeeld geven van twee cliënten van me, Lance en Bob. Het zijn geen broers van elkaar, maar beiden zijn in de vijftig en hebben een vergelijkbare opvoeding genoten. Ze hadden hetzelfde financiële vooruitzicht toen ze de universiteit verlieten. Maar omdat hun kernverhalen verschilden, kwamen ze in totaal verschillende financiële situaties terecht.

Lance verloor zijn vader aan een hartaanval toen hij vijftien was. Zijn moeder, die een onderwijsbevoegdheid had die ze nooit had gebruikt, ging lesgeven op een basisschool en gaf na schooltijd bijles om haar inkomen aan te vullen. Lance moest het eten klaarmaken en voor zijn twee jongere broers zorgen tot zijn moeder thuiskwam. Zijn moeder maakte zich steeds meer zorgen over geld en daarom nam Lance een baantje in een fietsenwinkel, zodat de rekeningen van het gezin konden worden betaald. Deze vroege ervaringen vormden zijn kernverhaal: 'Geld is er om voor anderen te zorgen die het moeilijk hebben en het meer nodig hebben dan ik.' Lance werd uiteindelijk kinderarts. Toen hij me als cliënt opzocht, verdiende hij $75.000 per jaar, maar hij had geen spaargeld. Ik wist dat Lance vrijgezel was en bescheiden leefde, dus vroeg ik waar al zijn geld was gebleven. Terwijl we zijn bankafschriften en belastingteruggaven doorspitten ontdekten we dat hij meer dan $20.000 per jaar aan familieleden, vrienden en liefdadigheidsinstellingen had gegeven of geleend, terwijl hij zelf niet op vakantie ging en nog niets voor zijn oude dag had gereserveerd.

Bob daarentegen had een reserve opgebouwd van meer dan $2 miljoen en gaf minder dan $35.000 per jaar uit. Deze verhouding van uitgaven en inkomsten betekende dat Bob nooit geld tekort zou hebben als hij een behoedzame investeringsstrategie zou volgen. Maar Bob gaf toe dat hij werd geplaagd door irrationele angsten als het om geld ging – angsten die hem, anders dan Lance en tot verdriet van zijn vrouw, ervan weerhielden om geld uit te geven. Bob was opgegroeid in westelijk Pennsylvania. Zijn vader werkte in een fabriek en zijn ouderlijk gezin worstelde, net als dat van Lance, altijd met geld. Bob vertelde hoe zijn ouders tijdens het eten hun bord deelden zodat hij en zijn broers meer hadden. Maar Bob had ook een neef die beter af was omdat zijn ouders een groothandel in uniformen hadden. Toen hij ongeveer acht jaar oud was, logeerde Bob bij zijn neef. Bij hem thuis was meer dan genoeg voor iedereen. Je kon gerust nog een tweede keer opscheppen. Tijdens de maaltijd hoorde hij zijn tante en oom opgewonden praten over een nieuwe order die ze hadden binnengehaald. Hij hoorde ze zeggen dat het nu nog beter ging met de zaak.

Terugdenkend herinnerde Bob zich dat deze maaltijd, samen met veel andere maaltijden en zomervakanties die hij doorbracht bij zijn neef, een sterke invloed op hem had gehad. De opluchting die hij bij deze logeerpartijtjes voelde stond in groot contrast met het gebrek dat hij thuis ervoer. Hij begon onbewust zijn toekomst te modelleren naar het voorbeeld van zijn oom en tante in plaats van dat van zijn eigen ouders. Tegen de tijd dat hij op de middelbare school zat, wist Bob dat hij een eigen bedrijf wilde en zoveel mogelijk van zijn inkomen zou sparen en investeren zodat hij nooit honger zou hoeven te lijden zoals zijn ouders. Bobs opvatting was: 'Houd vast aan wat je hebt, zorg dat je je eigen bedrijf hebt, spaar een groot deel van je inkomen, doe veilige investeringen – dan komt het goed.'

Hoe waren deze twee mannen, die op de middelbare school hetzelfde financiële vooruitzicht hadden, in zo'n verschillende emotionele en financiële situatie terechtgekomen? Dat kwam doordat hun onbewuste opvattingen, die heel vroeg waren gevormd in reactie op sterke emotionele ervaringen met geld, totaal anders waren. Lance had zich verantwoordelijk gevoeld voor zijn emotioneel overspannen moeder en was uitgegroeid tot een volwassene die de financiële toeverlaat was van zijn familie en vrienden in nood. Maar zijn gulheid werd op geen enkele manier getemperd door enige vorm van financiële planning om voor zijn eigen behoeften zorg te dragen. Het gevolg was dat hij alles wat hij overhield van zijn inkomen weggaf. Bob, aan de andere kant, zag het hebben van een eigen bedrijf en het doen van veilige investeringen als de methode om nooit honger te hoeven lijden. Hoewel hij op papier beter af leek, was hij in zijn spaargedrag doorgeslagen naar

JE BINNENKANT ONDERZOEKEN

De volgende vragen zullen je helpen om je eigen kernverhaal beter te begrijpen:

- Wat is je meest pijnlijke herinnering met betrekking tot geld? Als er geen pijnlijke herinnering in je gedachten komt, richt dan je aandacht op je vroegste herinneringen aan geld, misschien iets wat je een van je ouders of een schoolvriend hebt zien doen. Probeer je reactie in kindertaal te verwoorden en houd het kort. Je reactie moet op een bumpersticker passen. Bijvoorbeeld: 'Spaar geld zodat je geen honger hoeft te lijden.' Of: 'Geld is er om anderen te helpen.' Welk verhaal over geld heb jij jezelf van jongs af aan verteld?
- Wat is je grootste angst met betrekking tot geld? Vaak zijn onze angsten de brandstof van ons kernverhaal. Zie je angsten als bakens die je aandacht bepalen bij wat er onbewust in je leeft (en juist daarom veel macht heeft). Misschien ben je ooit bang geweest om in de goot te eindigen of waren er mensen die je haatten omdat je uit een welgesteld gezin kwam. Welke ervaringen in je financiële verleden kunnen hebben bijgedragen aan je angst? Als je geen duidelijke angsten hebt, zou je jezelf de vraag kunnen stellen of je tevreden bent met 'genoeg' of dat je altijd meer wilt. Raak je in verwarring als het om geld gaat? Wat ook je kerngevoel mag zijn ten aanzien van geld, vraag jezelf af: in welke zin hebben mijn levenservaringen bijgedragen aan deze gevoelens?
- Hoe ben je opgevoed als het om geld gaat? Wat waren de vooronderstellingen en waarden van je ouders? Heb je die overgenomen of verzet je je daar juist tegen?
- Wanneer ben je het meest positief of negatief geraakt door iets wat met geld te maken had? Was dat toen je je eerste speelgoed kocht van je eigen geld? Toen het spelletje dat je al zo lang wilde hebben aan je zus werd gegeven in plaats van aan jou? Of toen je ouders toegaven en voor jou die fiets kochten waar je al maanden om zeurde? Toen je je ijsje deelde met een kind dat het minder goed getroffen had dan jij? Denk aan vreugdevolle ervaringen of perioden waarin je plezier had, status of macht had of genereus was. Welke rol speelde geld in die ervaringen.

Door jezelf deze vragen te stellen help je jezelf om je eigen kernverhaal te identificeren en te begrijpen. Zo krijgt het minder greep op je.

extreme zuinigheid, wat hem had vervreemd van zijn familie, vrienden en de gemeenschap waarin hij leefde. Zijn vrouw beschouwde hem als een vrek en dat zette hun relatie onder druk. Zijn vrienden hielden eveneens afstand, hadden geleerd dat het geen zin had om hem te vragen iets te doneren voor hun favoriete goede doelen.

De oorsprong van het kernverhaal

Ons kernverhaal is de strategie die onze geest heeft ontwikkeld om ons te beschermen tegen pijn en lijden. Dit verhaal is gevormd op een heel kwetsbare leeftijd. Op die leeftijd zijn we het ons gewoonlijk niet bewust als er iets pijnlijks gebeurt, maar het angstgevoel dat aanleiding geeft tot de vorming van ons kernverhaal kan niettemin heel diep gaan. We zijn als mensen gemaakt om ten koste van alles te overleven. Daarom reageren we op kwetsbaarheid door ons te hechten aan een reeks opvattingen en creëren we een verhaal waarvan we hopen dat het ons in de toekomst zal beschermen tegen pijn en gelukkiger zal maken. Het is, zoals Thich Nhat Hanh het uitdrukte, alsof we in ons hoofd een film maken van cruciale momenten in ons leven. Als we het emotioneel zwaar hebben, probeert onze geest te ontdekken hoe deze ervaring in de toekomst kan worden voorkomen. Op dezelfde wijze probeert onze geest na een aangename emotie uit te vinden hoe deze ervaring kan worden herhaald.

Ik herinner me een cliënt die altijd de kleding kreeg van zijn oudere broers. Hij groeide op in een buitenwijk van Chicago waar de winters bitter koud waren. In ons gesprek realiseerde hij zich dat hij onbewust geld wilde verdienen om de kleren te kopen die hij wilde, met name warme jassen. Hij vertelde dat hij thuis zes winterjassen had, ook al was hij jaren geleden naar zuidelijk Californië verhuisd.

Bij sommigen, met name bij degenen die in hun jeugd gezinsproblemen of armoede hebben meegemaakt, draait het kernverhaal vooral om sparen. Zo hopen ze zich zeker en stabiel te voelen. Anderen, die als kind niet genoeg liefde of eten kregen of niet zulke mooie kleren hadden als hun vrienden, krijgen van hun kernverhaal te horen: 'Geniet vandaag van je geld, want het zou wel eens de laatste keer kunnen zijn.'

Wat ook de inhoud van ons kernverhaal mag zijn, we vormen het in de onbewuste hoop dat als we dit verhaal volgen, we beschermd zullen worden tegen moeilijkheden en pijnlijke emoties. Een kind is vaak heel intelligent in zijn overlevingsstrategieën en kopieert of rebelleert tegen wat hem of haar wordt voorgehouden. Als volwassenen leven we nog steeds met de regels en opvattingen van het kernverhaal uit onze jeugd, maar we vragen ons nooit af wat de waarde van dit verhaal is, hoe het is ontstaan en of deze strategieën echt geluk creëren. Het is alsof we in een volwassen lichaam leven met de financiële agenda van een kind. Het goede nieuws is dat je kunt leren om je volwassen wijsheid te gebruiken om te zien in hoeverre je een kinderlijke strategie volgt terwijl die allang niet meer van toepassing is op de huidige situatie.

Je verhaal begrijpen

Als je inzicht krijgt in je kernverhaal zul je uiteindelijk in staat zijn je financiële leven evenwichtiger te benaderen.

Een voorbeeld uit mijn eigen leven illustreert hoe een kernverhaal alles wat je doet kan gaan bepalen. Deze ervaring vond plaats toen ik drieëntwintig was en in de hypotheekbranche werkte. Ik verdiende ongeveer $2.000 per maand. Ik kreeg commissie voor elke hypotheek die ik afsloot door een cliënt aan een bank of een commerciële kredietinstantie te koppelen. Ik was bezig met mijn eerste grote deal, de aankoop van een stuk grond, wat me $11.000 zou opleveren – voor mij in die tijd een absoluut fortuin. Geheel onverwacht vertelde de nieuwe eigenaar dat hij de hypotheek ergens anders had afgesloten – terwijl ik in de veronderstelling was dat het een uitgemaakte zaak was. En wat nog erger was: de concurrent bleek een lagere rente te rekenen dan de bank waarmee ik zaken deed.

Voor een moment werd alles zwart voor mijn ogen. Ik voelde het bloed uit mijn hoofd wegtrekken. Mijn hart klopte in mijn keel. Mijn lichaam reageerde heftig. Kalm beëindigde ik het telefoongesprek, maar ik kon me niet bewegen – ik stond als aan de grond genageld bij het vooruitzicht dat ik nu voor de vaste maandlasten van mijn creditcard afhankelijk zou zijn. Op dat moment bezwoer ik mezelf dat ik zo hard zou gaan werken dat ik nooit meer in zo'n situatie zou belanden.

Het duurde enige tijd voordat ik begreep dat ik mijn kernverhaal had ontwikkeld om de gevoelens van verlatingsangst, eenzaamheid en armoede te compenseren die ik had gevoeld op een aantal aangrijpende momenten in mijn leven: toen ik vier was, toen mijn ouders gingen scheiden; toen ik tien was en we als gezin alles opnieuw moesten opbouwen omdat we van Zuid-Afrika naar de Verenigde Staten waren verhuisd; toen ik twaalf was en mijn stiefvader mijn moeder, mijn jongere zusje en mij verliet; en enkele jaren later toen mijn vader bijna alles wat hij had kwijtraakte. Bij elk volgend trauma was de enige overlevingsstrategie die zin leek te hebben dat ik veel geld zou gaan verdienen als ik ouder was – want dat deden ook de mensen van wie ik dacht dat ze gelukkig en zorgeloos waren. Het kernverhaal dat ik ontwikkeld had was dat als ik maar hard werkte, verstandig en gedisciplineerd leefde, geen nodeloze uitgaven deed, succes niet vanzelfsprekend vond, op mijn geld paste en elk jaar een substantieel percentage van mijn verdiensten spaarde en investeerde, ik vanzelf het punt zou bereiken waar ik me financieel en emotioneel veilig zou voelen. Toen die dag duidelijk werd dat mijn eerste grote deal niet doorging, was mijn reactie behoorlijk overtrokken doordat ik mijn kernverhaal geloofde – terwijl ik op dat moment genoeg reserves had waar ik op kon teren en zeker niet van de honger zou omkomen.

JE VERHAAL IN ACTIE

Wat vertelt je geest je om te doen als je je zorgen maakt om geld? Denk terug aan de meest recente stressvolle financiële situatie in je leven. Hoe kwam je in die situatie terecht? Heb je dat vaker meegemaakt? In welke zin heeft jouw kernverhaal met geld bijgedragen aan het feit dat je in die situatie terecht bent gekomen of aan de wijze waarop je erop reageerde?

Het lastige is dat er ook aspecten van het kernverhaal zijn die positief zijn en je aanzetten om op een gezonde manier actie te ondernemen. Mijn streven naar meer zekerheid had me ertoe gebracht om te gaan sparen en ik ontwikkelde ook andere goede financiële gewoonten. Maar zodra het moeilijk werd maakte mijn kernverhaal me bang dat ik *niet genoeg* had gespaard en kreeg ik het angstige gevoel dat ik op een dag bankroet zou gaan. Omdat ik me niet goed bewust was van de gevolgen en mijn impulsen blind volgde, zette mijn kernverhaal me aan tot onevenwichtig gedrag. Ik was bezeten van mijn werk en vond ambities belangrijker dan het onderhouden van relaties en passies. Het is een van de vele voorbeelden van de manier waarop een kernverhaal mensen kan sturen. Sommige mensen denken dat de wereld van het geld tegen hen is – dat ze nooit genoeg zullen kunnen verzamelen om een zeker gevoel te hebben. Anderen gaan de stad in als de stress te veel wordt en zorgen dat ze een goed gevoel krijgen door nieuwe dingen te kopen. Zolang je het met mate doet, is winkelen een heerlijk tijdverdrijf dat je inderdaad een goed gevoel kan geven. Maar voor mensen die onbewust denken dat ze toch nooit zullen kunnen rondkomen, kan winkelen een vluchtroute worden die de financiële puinhoop in stand houdt waarvan ze met de mond zeggen dat ze ervan af willen.

Alle kernverhalen dragen een waarheidselement in zich. Ze werken. En ze hebben ook in het verleden gewerkt. We moeten ons kernverhaal dus niet van de hand doen. Plezier, zuinigheid, vernieuwing, gulheid, erkenning en creativiteit zijn gezonde componenten in de verschillende kernverhalen. Pas als we ons er te veel aan vastklampen en gaan geloven dat er slechts één juiste wijze is om met geld om te gaan, is de kans groot dat we worden beheerst door een kracht die ons allesbehalve de ware financiële vrijheid zal brengen. Zich vastklampen veroorzaakt de meest onevenwichtige en destructieve financiële gedragspatronen in onze cultuur, zoals verkwisting, chronische schulden, werkverslaving, financiële ongeletterdheid, gierigheid, en het maakt je in relaties afhankelijke.

Naar de kern

Bijna iedereen is in zijn financiële omstandigheden bepaald door conditionering – dat wil zeggen door ervaringen die we hebben opgedaan, 'films' die zijn opgenomen tijdens cruciale momenten in ons leven. Ons kernverhaal reageert op een voorspelbare manier op nieuwe situaties: met hunkering, begeerte, angst, jaloezie, gulheid of verlangen naar zekerheid. Als we een andere conditionering – een ander verleden – zouden hebben, zouden we hoogstwaarschijnlijk ook anders reageren.

Een van de redenen waarom het kernverhaal in staat is om zoveel kracht uit te oefenen is dat de meeste mensen externe financiële veranderingen als sleutels tot het geluk zien: 'Ik moet eerst al mijn creditcardschulden afbetalen', 'Ik moet mijn zaak verkopen, dan voel ik me weer ontspannen', 'Ik

MIJN GESCHIEDENIS MET GELD

Mensen hebben vaak meerdere kernverhalen, dus voel je niet gedwongen om er slechts één te vinden. Schrijf gewoon op wat je in gedachte schiet. Je zult misschien meerdere verhalen vinden in de loop der tijd en je zult snel genoeg ontdekken welk verhaal bij jou dominant is.

1. Een van de meest belangrijke financiële ervaringen in mijn leven is
....
2. Dit bracht me tot gevoelens van.................
(probeer een van de volgende woorden te gebruiken: angst, vreugde, verdriet, frustratie, jaloezie, woede, verwarring, ambitie, schaamte).
3. Daarna heb ik tegen mezelf gezegd dat ik altijd/nooit meer zou
.... met geld.
4. Ik denk dat mijn kernverhaal (of een van mijn kernverhalen) met geld is dat ik ....
....
....

Valerie is vijfendertig jaar oud en is makelaar. Ze beantwoordde de zojuist genoemde vragen als volgt: 'Een van de belangrijkste financiële ervaringen van mijn leven vond plaats toen ik negentien was. Ik schreef een cheque uit die ongedekt bleek te zijn. Mijn vader schreeuwde tegen me dat ik een idioot was omdat ik niet eens een chequeboek kon bijhouden. Dat gaf me het gevoel dat ik waardeloos was en dom. Ik kreeg een hekel aan het bijhouden van de financiën en vergat steeds om het te doen. Ik maakte rekeningen niet open en hoopte dat de zaak zich vanzelf zou oplossen. Zo raakte ik gevangen in creditcardschulden, stond rood, moest mijn auto afstaan en werd mijn huis uitgezet. Ik denk echt dat mijn kernverhaal met geld is dat ik geen geld heb omdat ik niet verantwoordelijk genoeg ben.' Onze relatie met geld is complex, maar mijn ervaring is dat het vaak onze diepste angsten zijn die ons tot onze financiële keuzes brengen.

moet mijn vrouw ervan weerhouden om zo veel uit te geven', 'Ik moet een miljoen op de bank hebben, dan kan ik met mijn baan stoppen', 'Zolang ik er maar voor zorg dat ik niets met geld te maken heb, gaat het goed'. Op zichzelf is er helemaal niets mis met deze goede voornemens. Maar als je deze externe oplossingen even vergeet en je kernverhaal kritisch onderzoekt, merk je waarschijnlijk dat je je ongemakkelijk gaat voelen. We ervaren onze ideeën over geld gewoonlijk als een reeks universele wetten, zoals de zwaartekracht. Ons kernverhaal heeft ons zeker zijn diensten bewezen. Het heeft ons altijd het gevoel gegeven dat we in staat zijn om te overleven, dat we niet van de kaart zullen worden geveegd als het gaat stormen. In het geval van Valerie was haar gevoel van eigenwaarde zo laag dat ze door haar financiële situatie te ontkennen de hoop kon blijven koesteren dat alles op de een of andere wijze wel goed zou komen. Tijdens traumatische levenservaringen, met name van financiële aard, lijken onze overlevingskansen onzeker. We realiseren ons dat er geen zekerheden zijn, dat ons lichaam afhankelijk is van voedsel, medische zorg en andere voorwaarden om te overleven en dat voor deze dingen geld nodig is, ons geld of dat van anderen.

De taak van de geest is om ons zolang mogelijk in leven te houden. Daarom gaat de geest over op een strategie die ons helpt om te overleven: 'Als je dit of dat doet, dan gaat het goed.' Door onze opvattingen zo snel te vormen, missen we de kans om bewust kennis te maken met de angst of andere krachtige emoties die de eigenlijke katalysator zijn van ons kernverhaal. Al onze energie wordt gekanaliseerd naar de gedachte of de opvatting waarvan we denken dat die ons zal beschermen. Een eerste stap om jezelf te bevrijden uit de greep van het kernverhaal is om je opvattingen ten aanzien van geld te ontmantelen en de gevoelens terug te eisen waartegen deze opvattingen ons willen beschermen. Door de moed te hebben om de confrontatie aan te gaan met deze schijnbaar ondragelijke gevoelens beginnen we onze irrationele reacties en verdedigingsmechanismen duidelijker te zien. Onze gevoelens zijn uiteindelijk maar gevoelens en – zoals ook ik ontdekte op die vreselijke dag dat mijn deal niet doorging – we verkeren bijna nooit echt in gevaar. Het goede nieuws is dat het onder ogen zien van de motivatie *achter* ons kernverhaal nooit zo eng is als we hadden gedacht toen we gevangen zaten *in* ons kernverhaal.

Misschien spaar je alles op, geef je alles uit of ben je een idealist als het om geld gaat. Maak je geen zorgen als je niet precies weet wat je kernverhaal is. Dat kost soms tijd. Terwijl je de verhalen leest van andere mensen in de hoofdstukken die volgen, herken je misschien ook je eigen ervaringen.

ONDERZOEK

Als je niet in staat bent om je kernverhaal beknopt weer te geven, probeer je dan bewust te worden van bepaalde gevoelens waarvan je hoopt
dat je ze nooit meer lastig zullen vallen. Welke gevoelens zijn dat? Hoe
heb je je financiële leven ingericht om deze gevoelens te vermijden?
Op mijn website (www.BrentKessel.com) vind je een audiofile die je
helpt om je kernverhaal te vinden (zoek onder *Guided Meditations*).

Geen snelle oplossingen

Vanwege de enorme kracht van onze overlevingsdrang, is het begrijpen van
(grip krijgen) op je kernverhaal geen sinecure. In verschillende financiële
zelfhulpboeken wordt je geadviseerd om de geschiedenis van je relatie met
geld te doorgronden en zo jezelf te bevrijden van oude patronen en ideeën
over geld. Naar mijn mening wordt de kracht die het onbewuste uitoefent
om oude gedragspatronen in stand te houden, vaak onderschat. Veel auteurs
en experts veronderstellen dat alleen al de bewustwording van je kernverhaal
je in staat stelt om je ervan te bevrijden. Mijn ervaring is dat er zelfs na een
krachtig nieuw inzicht in je kernverhaal veel vaardigheid, inzet en volhar-
ding nodig is om uit de greep van onze onbewuste conditionering te komen.
Maar houd moed. Verandering is mogelijk, ook voor jou!

De truc? We moeten proberen om de gezonde delen van ons kernverhaal
te herkennen en vast te houden, terwijl we tegelijkertijd de extreme en ongezonde gedragspatronen en houdingen loslaten die dit verhaal in ons heeft
gecreëerd.

We zijn allemaal tot onze dood besmet met de conditionering die ons
heeft gevormd. Het maakt deel uit van ons mens-zijn. Net als yoga, gebed,
meditatie, lichaamsoefening, studeren of het onderhouden van liefde in een
huwelijk, is het ontwikkelen van financieel bewustzijn een levenslange taak.
Maar wel een taak die tot ongelofelijke resultaten kan leiden.

We hoeven de moed niet op te geven dat het ons zal lukken. Veel mensen
hebben dezelfde verhalen en we kunnen veel leren van de ervaring van anderen. In het vervolg van dit boek zullen we acht van de meest gebruikelijke
kernverhalen onderzoeken, die ik financiële archetypen noem.

DEEL 2

DE ACHT
FINANCIËLE
ARCHETYPEN

Een introductie van de acht archetypen

Wie je ook bent, je bent tot je financiële leven gekomen door unieke levenservaringen, die je op een eigenzinnige manier hebben geconditioneerd in je omgang met geld. Jouw levenservaringen zijn er de oorzaak van dat je bepaalde financiële opvattingen en gewoonten hebt ontwikkeld en andere vermijdt. Het goede nieuws is dat je daar niet alleen in staat! In mijn professionele werk met mensen van allerlei financiële achtergronden heb ik gemerkt dat, hoewel het gedrag en de problemen van mensen in detail uniek zijn, er ook veel overeenkomsten zijn binnen bepaalde groepen mensen. Op basis van het werk van verschillende leraren, mentors en filosofen en op basis van mijn eigen observaties heb ik een aantal van deze groepen gedefinieerd, zodat mensen kunnen leren van anderen die vergelijkbare ervaringen hebben mee/doorgemaakt.

Archetypen kunnen worden gezien als energieën in ons. Ze zijn niet persoonlijk. Het zijn collectieve patronen die zich in ons manifesteren en herkenbaar zijn voor anderen. De waarde van het definiëren van deze archetypen is dat ze ons een basaal inzicht verschaffen in hoe we tot de keuzes zijn gekomen die ons leven in financieel opzicht bepalen. Bovendien reikt het ons een groot aantal instrumenten aan waarmee we ons leven financieel in kunnen richten zoals we dat wensen.

'Onze conditionering probeert ons weg te houden bij de leegte, de afgrond van het menselijk bestaan. We proberen deze afgrond op een ingewikkelde wijze, op duizenden manieren te vermijden. We besteden een heel leven aan het vermijden ervan omdat het als de dood voelt. En ons hele organisme is er op ingericht om de dood te vermijden.'

GANGAJI, SPIRITUEEL LEIDER

Met dat doel in het achterhoofd definiëren we in de hiernavolgende hoofdstukken acht van de meest gebruikelijke gedrags- en denkpatronen ten aanzien van geld. Deze archetypen kunnen ons helpen om De Sterke innerlijke krachten die ons in de greep houden te identificeren. Als je je eigen kernverhaal nog niet hebt ontdekt, lees je gewoon verder. Deze archetypische krachten, die zo diepgeworteld zijn in onze cultuur en persoonlijkheid, kunnen ons op een evenwichtige en gezonde manier beïnvloeden, maar ook op een ongezonde manier. Zoals we zullen zien raken we onze dominante archetypen nooit kwijt, maar het is zeker mogelijk om een gezonde balans te ontwikkelen zodat er een gezond financieel leefpatroon ontstaat.

In de volgende hoofdstukken leer je strategieën om de gewenste kwaliteiten van de archetypen die je in je hebt, te versterken en slapende archetypen op te wekken. Veel van de succesvolle mensen die ik ken zijn een combinatie van tenminste drie of vier archetypen. In feite is iedereen een combinatie van meer dan één van deze archetypen. Waarschijnlijk zijn één of twee archetypen dominant of misschien zelfs verwikkeld in een strijd om de macht. Afhankelijk van onze conditionering in het verleden en onze omstandigheden in het heden komen er geleidelijk of plotseling bepaalde patronen naar voren, terwijl andere patronen terugwijken naar de achtergrond.

Naar mijn mening is de optimale mens een balans van alle acht archetypen. Wie zou niet iemand willen zijn wiens financiële leven wordt gekenmerkt door zekerheid en overvloed, plezier en vreugde, kracht en creativiteit, zelfstandigheid, relevantie en waardigheid, ontspanning, generositeit en mededogen?

De kans is groot dat als het om geld gaat je jezelf terugvindt in een van de volgende archetypen:

• DE BEWAKER is altijd waakzaam en alert.
• DE PLEZIERZOEKER geniet het liefst in het hier en nu en wil plezier maken.
• DE IDEALIST legt in zijn of haar leven de nadruk op creativiteit, mededogen, sociale gerechtigheid en spirituele groei.
• DE SPAARDER zoekt zekerheid en verzamelt zoveel geld dat hij voor altijd genoeg heeft.
• DE STER geeft uit, investeert of doneert om te worden erkend, zich hip of stijlvol te voelen en het gevoel van eigenwaarde te verhogen.
• DE ONSCHULDIGE denkt liever niet aan geld en gelooft of hoopt dat alles vanzelf op zijn pootjes terechtkomt.
• DE VERZORGER geeft en leent geld uit vrijgevigheid of medogen.
• DE IMPERIUMBOUWER zoekt macht en creëert graag iets wat vernieuwend is en blijvende waarde heeft.

Door te leren van deze archetypische energieën en gedragspatronen krijg je de inzicht en de kracht om te veranderen. Ze zijn niet bedoeld als een systeem om jezelf of anderen vast te leggen, te diagnosticeren of te beperken. Het gaat er niet om dat je jezelf in een of twee van deze archetypen indeelt – het is mogelijk dat je jezelf of anderen in alle acht herkent. We maken ons allemaal wel eens zorgen over geld; iedereen heeft dus iets van De Bewaker in zich. Ook vindt ieder mens het plezierig om af en toe iets te kopen; dat betekent dat we tot op zekere hoogte allemaal vertrouwd zijn met De Plezierzoeker. In het dagelijks leven leunen we gewoonlijk te veel in een bepaalde richting. We fixeren ons op een bepaalde set opvattingen en strategieën – een bepaald archetype – in reactie op bepaalde levenservaringen. Mensen die vinden dat ze stevig geworteld zijn in een of twee archetypen zijn meestal degenen die zich het minst vrij voelen om het financiële leven te creëren dat hen voor ogen staat.

Ook binnen een bepaald archetype zijn mensen in verschillende gradaties uit evenwicht. Elk archetype is in de kern een intelligente overlevingsstrategie, ook al kan dit gedragspatroon zich in ons volwassen leven op een onevenwichtige manier manifesteren. Een slecht functionerend spaarzaam archetype bijvoorbeeld spaart misschien veel meer dan nodig is. Niettemin is deze persoon gericht op financiële onafhankelijkheid, wat een redelijk doel is. Hieronder een lijst waarin met enkele woorden de gevaren en de kansen zijn opgesomd die elk archetype biedt:

ARCHETYPEN	GEVAREN (negatieve aspecten)	KANSEN (positieve aspecten)
De Bewaker	Zorgen, angsten	Alertheid, voorzichtigheid
De Plezierzoeker	Hedonisme, impulsiviteit	Plezier, vreugde
De Idealist	Wantrouwen, aversie	Visie, mededogen
De Spaarder	Hamstergedrag, gierigheid	Zelfstandigheid, overvloed

De Ster	Pretenties, narcisme	Leiderschap, stijl
De Onschuldige	Vermijdgedrag, hulpeloosheid	Hoop, aanpassings- vermogen
De Verzorger	Zelfopoffering	Empathie, generositeit
De Imperium- bouwer	Hebzucht, dominant gedrag	Innovatie, besluitvaardigheid

Gewoonlijk begrijpen en waarderen we alleen de manier waarop ons eigen archetype handelt. We hebben het gevoel dat mensen die zich anders gedragen van een andere planeet komen. Ook kunnen we behoorlijk geïrriteerd raken als we worden geconfronteerd met de gevaren en valkuilen die ons archetype met zich meebrengt. Daarom klampen we ons vast aan de opvatting dat ons archetype de enige verstandige benadering is van geld. Bepaalde archetypen kunnen een afkeer bij ons oproepen omdat de eigenschappen ervan ons herinneren aan ouders of partners die ons pijn hebben gedaan. Het gevolg is dat we niet alleen de persoon, maar ook zijn of haar financiële waarden verwerpen. Zo lopen we het gevaar dat we bij onze veroordeling van andere archetypen het kind met het badwater weggooien. Wees niet verrast als je tijdens het lezen van de hiernavolgende beschrijvingen denkt: 'Iemand die goed bij zijn verstand is, doet zoiets niet.' Laat ik je verzekeren: het gebeurt. Elk voorbeeld uit dit boek vindt regelmatig werkelijk plaats. En het zijn heel gewone mensen die zo met geld omgaan, mensen die je bij een tankstation tegenkomt, in de supermarkt of op een familiereünie.

Wees dus niet verrast als je angstig of defensief reageert op de verhalen die je leest. Heb geduld met jezelf en lees gewoon door. Je zou wel eens een kern van waarheid kunnen ontdekken in wat je het meest tegenstaat.

Onze verhalen veranderen

Nogmaals, de archetypen zijn niet bedoeld als een categoriseringssysteem dat in steen is gebeiteld. Ze zijn bedoeld om ons te prikkelen zodat we in staat zijn om de kluwen te ontwarren die ons financiële leven door onbewust gedrag is geworden. Het is overigens belangrijk om op te merken dat we op verschillende momenten in ons leven gedachten, opvattingen en gedragingen vertonen die uit verschillende archetypen voortkomen. Om mijn eigen leven als voorbeeld te nemen: ik zou zeggen dat ik in mijn late pubertijd duidelijk op De Spaarder leek. Ik herinner me dat ik als tiener langzaam maar zeker de $300 bijeen wist te sparen die ik nodig had om mijn eerste fiets met tien versnellingen te kopen. Een paar jaar later fantaseerde ik over de dag dat ik zoveel geld zou hebben dat ik niet meer voor geld hoefde te werken. Toen ik aan mijn werkend bestaan begon, werd ik steeds meer een Imperiumbouwer. Ik droomde van de dag dat ik genoeg geld zou hebben om me nooit meer zorgen te hoeven maken en een positieve invloed kon uitoefenen op de wereld. Toen ik net dertig was, begon De Bewaker zich te roeren omdat het slecht ging met mijn zaak. Ik herinner me vele slapeloze nachten en ochtenden waarin ik in mijn hoofd allerlei doemscenario's doorliep en verlamd werd door angstgevoelens. Nadat mijn zaak weer begon te lopen, ontwikkelde De Plezierzoeker in mij zich en gebruikten we het verdiende geld om ons huis te renoveren, een reis naar Europa en Hawaï te maken en naar gourmetrestaurants te gaan.

Om het onderscheiden van de archetypen gemakkelijker te maken heb ik in de hiernavolgende hoofdstukken extreme voorbeelden gebruikt. Hoewel de archetypen en hun eigenschappen in werkelijkheid niet altijd zo duidelijk zijn, weet ik zeker dat je jezelf, je vrienden en je familieleden erin zult herkennen.

Het identificeren van de archetypen die het meest actief in ons zijn is een belangrijke stap naar het creëren van financiële vrijheid. Door ons bewust te worden van wat er onbewust in ons speelt kunnen we balans creëren en controle krijgen over ons financiële lot.

HOOFDSTUK DRIE

DE BEWAKER

'Waarom zoek je geen betere baan nu gebleken is dat al je zorgen niets hebben opgeleverd?'

Hafiz, Soefidichter

Jared is een dierenarts van in de dertig uit Paso Robles, Californië. Hij verdient een goed salaris met zijn tien jaar oude praktijk, die vooral is gericht op paarden en grote veestapels. Hij is de zoon van een vriendin, die me vroeg om hem eens op te zoeken aangezien Jared zich altijd zorgen maakte over geld.

'Vertel eens. In welke zin ben je wel en niet tevreden met je financiële leven?' vroeg ik hem, terwijl we zijn goed ingerichte stallen bezichtigden, midden in een groen weiland met uitzicht op een golvend heuvellandschap.

'Waar zullen we beginnen?' zei hij, met een grijns. 'Ik heb het gevoel dat ik voortdurend op mijn hoede moet zijn. Ik maak me zorgen over mijn praktijk. Ik ben bang dat het bergafwaarts gaat, omdat veel van de kleinere boerderijen hier zullen worden opgekocht door grote landbouwbedrijven. Die hebben hun eigen dierenartsen en hebben mij niet nodig.'

'Is dat al gebeurd – zijn er al tekenen dat het die kant opgaat?'

'Nee, niet echt. Vorig jaar had ik een goed jaar, een beetje beter zelfs dan het jaar ervoor.'

'Hoeveel beter, in dollars of percentages?'

'Ongeveer 30 procent beter. Maar 30 procent is voor mij ongeveer $40.000 netto. Dat is niets in vergelijking met de verliezen die dreigen.'

Ik was het met hem eens dat je inkomen soms plotseling kon veranderen, zowel in positieve als in negatieve zin.

'Om het nog ingewikkelder te maken,' zo voegde Jared toe, 'mijn investeringen zijn in de laatste paar jaar sterk in waarde gedaald.'

'Vertel me daarover eens wat meer. Wat is er gebeurd?'

'Ik had een tussenpersoon – mijn zwager had in de jaren negentig via hem veel geld verdiend. Voor mij ging hij in 2000 werken. De beurs zakte in, vlak daarna, maar hij dacht dat het een tijdelijk probleem was dat spoedig zou zijn opgelost. Hij zag het als een "koopkans" en kocht een hele reeks aandelen in de telecommunicatie en de gezondheidszorg, waarvan de koers natuurlijk nog verder zakte. Toen mijn portefeuille 40 procent minder waard was, wilde hij alles verkopen en in olie, banken en consumptiegoederen investeren, maar ik weigerde, ontsloeg hem en wachtte op het moment dat de koersen weer zouden stijgen. Dat gebeurde niet. Ik verloor in totaal 75 procent van het geld dat ik hem had gegeven. Het was vreselijk. Mijn zwager had me ervan overtuigd dat mijn geld in een paar jaar zou verdubbelen als ik via deze tussenpersoon investeerde, zodat ik nog steeds mijn hypotheek zou kunnen afbetalen en een leuke reserve opbouwde voor mijn pensionering.'

Ik realiseerde me hoe groot zijn verliezen waren en vroeg: 'En heb je je hypotheek kunnen afbetalen?'

'Ja,' was zijn antwoord. 'Maar niet zonder een paar maanden piekeren. Ik was tot diep in de nacht wakker en nam allerlei scenario's door op allerlei websites die je helpen uit te vinden of je genoeg hebt om met pensioen te gaan. Ik luisterde naar financiële programma's op de radio waar ik de ene week van een of andere expert te horen kreeg: "Houd je geld vast en betaal je schulden af, zorg dat je cash hebt". Terwijl de volgende week een andere expert beweerde: "Stap er *nu* in en koop de Nasdaq 100 [een index van met name technologische fondsen]. Die kost nu bijna niets." Maar geen van deze mogelijkheden overtuigde me en ik wist niet wat ik moest doen.'

Jareds moeder vertelde me dat toen ze haar zoon in de weekenden opzocht. Ze merkte dat hij 'geobsedeerd' was door zijn financiële situatie. 'Het heeft nogal wat problemen gegeven in zijn huwelijk. Ik vraag me af of hij zich wel zoveel zorgen moet maken. Hij is altijd op zijn pootjes terechtgekomen en op het moment gaat het goed met hem.'

Jared zag dat anders. 'Mijn moeder denkt dat ik te veel met geld bezig ben, maar ik noem het waakzaamheid. Wat ik doe is proberen om een plan te maken.' Hij was er heilig van overtuigd dat hij zichzelf moest beschermen tegen financiële rampen door de beste keuzes te maken die hij had. Hij wijdde een belangrijk deel van zijn tijd en energie aan het analyseren van zijn financiële situatie in de hoop dat hij er controle over zou houden. Tenslotte zou hij niet een erg goede echtgenoot of vader zijn als zijn gezin aan de bedelstaf zou raken.

Bewakers hebben veel positieve kwaliteiten die, als ze goed worden gebruikt, kunnen dienen om niet alleen hebzelf en hun gezinnen te beschermen, maar ook de samenleving als geheel. Gevoelens van zorg kunnen relevante waarschuwingssignalen zijn waar je op moet letten. In *Maestro*, Bob Woodwards boek over de beroemde toenmalige voorzitter van de Federal Reserve, beschrijft de auteur een geval waarin Alan Greenspan de vergadering vroeg om de rente niet met een half procent te verhogen. Greenspan drong erop aan: 'Ik houd me al sinds 1948 bezig met economische voorspellingen en ben sinds 1948 werkzaam op Wall Street. En ik kan jullie zeggen dat ik een raar gevoel in mijn buik heb.' Woodward vertelt dat Greenspan beweerde 'dat hij in het verleden naar zijn intuïties had geluisterd en dat hij altijd gelijk bleek te hebben. Het vreemde gevoel in zijn buik was een lichamelijk bewustzijn dat Greenspan vaker had opgemerkt. Hij had het gevoel dat hij een dieper inzicht had in het probleem – een enorm kennisveld in zijn hoofd met een heel stelsel van waarden – dan hij op dat moment kon uitleggen. Als hij iets dreigde te gaan zeggen wat niet juist was, voelde hij het voordat hij zich daar intellectueel bewust van was. Het was dit lichamelijke gevoel, dit gevoel in zijn buik, dat hem weerhield van het doen van gevaarlijke en absurde uitspraken die de voorpagina's van de kranten zouden halen.'*

---

* Bob Woodward, *Maestro: Greenspan's Fed and the American Boom* (New York: Simon & Schuster, 2000)

Jared is iemand die tot het archetype van De Bewaker behoort – iemand die volgens objectieve financiële planningscriteria genoeg geld heeft voor de voorzienbare toekomst, maar niettemin beheerst wordt door zorgen en angsten. Jared is niet in staat om objectief te beoordelen of zijn lot zo grimmig lijkt omdat hij te emotioneel is vanwege de inzet of dat hij werkelijk gevaar loopt.

Ook Joan wordt geplaagd door geldangst. Ze is net als Jared een Bewaker als het om geld gaat, maar bij haar zien we een geheel andere kant van dit archetype. Op achtenveertigjarige leeftijd begon Joan aan een studie. Ze had nooit buitenshuis gewerkt en ging terug naar de schoolbanken na een weinig verheffende echtscheiding. Ze had volgens objectieve criteria een veel minder gunstig financieel profiel dan Jared. Maar Joans slopende zorg leidde haar aandacht af van het maken van financiële keuzes die haar financiële positie zouden hebben kunnen verbeteren.

Ik maakte kennis met Joan via een wederzijdse vriend die me vertelde dat ze dringend een goed financieel advies nodig had, dat ik haar pro bono gaf. Volgens de echtscheidingsregeling mocht zij het bescheiden huis houden waarin ze heel haar leven had gewoond – ze was er geboren en getogen en het was $150.000 waard – maar ze kreeg geen alimentatie. Zeker, haar kinderen waren groot en zelfstandig en Joan had, naar eigen zeggen, 'absoluut niets' gespaard voor haar oude dag. Hoewel ik haar had verteld dat ze in aanmerking kwam voor een bepaald percentage van het pensioen van haar echtgenoot, was ze er ten onrechte van uitgegaan dat ze tegen hem zou moeten procederen om dit geld te kunnen krijgen. Omdat hij de echtscheiding had aangevraagd, schrok ze er voor terug om deze weg te gaan. 'Het heeft geen zin om de strijd met hem aan te gaan,' zei ze, terwijl ze de zijkant van haar hoofd masseerde en er op haar voorhoofd diepe rimpels zichtbaar waren van alle zorgen. 'En het is zo'n bureaucratische nachtmerrie dat het waarschijnlijk toch niets wordt. Daar kan ik niet echt op vertrouwen.'

Ondanks lange nachten waarin ze zich ergerde over haar karige inkomen en piekerde over een snel slinkende spaarrekening, genoot Joan van haar studie aan de plaatselijke universiteit. Binnen twee semesters zou ze haar onderwijsbevoegdheid hebben. Ze zei dat ze bezorgd, maar ook enthousiast was over haar nieuwe carrière. Ze had altijd vrijwilligerswerk gedaan op de school waar haar kinderen zaten toen ze klein waren. Ze hoopte dat het werk niet alleen bevredigend zou zijn, maar ook financiële onafhankelijkheid en zekerheid zou brengen. Zoals het nu was, had Joan nauwelijks genoeg om de eindjes aan elkaar te knopen. Haar kinderen stuurden haar indien mogelijk geld, maar hadden het zelf ook niet breed. Zoals Bewakers (en ook Spaarders) vaker doen schatte ze bepaalde uitgaven hoger in dan andere. Zo kon Joan bijvoorbeeld vijfenveertig minuten lang piekeren over de vraag of ze die broodrooster van $10 moest kopen die ze in de uitverkoop had gezien, terwijl ze er geen seconde over nadacht als ze haar auto liet parkeren, wat haar $100 per maand kostte. Toen tijdens een van de semesters haar financiële toelage en studentenlening door een administratieve fout op zich lieten wachten, raakte ze in paniek. Ze kreeg nog $7.500, genoeg om een semester van te leven, omdat ze geen huurkosten had. Omdat het geld niet kwam, kon ze niet slapen of eten. Ze werd regelmatig met het angstzweet op haar rug wakker. Ze viel kilo's af omdat ze geen honger had van de spanning. Ze borg de rekeningen ongeopend op in een kast en had nachtmerries en angstaanvallen die haar lichamelijk uitputten. 'Het enige wat ik kon doen,' zei ze, 'was voedselbonnen halen en overheidshulp inroepen om mijn elektriciteitsrekeningen te betalen.' Gelukkig was de auto waarmee ze naar school reed gefinancierd via een autodealer die familie was. 'Zonder mijn neef zou mijn auto in beslag zijn genomen,' vertelde Joan. 'En dan zou ik gedwongen zijn om te stoppen, want er is geen openbaar vervoer waar ik woon.' De stress en angst hadden een effect op haar concentratie bij haar studie en ondanks het gevoel dat dit haar enige kans was 'om uit het armenhuis te blijven', dacht ze er serieus over om de studie op te geven. 'Ik heb het gevoel dat ik uiteindelijk op straat terechtkom,' gaf ze toe. Hoewel ze eigenaar was van haar huis, maakte ze zich zorgen dat ze misschien niet in staat was om de vermogensbelasting te betalen.

Volgens Joan 'was ze het stadium van het bezorgd zijn voorbij – het lijkt er meer op dat ik gek aan het worden ben!' Op het eerste gezicht leken haar zorgen 'reëler' dan die van Jared. Ze had tenslotte veel minder mogelijkheden en haar situatie was onstabieler. Maar of Joan nu wel of niet meer reden had tot zorg, de wezenlijke vraag was of het zin had om zich zorgen te maken.

Het antwoord was in beide gevallen: nee. Als Jared niet leerde genieten van zijn werk en gezinsleven, zou geen enkel verstandig besluit ter wereld hem gelukkig kunnen maken. En als Joans angst haar ervan weerhield om haar studie af te maken, zou ze in een nog ellendiger positie terechtkomen, financieel maar vooral ook emotioneel. Haar onwil om te onderzoeken of ze recht had op haar aandeel in de sociale zekerheid van haar echtgenoot, omdat ze bang was dat het 'gedoe' zou opleveren, maakte haar financiële situatie er niet beter op.

Het kernverhaal van De Bewaker

Wat de werkelijke situatie ook is, Bewakers zijn vaak bang, *heel* bang. Ze vrezen dat er iets vreselijk mis zou kunnen gaan. Hun kernverhaal bevat meestal een of ander doemscenario. Bewakers kunnen geobsedeerd zijn door apocalyptische wereldcrises zoals terrorisme, opwarming van de aarde, de millenniumbug, nucleaire wapens die in verkeerde handen vallen of betalingsachterstanden. Of eerdere angsten nu reëel waren of niet, in hun huidige angst weerklinkt het refrein 'Deze keer wordt het nog erger' – of het nu de beurskrach van 2000-20003 is, schandalen in de accountancybranche, 9/11, Enron, de oorlog in het Midden-Oosten of de economische competitiestrijd met China en India. Voor andere Bewakers, zoals Jared en Joan, ligt de gevreesde crisis dichter bij huis: 'Ik zou mijn baan of mijn klanten wel eens kunnen verliezen' of 'Waar halen we het geld vandaan als een van ons ziek wordt?' of 'Ik kan niet leven met de gedachte dat ik van de staat afhankelijk zal zijn'.

Sommige Bewakers gaan heel effectief met geld om. Ze hebben in het verleden geleerd dat sparen, zuinigheid en (conservatief) investeren de beste manieren zijn om hun angst te bezweren. Jared is zo'n goed functionerende Bewaker, zoals blijkt uit het feit dat hij zelfs na het verlies van 75 procent van zijn spaargeld nog steeds genoeg over had om zijn hypotheek af te betalen. Maar zelfs met strategieën die door de buitenwereld als voorzichtig worden gezien, verdwijnen de onderliggende zorgen van De Bewaker niet.

Het kan goed zijn om op je hoede te zijn en je zorgen te maken. Dat maakt ons alert als we een riskant financieel pad bewandelen. In het geval van Joan leidden haar zorgen over haar financiële toekomst haar tot de positieve beslissing om een opleiding te gaan volgen. Ik heb vele cliënten ontmoet die wel wat van de energie van dit archetype zouden kunnen gebruiken. De meeste Bewakers maken zich echter te veel zorgen over hun financiële situatie. Ze worden geplaagd door een ongezonde hoeveelheid angst of onrust ten aanzien van geld, ook al zien ze dat soms niet als ongezond, verstoord of overdreven. Of het terecht is of niet, is niet het punt. Deze overdreven zorg vertroebelt het oordeel, en leidt er vaak toe dat ze verkeerde financiële beslissingen nemen en veel meer lijden dan noodzakelijk is.

Wat De Bewaker voelt

Bij de meeste andere archetypen in dit boek worden zekerheid of geluk voornamelijk verschaft door gedachten en opvattingen. De Bewaker wordt echter meer gekenmerkt door wat hij voelt dan door wat hij denkt. Kijk eens naar de volgende lijst van gevoelens. Niemand heeft al deze gevoelens op hetzelfde moment. In het algemeen zullen bij een Bewaker

'De meeste mensen zijn veel banger om te leven dan om te sterven.'

ADYASHANTI

OOK JIJ BENT WAARSCHIJNLIJK EEN BEWAKER...

- Als de stijl waarmee je financiële beslissingen neemt op de volgende twee extreme voorbeelden lijkt: (1) je bevriest, bent niet in staat om financiële besluiten te nemen zelfs als je denkt dat ze het beste voor je zijn, of (2) je neemt pas een financieel besluit na een veel te uitvoerige analyse.
- Als je voortdurend bezig bent met allerlei rampscenario's, of dat nu de wereld om je heen is of jezelf betreft. En je houdt je veel meer dan anderen bezig met 'wat-als'-scenario's.
- Als je vasthoudt aan bepaalde door angst ingegeven regels zoals de regel dat je nooit schulden mag hebben of dat je na je pensioen alleen van rente en andere inkomsten mag leven – maar niet van je investeringskapitaal.
- Als je emotionele reacties en zorgen niet in verhouding zijn met je reële financiële omstandigheden. Je wordt bijvoorbeeld voortdurend geplaagd door de angst dat je niet genoeg hebt om de rekeningen te betalen, terwijl je nog nooit in die situatie hebt verkeerd.
- Als de angst om de verkeerde financiële beslissing te maken groter is dat de hoop om een goede beslissing te nemen.

een of twee gevoelens van deze lijst een belangrijk deel van zijn emotionele ervaring bepalen:

- Angst
- Zorg
- Twijfel
- Pessimisme
- Onbehagelijkheid
- Zwaarmoedigheid en depressie

- Obsessie
- Paniek
- Verlies van eetlust
- Zweten
- Misselijkheid
- Contractie van de solar plexus

- Kribbigheid
- Stramme kaken
- Pijn in nek en armen
- Kortademigheid
- Nerveuze tics

Niemand kan ontkennen dat er grote problemen zijn in de wereld, zoals armoede, honger en mensen die elkaar naar het leven staan. Slechts een paar honderd jaar geleden vreesden de meeste mensen bijna dagelijks of in elk geval regelmatig voor hun leven – en voor veel mensen op aarde geldt dat nog steeds. In 1900 stierf negen procent van de moeders tijdens de zwangerschap of door complicaties bij de geboorte en haalde tien procent van de pasgeboren kinderen zijn of haar eerste verjaardag niet. Er waren wrede pogroms in Europa en Rusland en talloze misdaden tegen vrouwen en kinderen die werden begaan in de geschiedenis bleven onbestraft. Maar de meerderheid van de mensen in de westerse wereld van nu hoeft niet dagelijks te vechten om te overleven. Je vraagt je af waarom onze omgang met geld dan toch zo vaak wordt beheerst door deze basisangst, hoe onze financiële situatie ook is.

Oorsprong van De Bewaker: overlevingsdrang

Bijna iedereen heeft op zijn minst één pijnlijke herinnering die in verband staat met geld – ik noem dat een geldwond. De allereerste geldwond is misschien wel het moment waarop we werden geboren. In zijn postuum gepubliceerde boek, *Finding Clarity*, beschrijft de spirituele leraar Jeru Kabbal de universele ervaring van het verlaten van de veilige geborgenheid van de moederschoot, waarbij we binnen enkele minuten 'van het paradijs in een traumatische ervaring belanden'. Volgens Kabbal was dit het eerste wat we deden toen we van de veilige behaaglijkheid van de moederschoot terechtkwamen in iets wat op doodgaan leek: we krompen ineen, balden onze vuistjes en knepen onze ogen dicht.

Ook al hebben zuigelingen nog geen idee van het bestaan van geld, op zintuiglijk niveau kan deze ervaring heel goed de wortel zijn van financiële angstgevoelens die ons later in ons leven plagen. Gewoonlijk ontstaan er vóór ons vijftiende levensjaar nog allerlei andere geldwonden. Zo'n wond kan het verdriet zijn dat we voelden toen we voor het eerst onze portemonnee verloren en al ons zakgeld kwijt waren. Of het moment dat we voor het eerst in de gaten kregen dat onze ouders niet in staat waren om voor eten, onderdak of andere levensbehoeften te zorgen. Elke geldwond draagt de impliciete dreiging in zich dat we terugkeren naar de vreselijke paniek en afhankelijkheid van dat allereerste moment van scheiding. Geldangst is in de wortel de angst om niet te overleven. Deze angst kan de vorm aannemen van gedachten zoals 'Ik eindig in de goot'. Hij kan worden versterkt door ervaringen van gezinsleden of gemeenschapsleden die alles kwijtraken bij economische tegenslag of rampzalige gebeurtenissen zoals ziekte of dood. Mensen die opgroeiden in een welvarende omgeving hebben in hun jeugd misschien nooit een overlevingsstrijd gekend, en misschien ook geen ervaring met het verlies van geld. Maar deze mensen kunnen wel andere moeilijke ervaringen hebben gehad zoals het verdriet, de woede of de schaamte die ze voelden toen ze ontdekten dat anderen een hekel aan hen hadden omdat ze meer hadden dan zij. Hoewel het niet te vergelijken is met het moeten vrezen voor je leven, kan deze angst om gehaat, afgewezen, verlaten of in de steek gelaten te worden uiterst pijnlijk zijn voor kinderen uit welvarende of zelfs middenklassegezinnen. Verlating en sociale afwijzing kunnen, met name bij pubers, angstgevoelens oproepen. Of we nu bang zijn om sociaal te worden afgeschreven of fysiek, in ons hoofd geven we het geld de schuld van deze ervaring en daarom beschouwen we het geld ook als iets wat ons kan redden of beschadigen.

Het is duidelijk dat veel mensen zich zorgen maken over geld of bezorgd zijn dat ze de financiële zekerheid verliezen die hen daartegen beschermt. Wat Bewakers onderscheidt van andere archetypen is dat ze niet genoeg emotionele zekerheid hebben ontwikkeld om werkelijk van het leven te kunnen genieten. Ze verkeren meer dan anderen in een angstige gemoedstoestand of ze zijn zo 'opgebrand' van het zich zorgen maken dat ze emotioneel verdoofd zijn. Soms kunnen deze angsten heel reëel zijn: in dat geval zal De Bewaker fysiek actie moeten ondernemen (zoals het verminderen van de kosten) om meer sociale zekerheid te creëren. In andere gevallen zijn de angsten van dit archetype minder reëel, aangezien ze niet echt in gevaar verkeren of ten onder dreigen te gaan, hoewel ze in financieel opzicht misschien een tegenslag te verwerken hebben gekregen of krijgen. Op emotioneel niveau raken we allemaal in paniek bij de gedachte dat we ons huis, een opleiding voor de kinderen of ons pensioen moeten opgeven. We hebben het gevoel dat we het niet zullen overleven, terwijl ons leven in werkelijkheid helemaal niet op het spel staat. Als we ontdekt hebben dat onze angsten niet op reële gevaren zijn gebaseerd en merken dat ze niet verdwijnen door meer na te denken, is het goed om de volgende ademhalingsoefening te doen om je bewust te worden van je lichaam en je te ontspannen.

HOE ONTSPAN JE JE?

Maak een minuut vrij en haal diep adem met je onderbuik. Dwing jezelf om je adem niet in te houden of langzaam te gaan ademen, maar ontspan je volledig. Laat de zwaartekracht de zuurstof naar het onderste deel van je longen brengen. Ontspan je buikspieren en solar plexus* zo veel mogelijk, terwijl je dit doet. Als je het moeilijk vindt om dit staand of zittend te doen, ga dan op je rug liggen met een kussen onder je knieën. Het is vrijwel onmogelijk angstig te zijn als je solar plexus en buik zich ontspannen.

---

* De solar plexus of zonnevlecht is een knooppunt van zenuwen boven de navel. Het begrip speelt een sleutelrol in de hindoeïstische fysiologie. Het geldt in de yogaleer als een van de belangrijkste energiecentra in ons lichaam (manipura chakra) – De vertaler.

Een verhaal uit mijn familiegeschiedenis kan helpen om het idee van een geldwond te illustreren. Aan het begin van de twintigste eeuw waarde het antisemitisme door Europa en veel joden, onder wie mijn overgrootouders, gingen aan boord van schepen die naar de punt van Afrika voeren, waar ik uiteindelijk werd geboren. Mijn voorouders spraken de taal niet en hadden niet veel meer dan de bezittingen die ze mee konden nemen.

Rationeel gezien kom ik met mijn bevoorrechte leven niet in de buurt van de angsten die zij hebben moeten doorstaan. En toch is hun angst diepgeworteld in mijn fysiologische geheugen, hoe anders mijn eigen omstandigheden ook zijn.

Er was een periode waarin De Bewaker mijn dominante archetype werd. Eind 2000 en begin 2001 realiseerde ik me dat ik een nieuwe financiële adviseur nodig had voor mijn bedrijf en een groter kantoor moest zoeken, aangezien mijn zaak in twee jaar tijd driemaal zo groot geworden was. Maar in de zomer en de herfst van 2001, vijftien maanden vóór de meest dramatische koersval sinds 1929, besloten twee van mijn cliënten dat ze de onzekerheid van de markt niet langer aankonden. Ze besloten hun geld te investeren in termijndeposito's en beëindigden de samenwerking. Terwijl ik in mijn kantoor zat en hun brief las, voelde ik me een mislukkeling. Ik had het idee dat ik meer mijn best had moeten doen om deze cliënten te behouden. Mijn hart klopte in mijn keel, mijn hoofd werd steeds warmer, en ik voelde een golf van angst in mijn nek en mijn armen. De schade van dit verlies bedroeg ongeveer $20.000 per jaar. Nog beangstigender was de mogelijkheid dat dit het begin zou kunnen zijn van een trend – hoewel een uitval van twee op de vijftig cliënten geen hoog percentage was. Ondanks mijn zorgen ging ik door met mijn zakelijke uitbreidingsplannen.

Begin 2002 had ik een financieel adviseur ingehuurd aan wie ik een zes-cijferig salaris betaalde. Ik onderhandelde over de huurprijs van een nieuw pand waardoor mijn maandelijkse kosten zouden verdriedubbelen. Slechts vier jaar eerder had ik met mijn adviesbedrijf op het gebied van financiële planning minder dan zes cijfers verdiend en nu betaalde ik dat alleen al aan salarissen. De beurskoersen daalden voortdurend. De angstgevoelens van toen staan me nog levendig voor de geest. Op de meeste ochtenden van medio 2001 tot medio 2003 schrok ik tussen drie en half vijf in de ochtend wakker door een angstaanval. Ik vreesde voor mijn leven en het leven van mijn vrouw en kinderen. Terwijl ik bij kennis kwam, maakte de angst plaats voor eindeloze gedachten over mijn cliënten, de cashflow van het bedrijf, de vraag of uitbreiding wel de juiste strategie was en of ik kantoorruimte moest huren, onvoorziene verplichtingen waar het bedrijf mee te maken kon krijgen en hoe mijn persoonlijke cashflow het zou houden.

Voordat deze gedachten door mijn hoofd schoten, voelde ik allerlei on-heilspellende lichamelijke sensaties: mijn hart bonkte in mijn keel, er gingen warme elektriciteitsschokjes van mijn ribben naar de uiteinden van mijn armen en vingers, mijn handpalmen voelden klam van het zweet, ik begon sneller en oppervlakkiger adem te halen en mijn hele borstkas ging op en neer van angst. Ik voelde me niet in staat om op te staan en kon de pijn die ik doormaakte niet stoppen – een hete, stroperige vloeistofachtige angst hield me urenlang wakker. De laatste keer dat ik deze lichamelijke klachten had gehad, was toen ik drieëntwintig was en die grote hypotheekdeal niet doorging.

Wat belangrijk is in dit verhaal is dat mijn overleving op geen enkele manier in het geding was. Voor de meeste buitenstaanders leek mijn situ-atie rooskleurig. Mijn zaak was behoorlijk snel gegroeid. Mijn vrouw en ik spaarden twintig procent van ons inkomen. En als het echt nodig was, kon ik altijd nog een stap terugdoen en weer een eenmanszaak beginnen in een kleiner kantoor. Niettemin waren mijn gedachten en lichamelijke reacties zo heftig dat het voelde alsof de volgende halte het armenhuis zou zijn.

Wat De Bewaker denkt

Bedenk goed dat de geest een probleemoplosser is en in een hogere versnelling komt als we gevoelens ervaren die onaangenaam zijn of onverdraaglijk. Bij een negatieve gevoelstoestand zoekt de geest een antwoord op de vraag: 'Waarom voel ik me zo vandaag?' De Bewaker antwoordt meestal langs de volgende lijnen:

GELDMANTRA'S VAN DE BEWAKER

* Mijn geld raakt op omdat ....
* Er komt een wereldwijde crisis of een andere ingrijpende verandering op ons af die zal leiden tot ....
* Mijn investeringen zijn te ....
* Ik (of mijn man/vrouw/kinderen) geven te veel uit.
* Als ik stop met werken, komt er niets van me terecht.
* Als ik niet waakzaam ben, zou ik (of iemand anders) wel eens een fout kunnen maken die me kan ruïneren.

Het profijt

Hoewel Bewakers het gevoel hebben dat ze controle krijgen over het oncontroleerbare door zich zorgen te maken over hun financiën (en sommigen van hen hebben een heel sterk analytisch vermogen als het om geld gaat), hebben ze uiteindelijk weinig baat bij al hun zorgen. Als onze geest het antwoord weet op de vraag waarom we ons voelen zoals we ons voelen, denkt hij dat hij ook in staat zal zijn om er iets aan te doen – om ons een beter gevoel te geven of de negatieve gevoelens te laten verdwijnen. Maar acties die we ondernemen vanuit een angstige of bezorgde gemoedstoestand leiden zelden tot innerlijke vrede. Meestal put De Bewaker zich uit totdat hij geen energie meer over heeft om zich zorgen te maken.

HET WORST CASE SCENARIO

De volgende keer dat je neerslachtig bent of de lichamelijke reacties voelt, moet je de volgende drie stappen zetten. Je kunt deze oefening alleen doen, met een vriend, in een openbare ruimte of in een stil kamertje – wat je wilt. Het belangrijkste is dat je het doet. De manier waarop maakt niet zo veel uit. Je kunt het in gedachten doen, aantekeningen maken of eenvoudig je antwoorden dicteren aan iemand die het voor je opschrijft.

1. Dwing jezelf om het worst case scenario te overdrijven. Zet het dik aan. 'O, nee! Ik denk dat ik een enorme vergissing heb begaan bij de rapportage aan mijn baas. Ik verlies vast mijn baan!' Goed, wat zou er dan kunnen gebeuren? 'Dan weet iedereen hoe dom ik ben.' En verder? 'Dan kan ik mijn hypotheek niet meer afbetalen.' Ga door. 'Dan moet ik mijn huis uit en in een armoedig appartement gaan wonen.' En dan? 'Mijn vrouw vindt dat vreselijk en zal me verlaten.'

2. Bedenk wat je zou kunnen ondernemen als dit worst case scenario werkelijkheid zou worden. Wat zou je doen? Niet: 'Dan word ik een hopeloos geval', maar bijvoorbeeld: 'Ik zou intrekken in de garage van mijn zus met een slaapzak en een opblaasbaar matras en aan het werk gaan als expeditieklerk.' Wees concreet en reëel. Je wilt nog steeds overleven en doet een beroep op alle hulp die je ter beschikking staat om dat doel te bereiken.

3. Ten slotte, vraag je af wat je op dit moment zou moeten doen. Als je niets concreets weet te bedenken, dan moet je net als bij een kind dat enge verhalen vertelt aan zijn zusje, je angstige geest gebieden om te stoppen met spreken totdat je concreet iets bedenkt wat je zou kunnen doen aan de situatie op dit moment.

Het enige wat positief is aan het je zorgen maken is dat het je attent maakt op gedrag dat we moeten veranderen. Als ons financiële gedrag niet verandert en er geen concrete financiële beslissingen worden genomen, dan zullen ook de omstandigheden (die we ten onrechte als de oorzaak van onze gevoelens zien) niet veranderen. De omstandigheden leiden dan slechts tot meer zorgen, waar De Bewaker onbewust het meest mee vertrouwd is. Kortom, als je bezorgde geest niet met zichzelf in gesprek gaat zoals we hierboven hebben beschreven, zal hij, zodra er vervelende gevoelens naar boven komen, zijn toevlucht zoeken in gedachten die deze gevoelens rechtvaardigen. Het is een vicieuze cirkel.

Dit lijkt niet echt winst als je het vergelijkt met het enorme vermogen dat De Spaarder vergaart, of de dineetjes, reizen en weekendjes in een beautyfarm die De Plezierzoeker oogst, of de aandacht die De Ster krijgt. Het zich zorgen maken zonder actie te ondernemen kan De Bewaker echter een gevoel van alertheid en sensitiviteit geven op momenten van dreigend gevaar. Een aantal mensen die tot dit archetype behoren nemen, hoewel ze zichzelf lang pijnigen voordat het zover is, gezonde financiële beslissingen. Wat minder gezond is, is dat Bewakers hun ellendige toestand in verband zouden kunnen brengen met het goede besluit dat ze uiteindelijk hebben genomen, waardoor ze ten onrechte gaan denken dat het een niet zonder het ander kan.

De dodelijke greep van De Bewaker doorbreken

Naast een bijna-dood ervaring, spirituele verlichting of een inspirerend rolmodel bestaan er verschillende strategieën om onbeheersbare chronische zorgen te laten verdwijnen. Strategieën die ik met succes heb toegepast. De eerste stap die we moeten zetten is erkennen dat onze bezorgdheid ons niet de controle geeft waar we naar verlangen – integendeel.

'Als je eenmaal emotioneel wordt bij een bepaald onderwerp, ga je naar alle waarschijnlijkheid fouten maken.'

JOE MOGLIA,
DIRECTEUR VAN TD AMERITRADE

Ik herinner me een cliënt die zich voortdurend zorgen maakte over de uitgaven van zijn gezin. Hij stond erop dat hij en zijn vrouw minder zouden uitgeven en besteedde talloze uren aan het besparen van dubbeltjes en kwartjes op de huishoudelijke kosten. Na verschillende strategieën te hebben geprobeerd die ik later zal bespreken, was hij in staat om zichzelf te kalmeren. Hij ondernam twee concrete stappen die hem geruststelden (hij sloot de hypotheek over en bezuinigde op de reiskosten) en besteedde meer tijd met zijn vrouw in plaats van urenlang bang naar de getallen op zijn computerscherm te staren. Als je eenmaal hebt besloten dat je wilt stoppen met het je zorgen maken, probeer dan de volgende techniek. Als ik een nogal eigenwijze cliënt van het bewakerstype in mijn praktijk of workshops heb, gebruik ik een analogie waarvan ik denk dat die niet ver bezijden de waarheid is. Stel je voor dat je de vader of moeder van een klein kind bent dat drie of vier jaar oud is. Op een nacht wordt het lieve kind wakker omdat het bang is dat het geluid van de bladeren tegen het dak afkomstig is van slangen is die haar komen halen of opeten. Een gezonde ouder zal waarschijnlijk iets zeggen als: 'Lieverd, ik zie dat je bang bent. Ik hoor die geluiden ook en ze zijn best een beetje eng. Maar er zijn hier geen slangen. Het is de wind die door de reusachtige boom blaast waarin je zo graag klimt in de voortuin. Kom, laten we eens goed luisteren naar de bladeren die over ons dak strijken.' Als je kind bang blijft, zou je kunnen zeggen: 'Kom, we gaan naar de tuin. Dan kun je het zelf zien. Ik ben bij je om je te beschermen.'

In plaats van de angstgevoelens te relativeren zoals bij het kind, laten De Bewakers hun nachtmerrieachtige gedachten ongecensureerd doorwoekeren. In het ergste geval staan ze zelfs toe dat hun angsten de gedaante aannemen van allerlei verschrikkelijke en irreële doemscenario's. Natuurlijk maken de meeste volwassenen zich niet druk om reusachtige slangen. Ze maken zich zorgen over rekeningen, het zorgen voor de kinderen en het doen van goede investeringen. Hun reacties op deze gedachten zijn echter vergelijkbaar.

VEILIGHEID CREËREN VOOR DE BEWAKER

Ga na hoe reëel je angsten zijn. Onderzoek wat jouw worst case scenario zou kunnen zijn. Raadpleeg desnoods een professional. Hoe waarschijnlijk is het dat het negatieve scenario daadwerkelijk zal plaatsvinden? Als je het niet weet, vertel je aan je bezorgde geest dat er niet genoeg informatie is. Span je in om de informatie te krijgen die je nodig hebt om een accurate inschatting te kunnen maken (net zoals de ouder het kind mee naar buiten neemt om te zien of daar werkelijk slangen zijn). Pas als het negatieve scenario reëel blijkt te zijn, onderneem je de benodigde stappen.

Er zal pas iets veranderen als het bezorgde kind zich begrepen voelt. Spreek tegen het kind in je met de stem van een wijze vader of moeder en schrijf misschien wat gedachten op. Laat het bezorgde kind zich uiten en troost het met dat deel van je persoonlijkheid dat volwassen en in balans is. Het is belangrijk dat de ouder het kind niet dwingt om de realiteit goed te 'zien', maar het bezorgde kind vasthoudt en bemoedigt. Reageer niet met 'Alles komt goed', maar zeg liever: 'Ik begrijp volkomen dat je je zo voelt. Je kunt je ook niet anders voelen dan zo.' Misschien moet het kind in je dieper ingaan op wat er (in het slechtste geval) zou kunnen gebeuren en zichzelf toestaan om die angst echt te voelen. Ondertussen zegt de ouder: 'Je bent veilig, ik ben er voor je. Het is normaal dat je bang bent, maar het is de boom in de tuin die dat geluid maakt.' Deze bemoediging zal alleen werken als je de eerste stap eerst hebt gemaakt en het kind in je werkelijk beseft wat de risico's zijn en wat illusie is.

De bewaker moet weten wanneer het normaal is om zich zorgen te maken anders zal hij zich zorgen blijven maken. In het geval van Jared hielp ik hem bijvoorbeeld om een grens te bepalen. Als zijn praktijk twee jaar lang verlies zou maken of meer dan 25 procent per jaar zou verliezen, dan zou hij zijn ranch verkopen. Dat gaf hem een beter gevoel en hielp hem om zijn geest vrij te maken en zich wat meer te richten op het gezinsleven. Door heldere grenzen te stellen hoef je je minder zorgen te maken zolang de grens nog niet is overschreden. (Nogmaals, misschien is het goed om professionele hulp te zoeken bij het stellen van een grens die je genoeg tijd geeft om je financiële situatie bij te stellen als het nodig is.)

Onderzoek wat je kunt doen en onderneem de nodige actie om de financiële druk te verlichten die een gevolg is van het zorgen. Joan gaf ik de opdracht om te onderzoeken wat het uitkeringspercentage was waar ze via haar man recht op had. Door haar tegenzin en haar gebrek aan inzicht op dit gebied verzocht ze een groep die zich inzette voor vrouwenrechten om dit voor haar uit te zoeken (veel belasting-consulenten bieden dezelfde diensten aan). Tot haar opluchting bleek dat het deel dat ze zou onttrekken aan de sociale zekerheid van haar ex-echtgenoot niet ten laste van hem zou komen. Jared leerde van zijn investeringsfouten en zocht een nieuwe consulent met een strategie die niet was gebaseerd op hypes of voorspellingen en onderzocht op welke mogelijkheden hij kon terugvallen als zijn praktijk niet meer levensvatbaar zou blijken te zijn.

Neem *nooit en te nimmer* beslissingen als je emotioneel bent. (Zie de oefening 'Wees stil'). Bij de Bewaker is bijna altijd sprake van een gevoel van urgentie: 'Als ik niet nu beslis, zal ik dat nooit doen en ....' Schrijf de beslissingen die je moet nemen op een systeemkaart, in een dagboek of in je laptop of mobiele telefoon en zet het uit je hoofd totdat je wat rustiger bent. Ga daarna rustig zitten en neem de nodige beslissingen door middel van een pro-en-contra-analyse of met behulp van een consulent die je helpt om de juiste keuzes te maken.

HOOFDSTUK VIER

DE PLEZIERZOEKER

'Niets sust en bedwelmt zozeer als geld: als je er veel van hebt,
lijkt de wereld beter dan hij in werkelijkheid is.'

Tsjechov

Donald zat achter in de grote conferentiezaal waar ik mijn workshop hield.
Hij was een atletische man van net veertig en had een gebruind gezicht.
Hij droeg losse, comfortabele katoenen kleding en had een jongensachtige
charme. Hij gaf je het gevoel dat hij op zijn gemak was. Eerder had Donald
verteld dat hij zojuist was teruggekeerd van een vakantie op Kauai, waar hij
met een helikopter langs de NaPali-kust was gevlogen en in de meest luxueuze resorthotels van het gebied had gelogeerd.

Toen we discussieerden over de meest hardnekkige financiële gedragspatronen in het leven van de deelnemers, onthulde Donald dat hij ervan hield
om zijn geld uit te geven aan vakanties, kleding, home-theater-apparatuur
en andere elektronische innovaties.

'De meeste mensen leven om te werken, maar ik werk om te leven!' zei
hij enthousiast. 'Ik besteed bijzonder veel tijd en energie aan mijn werk als
makelaar en als ik een behoorlijke commissie heb binnengehaald, heb ik het
gevoel dat ik mezelf moet trakteren. En dat doe ik dan ook! Je kunt het niet
meenemen, dus kun je er net zo goed maar zoveel mogelijk is van genieten.'

'Dat klinkt als een levensfilosofie die voor jou werkt,' antwoordde ik
glimlachend. 'Is dat ook zo?'

'Nou ja, meestal. Ik geniet van deze benadering als ik geld heb, omdat
ik het me dan kan veroorloven om dingen te kopen en dingen te doen die
ik leuk vind. Ik heb onlangs een paar nieuwe speakers gekocht voor mijn
home-theater. Ik kon me geen gelukkiger moment voorstellen dat toen ik
daar ik in de luisterruimte van die audiozaak stond en allerlei verschillende
speakers uitprobeerde.' Hij pauzeerde even en zijn gezichtsuitdrukking werd
serieuzer. 'Het werkt minder goed als ik aan het einde van de maand geen
geld meer heb. Zodra het op mijn rekening staat, geef ik het uit...'

Het kernverhaal van De Plezierzoeker

Meer dan wie ook gelooft De Plezierzoeker dat geld ervoor bedoeld is om van het leven te genieten. In extreme gevallen kan De Plezierzoeker zelfs het gevoel hebben dat je ernaar moet streven om platzak te sterven. Hun financiële rolmodellen kunnen ouders zijn die zelf Plezierzoekers waren en van het goede leven wilden genieten. Maar net zo vaak is de houding van De Plezierzoeker een reactie op een strenge opvoeding. Veel babyboomers werden opgevoed door een generatie die de crisistijd had meegemaakt en daardoor erg spaarzaam was. In reactie daarop zwoeren zij zichzelf om nooit 'geldslaven' te worden zoals hun ouders, maar te genieten van het leven.

Als De Plezierzoeker iets koopt, dan is dat meestal om zijn zintuigen te plezieren. Ze willen de vruchten van hun geld zien, horen, voelen, ruiken en aanraken. Ze houden niet van vermogensbestedingen zoals spaarrekeningen en geven de voorkeur aan tastbare dingen zoals vervoermiddelen, huizen en nieuwe apparaten. Hoewel ook andere mensen geld uitgeven is er toch niemand die meer geniet van wat hij uitgeeft dan De Plezierzoeker.

Zoals elk archetype heeft ook De Plezierzoeker een aantal talenten waar veel andere mensen nog iets van zouden kunnen leren. Plezierzoekers worden door hun vrienden en familie vaak beschreven als mensen die 'weten hoe ze van het leven moeten genieten'. Ze weten het gevaar te vermijden van het vaak dolgedraaide arbeidsethos in onze maatschappij. Toch zou ik ook je aandacht willen vragen voor het ongebalanceerde in De Plezierzoeker, dat wat minder goed werkt bij dit archetype. Zoals je weet is het zintuiglijk plezier dat we krijgen van dingen die we kopen tijdelijk. Herinner je de cirkelredenering van de Verlangende Geest? We verlangen niet echt naar wat we kopen, maar willen juist innerlijk vrij zijn van het verlangen. Een paar dagen na een geweldige vakantie hebben we niet langer dat ontspannen of opgewekte gevoel dat we hadden toen we bij het zwembad lagen met een goed boek. Een maand nadat we die flatscreentelevisie hadden gekocht, zagen we het verschil met het oude model niet meer. Toch beschouwt onze geest ook de volgende keer als we iets kopen en onszelf onderdompelen in een nieuwe roes van zintuiglijke prikkels, de aankoop als de oorzaak van ons geluk. Het zijn vooral Plezierzoekers die tijdens hun leven steeds meer gaan geloven in de formule:

meer geld = meer plezier = meer geluk

Ik heb met veel kinderen van rijke ouders gewerkt die vaak moeite hebben om hun fondsen of erfenis goed te beheren en financieel zelfstandig te worden. Deze kinderen zijn gewend aan een hogere levensstandaard dan ze zich als volwassenen kunnen veroorloven. Ze werden opgevoed met vakanties op zonnige eilanden en kregen de beste opleiding die mogelijk was. Toen ze jong waren, vlogen ze met vaders privévliegtuig naar Europa of, als de tijd beperkt was, naar een zomerkamp aan de andere kant van de staat. Ze reden in dure auto's, aten in de beste restaurants en droegen merkkleding. Ze verwachten die dingen ook in hun volwassen bestaan, of ze het geld nu wel of niet hebben.

Ik heb een aantal rijke families als cliënt gehad waarvan de ouders niet geloofden – en er boos over waren – dat hun kinderen zelfs als volwassenen meer uitgaven dan ze zich konden veroorloven. De frustratie over het uitgavenpatroon van hun nageslacht leidt er vaak toe dat rijke ouders hun kinderen geen geld geven, wat weer leidt tot financiële ellende en het gevoel onrechtvaardig te worden behandeld. Plezierzoekers die kinderen zijn van rijke ouders hebben soms het idee dat ze in dezelfde buurt moeten kunnen wonen, in dezelfde auto's moeten kunnen rijden en op andere manieren van het leven moeten kunnen genieten zoals eerder in hun jeugd. Deze opvatting kan een innerlijk gevoel van onwaardigheid maskeren, waardoor De Plezierzoeker troost zoekt door geld uit te geven aan dingen of ervaringen die tijdelijk plezier geven. Door die vicieuze cirkel raken Plezierzoekers er steeds meer van overtuigd dat geld er is om van te genieten en niet om op te potten. Mensen die sparen worden door hen vaak gezien als 'krenten'. Natuurlijk, niet alle Plezierzoekers zijn opgegroeid in een welgesteld milieu. Velen van hen zijn juist op zoek naar de goede dingen van het leven omdat ze die vroeger niet hadden. Maar of een Plezierzoeker nu is opgevoed in rijkdom of gebrek of iets daartussenin, zijn of haar kernverhaal is dat geld er is voor ons eigen plezier. Iets anders geeft niet dezelfde voldoening.

Oorsprong van De Plezierzoeker: 'waarom lijden?'

Voor Plezierzoekers is geld bedoeld om het leuk te hebben in dit leven. Een andere manier om dit archetype te beschrijven is er niet. Hoewel het woord *hedonistisch* in onze taal een ongunstige bijklank heeft, is de term afkomstig van een Grieks woord voor plezier. Het was ook een aanduiding voor een

JE BENT WAARSCHIJNLIJK EEN PLEZIERZOEKER...

• Als je minder dan vijf procent van je inkomen spaart. Als je je down voelt, heb je de neiging om dingen te kopen die niet echt noodzakelijk zijn.

• Als je schulden groter zijn dan je eigen vermogen. Waarschijnlijk heb je veel dingen op krediet gekocht. Je kiest ervoor om betalingen uit te stellen tot volgend jaar om je verlangen naar plezier en genot te kunnen bevredigen.

• Als je investeringen, als je die al hebt, bestaan uit vakantiehuisjes, kunstcollecties, wijnsoorten, sieraden of andere verzamelobjecten.

• Als je regelmatig aan 'retail therapy' doet, dat wil zeggen als je gaat winkelen en dingen koopt die je niet echt nodig hebt om in een betere stemming te komen.

• Als je uitgaven aan luxeartikelen spanning veroorzaken in je relatie met je echtgenoot of partner.

groep filosofen, volgelingen van Socrates, die geloofden dat onze zintuigen de enige betrouwbare kennisweg vormden. Dit manifesteert zich bij moderne Plezierzoekers in een verlangen naar tastbare dingen en een afkeer van meer abstracte bestedingen zoals sparen of investeren in de aandelenmarkt. Bekende motto's van De Plezierzoeker zijn: 'Waarom lijden?' of 'Het is maar geld. Waar zou het anders voor bedoeld kunnen zijn dan om van te genieten?' of 'Je kunt het niet meenemen' en niet te vergeten 'Ik verdien het'.

Dat laatste idee vormt de sleutel tot dit archetype. Eigenlijk zegt de innerlijke stem van De Plezierzoeker: 'Ik heb zo hard gewerkt (en zoveel geleden) dat ik dit verdien.' Ik had ooit een cliënt die jarenlang spaarde om in staat te zijn om zijn eerste huis te kopen. Toen hij dat uiteindelijk had, gaf hij een bedrag uit dat gelijk was aan de helft van zijn aanbetaling om het huis in te richten – alles op aanbetaling. Vijf jaar later gaan hij en zijn vrouw nog steeds gebukt onder de financiële gevolgen van die beslissing. Bij de erfgenamen is er aanvankelijk vaak een soort schuldgevoel als de ouders een aanzienlijke som achterlaten. Maar de meeste Plezierzoekers met geërfd vermogen stillen deze schuldgevoelens door zichzelf een van de volgende redeneringen voor te houden: dat hun ouders hen zo slecht hebben behandeld dat ze op grond van alles wat ze hebben moeten doorstaan het recht hebben om te doen wat ze willen met het geld, of dat hun ouders juist zouden hebben gewild dat ze genieten. De grote meerderheid van De Plezierzoekers zijn geen rijkeluiskinderen maar werken hard voor hun geld. Maar de prijs van hun hedonisme is vaak wel dat ze een baan hebben die ze niet leuk vinden of een ongemakkelijke relatie met de mensen die hen verzorgen. Het is een vicieuze cirkel: hun aankopen dienen als beloning voor het lijden dat ze ervaren door in de situatie te blijven die dezelfde aankopen nodig maakt.

Het profijt: een de dood trotserend koopgedrag

De meesten van ons genieten van uit eten gaan, massages, luxueuze vakanties of het kopen van dingen waar we van houden. In feite heeft iedereen een Plezierzoeker in zich. Mensen zijn zintuiglijke dieren; waarom zouden we ons verlangen naar zintuiglijke stimulering en plezier niet bevredigen? Het geeft je het gevoel dat je leeft. Zonder dat soort ervaringen zouden we onze groei als mens blokkeren. Wat kan erger zijn dan een leven vol ontberingen als dat volstrekt onnodig is?

Zoals met alle archetypen is het werkelijke probleem de balans. Levert je hedonistische gedrag financiële schade op? Is de bevrediging die het oplevert minder groot dan andere mogelijke bestedingen van je geld, zoals de zekerheid dat je genoeg spaargeld hebt voor het geval dat je bejaarde moeder op een dag naar een verpleeghuis moet of dat je in staat bent je kinderen te laten studeren? Wordt je gedrag ten diepste gemotiveerd door angst – voor een saai leven of andere angsten?

De echte winst die Plezierzoekers boeken is dat ze, doordat ze geheel zijn gericht op het genieten van het leven, niet in 'het gat' hoeven te kijken – de pijnlijke gevoelens van leegheid die bij ieder mens van tijd tot tijd opkomen. Door de existentiële leegte voortdurend te vullen met dingen die afleiden, ontlopen Plezierzoekers de moeilijke vragen die in de stilte zouden kunnen opkomen – over het doel van hun leven, of ze wel leven volgens hun waarden, en de vraag welke gevoelens ze met het zoeken van plezier eigenlijk proberen te ontvluchten. Misschien maskeert De Plezierzoeker met zijn gedrag wel de angst om te sterven zonder ooit echt te hebben geleefd. Als dat het geval is dan is zijn gedrag ironisch genoeg alles behalve een beaming van het leven.

Wat De Plezierzoeker vreest

Wat motiveert het gedrag van De Plezierzoeker? Hun primaire angst is dat ze op een dag niet genoeg hebben en niet van de goede dingen van het leven kunnen genieten. Een vriendin van me, Carol, vertelde me dat haar inkomen als productieassistent bij de televisie in de laatste twee jaar was gedaald. Ik vroeg haar hoe ze met die situatie omging. Ze zei: 'Ik heb het gevoel dat ik mijn uitgaven moet inperken, iemand in huis moet nemen of mijn huis moet verkopen en naar een appartement moet verhuizen, maar daar heb ik echt geen zin in. Ik word misselijk bij de gedachte aan de plekken waar ik zou moeten gaan wonen om mijn maandelijkse uitgaven drastisch te kunnen beperken.'

Een andere Plezierzoeker die ik ken groeide op als de jongste van negen kinderen. In Vincents jeugd werden de kerstcadeaus hergebruikt – de oudere kinderen kregen nieuwe treinen, poppen en ander speelgoed, terwijl de jongere kinderen het speelgoed van de oudere kinderen kregen, dat opnieuw werd ingepakt. De teleurstelling van Vincent was nog steeds merkbaar toen hij me beschreef hoe hij zich voelde op kerstochtend, als hij zijn cadeautjes uitpakte en – opnieuw – ontdekte dat hij een van de afdankertjes van zijn broers en zussen had gekregen. Als volwassene besteedde hij elke kerst – zonder daar ooit van tevoren voor te sparen – 10 tot 15 procent van zijn jaarlijkse inkomen om te er zeker van te zijn dat zijn vrouw en kinderen niets tekortkwamen. Hij kocht dure cadeaus en gaf grote feesten, niet alleen voor zichzelf en zijn gezin, maar ook voor andere familieleden en vrienden. Zeker, Plezierzoekers, die vaak als gul worden gezien, kunnen heel sociaal zijn en wensen dat ook anderen kunnen genieten van hun geld.

Deze eigenschap is afkomstig van een diepere angst die ten grondslag ligt aan hun verlangen. Vincent was altijd bang dat hij niet de moeite waard was, niet zo beminnelijk was als zijn oudere broers en zussen. Hij wilde laten zien dat ook hij gloednieuwe cadeaus kon krijgen – en geven. Omdat deze angst onbewust zijn hele leven bepaalde, was hij zich niet bewust van het feit dat hij zijn geld vooral gebruikte om deze minderwaardigheidsgevoelens te compenseren. Voordat Vincent zich hiervan bewust was geworden en daar iets aan had gedaan, kon hij eenvoudig niet stoppen met zijn buitensporige vakantie-uitgaven. Hij moest eerst de angst blootleggen die achter zijn financiële gedrag school, voordat hij echte veranderingen in zijn gedrag kon aanbrengen.

De aard van deze onderliggende angsten varieert per persoon. Maar als je verzet in je voelt opborrelen bij het voorstel om dat ene begerenswaardige item dit keer niet te kopen, dan is de kans aanwezig dat deze koopimpuls een dieper gevoel verdooft. De onderliggende angst kan aanvankelijk intimiderend zijn. Als je de verleiding tot kopen weerstaat zul je waarschijnlijk niet alleen een behoorlijke weerstand ervaren, maar misschien ook verdriet. Het goede nieuws is echter dat je aan gene zijde van je verzet zult ontdekken dat het gevoel dat je vreesde lang niet zo pijnlijk is als je had verwacht. Het kan zelfs nieuwe deuren of wegen openen: naar voldoening, intimiteit of liefde.

Vincent vertelde me dat hij als gevolg van het onderzoeken van en werken aan zijn onderliggende gevoelens, in staat was om met zijn gezin dat jaar een cadeauloos kerstfeest te organiseren. Elk lid van het gezin schreef op een kaartje wat ze mooi vonden aan de ander en wat ze hem of haar toewensten. Met deze kaartjes werd de boom versierd. Op kerstochtend opende iedereen de kaartjes en las ze hardop, wat een hartverwarmend kerstfeest opleverde dat het gezin nooit meer zou vergeten.

WAT HEEFT MIJN RECENTE AANKOPEN GEMOTIVEERD?

De vroege hedonisten uit de Oudheid geloofden dat plezier het hoogste goed was. Maar er was ook een latere hedonistische school, geleid door Epicurus, die de waarde van het genieten erkende, maar juist daarom ook nadruk legde op het vermijden van de pijn die het gevolg kan zijn van ongecontroleerde genotzucht. De Epicureërs leerden dat plezier het best kan worden nagestreefd door rationeel controle uit te oefenen over het verlangen. Maak in deze context een lijst van een aantal grote dingen die je hebt gekocht – geen dure aankopen, maar dingen die je heel graag wilde:

1. ....

2. ....

3. ....

Beantwoord vervolgens voor elk item de volgende vragen:

- Waarom heb je dit gekocht?
- Hoe voelde het voordat je het artikel kocht?
- Hoe voelde het nadat je het had gekocht?
- Voelt het nog steeds zo?
- Zo niet, hoelang duurde dit gevoel?

Met welke angsten of andere hinderlijke gevoelens waar elk van deze aankopen je tegen wilde beschermen, kun je in contact komen? De volgende lijst kan je op weg helpen:

woede	vreugde	verdriet	frustratie
jaloezie	boosheid	depressie	hopeloosheid
verwarring	waardeloosheid	hebzucht	competitiedrang
angst	schaamte	leegheid	onbekwaamheid

Wijs als je kunt een bepaalde angst aan waar elk van deze aankopen je tegen beschermt. Deze angsten hoeven niet rationeel of verdedigbaar te zijn. Misschien heb je je huis opnieuw ingericht om meer afleiding te vinden en je niet zo eenzaam te voelen.

Terwijl je deze pijnlijke gevoelens erkent, moet je jezelf afvragen: Wat zou werkelijk kunnen helpen tegen de pijn? Wat zou een alternatief kunnen zijn voor het zoeken naar afleiding en plezier?

De schaduwzijde: koop nu, betaal later

Veel Plezierzoekers beweren zonder blikken of blozen dat ze een gezonde verhouding met geld hebben. Zij zien immers in dat het in het leven niet om geld draait. Toch is hun relatie met geld niet zo rooskleurig als het lijkt. In het meest ongunstige geval is angst de drijfveer van De Plezierzoeker: angst voor ontberingen, angst voor een oncomfortabel leven en zelfs angst voor de dood. Zolang de deurwaarders niet op de deur kloppen is het gemakkelijk om deze donkere kant van dit archetype te negeren.

Amerikanen zijn door de macht van de reclamewereld geconditioneerd om De Plezierzoeker in zichzelf te ontwikkelen. De Amerikaanse neef van Sigmund Freud, Edward Bernays, door velen beschouwd als de vader van de moderne reclame en public relations, gebruikte de ideeën van zijn oom over wensvervulling om een verfijnde industrie te creëren die gewijd was aan het bedienen van de Verlangende Geest. Bernays had een visioen van een wereld waarin mensen hun nieuwe auto niet kochten omdat de motor van hun oude het had begeven, maar om hun gevoel van eigenwaarde of sexappeal te vergroten. Ze zouden hun frisdrank niet langer kopen omdat ze dorst hadden, maar omdat ze bij een bepaalde groep wilden horen. Het resultaat? Ongecontroleerde uitgaven en onbewuste financiële gedragspatronen die het goede leven dat we zo graag willen in feite in gevaar brengen. Veel Amerikanen zitten gevangen in het archetype van De Plezierzoeker. De Amerikaanse consumptiemaatschappij wil het liefst van iedereen een Plezierzoeker maken – er wordt in de Verenigde Staten soms zelfs gezegd dat mensen hun patriottische plicht doen als ze gaan winkelen!

Mensen die sterk aanleunen tegen dit archetype zullen heel eerlijk moeten zijn en zichzelf de vraag stellen wat hun uitgaven motiveert. Het kind in De Plezierzoeker laat iedereen weten: 'Ik verdien dit.' Maar in welke zin beschermt dit archetype hen onbewust tegen innerlijke pijn? Iedere keer als we door angst worden gedreven en dit compenseren door onze verlangens te bevredigen, creëren we onevenwichtigheid in ons leven.

EEN VERHAAL ALS WAARSCHUWING

Ooit had ik een cliënt die Rose heette. Ze was opgegroeid in een gezin waarin heel prestatiegericht werd gedacht. Ze had een dominante vader die alles controleerde, inclusief de gezinsfinanciën. Hij was opgegroeid in de crisistijd en was bijzonder zuinig. Hoewel het gezin rondkwam van een middenklasseninkomen, leefden ze in een klein huis waarin altijd iets kapot was. Ze kochten brood bij de bakker dat een dag oud was en aten voedsel uit blik.

Iedereen in het gezin voelde zich machteloos. Er was geen ruimte om een eigen levensstijl te creëren door meer geld te verdienen, uit te geven of te sparen. De vader van Rose nam alle beslissingen en zei dat zijn kinderen zich moesten schamen als ze te veel spendeerden. Hij stond hen nooit toe om hun eigen fouten te maken en een gevoel van zelfvertrouwen op te bouwen door het beheren van hun eigen financiën.

Tegen de tijd dat ze een jongvolwassene was, rebelleerde Rose tegen haar vaders 'krenterigheid'. Ze ging bijna elke avond uit eten met haar vriendinnen, kocht de nieuwste schoenen en vervulde bijna al haar materiële begeerten. Hoewel ze als accountmanager bij een cateringbedrijf een inkomen had dat veel hoger was dan dat van haar ouders, was ze niet in staat om haar uitgaven te financieren. Daardoor moest ze steeds weer bij haar vader aankloppen voor een gift of een lening. Hij hielp haar, maar niet zonder haar te waarschuwen dat ze haar gedrag moest veranderen.

Op zevenentwintigjarige leeftijd trouwde Rose met een succesvolle sportmakelaar. Hoewel zijn inkomen hoog was, was hij zuinig. Dat gaf spanningen in haar huwelijk. Het had veel weg van wat ze als kind had meegemaakt met haar vader. Het inkomen van het echtpaar was hoog genoeg om zo veel geld uit te geven als ze wilde. Toen de drie kinderen die ze samen hadden, groter werden, groeiden ook de spanningen over de besteding van het geld. Toen de jongste zes jaar was, gingen ze uit elkaar. De echtscheiding was vooral een gevolg van hun geschillen over geld. Hij vond dat ze haar kinderen verwende en zij was van mening dat hij hen tekortdeed.

Na de echtscheiding ontving ze $17.000 per maand aan alimentatie, een bijdrage aan de opvoeding van de kinderen en meer dan $15 miljoen van hun gedeelde eigen vermogen. Ze kocht een duur huis en ging door met het verwennen van de kinderen. Ze kregen de beste kleren, de mooiste feestjes en de leukste vakanties. Binnen vijf jaar stopte de alimentatie. Door op een verkeerde manier te beleggen en veel uit te geven daalde haar vermogen naar minder dan $300.000. Haar uitgaven lagen nog steeds op hetzelfde niveau als toen ze trouwden, terwijl ze haar carrière al heel lang achter zich had gelaten en geen reële kans meer had om zelf een inkomen te verdienen. De kinderbijslag zou nog vijf jaar op haar rekening worden bijgeschreven, maar was te weinig om het uitgavenpatroon van haar en haar kinderen te dekken.

Rose bleef het gevoel houden dat ze ook als kind en puber had gekend, het machteloze gevoel dat ze iets tekortkwam, zelfs toen ze meer dan genoeg had. Door de gedachte dat 'je het niet met je mee kunt nemen' tot in het extreme door te voeren, was Rose niet echt in staat om van het leven te genieten, hoewel dat nu juist haar filosofie was.

Als het om geld gaat neigen Plezierzoekers ertoe om een houding te hebben van 'Wat kan mij het schelen'. Maar er is een andere uitdrukking die veel dichter bij de waarheid komt: 'Het venijn zit in de staart'. De Plezierzoeker zegt vaak: 'Ik ben vreselijk met geld.' Maar door je kop in het zand te steken, leg je niet alleen heel veel druk op jezelf, maar ook op je familieleden. Veel Plezierzoekers lopen vast in hun romantische relaties, doordat ze meer uitgeven dan ze zich kunnen veroorloven.

Schulden zijn het natuurlijke gevolg van een onbeheerste levensstijl waarin het zoeken van plezier vooropstaat. In Amerika hebben talloze mensen schulden. In mijn werk heb ik met eigen ogen gezien dat de kosten daarvan bijzonder hoog zijn, niet alleen in dollars, maar ook emotioneel.

DENK EENS NA OVER DE VOLGENDE STATISTISCHE GEGEVENS:

- Het totale consumentenkrediet: $2,5 triljoen (Federal Reserve, juni 2007).
- Zesendertig procent van de mensen die meer dan $10.000 aan creditcardschuld hebben, hebben een netto-inkomen onder de $50.000 (VIP Forum).
- Gemiddelde creditcardrente: 14,57 procent (BankRate.com, augustus 2007).
- Aantal creditcardhouders die faillissement hebben aangevraagd in 2005: 1,3 miljoen (Motley Fool).

Vaak maken Plezierzoekers zich grote voorstellingen van hun pensioentijd. Ze fantaseren over reisjes naar Europa en andere luxeuze dingen, maar door hun levensstijl blijven deze gouden jaren een illusie. Hoewel De Plezierzoeker niet het enige archetype is dat moeite heeft met het sparen voor zijn pensioen, is de realiteit vaak ontnuchterend voor Plezierzoekers. Statistieken tonen aan dat velen van ons het een aardig tijdje kunnen redden. Maar als je niet genoeg hebt gespaard voor je pensioen, hoe plezierig worden je latere jaren dan?

Een onderzoek uit 2006 van het Employee Benefit Research Institute laat zien dat Amerikanen het bedrag dat ze hebben gespaard voor hun pensioen vaak te hoog inschatten:

* De meeste (68%) van degenen die werden ondervraagd beweerden dat zij en hun partner minder dan $50.000 hadden aan pensioenspaargeld.
* Velen (58%) waren vergeten om de stijgende kosten van gezondheidszorg en zorgverzekering mee te rekenen als ze ouder worden dan negentig jaar, wat op kan lopen tot $210.000.
* Terwijl 62 procent van de gepensioneerden beweerden dat ze meer dan 70 procent van hun inkomen vóór pensionering uitgeven, dachten de meesten minder dan 70 procent van hun huidige inkomen nodig te hebben.
* De meeste ondervraagden (59%) hoopten na hun pensionering de levensstandaard tijdens hun werkende leven te kunnen evenaren of te kunnen overtreffen. Maar toen hun werd gevraagd of ze ook hadden uitgerekend welk bedrag ze daarvoor nodig zouden hebben, zei 58 procent dat ze dat niet hadden gedaan en 8 procent zei dat ze naar het antwoord hadden geraden.

De schaduwkant van het plezierzoeken is ontmoedigend. Plezierzoekers kunnen te maken krijgen met faillissement of met schuldgevoelens en angst als de rekeningen komen. Ze kunnen geconfronteerd worden met de pijn die ze hun gezinsleden hebben aangedaan. En ze kunnen te maken krijgen met een mager pensioen. Ik heb iemand zijn volledige erfenis zien besteden aan een hippe maar weinig rendabele pub, terwijl hij niets bleek te hebben gereserveerd voor de groeiende uitgaven van zichzelf en zijn kinderen. Ik ken een echtpaar dat besloot hun huis te laten renoveren terwijl ze hun kinderen vertelden dat ze niet genoeg geld hadden voor hun studie. Ik heb mensen ontmoet die impulsief een auto van $80.000 of een boot van $250.000 kochten, maar het zich niet konden veroorloven.

'Je hoeft niet op te houden met het verlangen naar dingen – je moet afstand nemen van het voorwerp en zien hoe het voelt om te verlangen.'

GIL FRONSDAL,
BOEDDHISTISCH LERAAR

Niet alleen loop je door pleziertjes na te jagen het risico dat je uiteindelijk niet in staat bent om ervan te genieten, maar in het ergste geval is het een automatische reflex die ons van onze persoonlijke keuze en kracht berooft.

Een ander soort plezier

Andy werkte op commissiebasis in de commerciële hypotheekwereld en verdiende een geweldig inkomen van zes cijfers. Hoewel hij veel uren maakte, genoot hij niet van zijn baan. Hij deed impulsieve aankopen zoals mooie kleren of een nieuw horloge. Ook had hij een verzameling motorfietsen. Hij had niet veel tijd om erop te rijden, maar hij kon in elk geval iets spectaculairs laten zien als anderen vroegen waarom hij zo hard werkte. 'Jarenlang,' zo zei hij, 'dacht ik dat ik gelukkig zou zijn als ik meer zou verdienen.' Hij verdiende inderdaad steeds meer, maar hij genoot nog steeds niet van zijn werk. Toen hij net veertig was, verliet hij zijn baan bij Wells Fargo en begon zijn eigen bedrijf. Hij werd zelfstandig consulent voor kleine bedrijven en non-profitorganisaties. Hij verhuisde naar een prachtig landelijk stadje in het zuidwesten. Hij dacht dat hij meer zou gaan verdienen nu hij voor zichzelf was begonnen en eindelijk gelukkig zou zijn. Andy's vader was de belichaming van de 'American Dream' en was zonder opleiding een succesvolle directeur van een onderneming geworden. Toen hij jong was geloofde Andy in de familiemythe dat meer geld de dingen beter maakt. Het was voor hem dan ook een schok om te ontdekken dat zijn nieuwe adviesbureau hem iets gaf wat hij zijn levenslang had gezocht, plezier in zijn werk, terwijl het niet meer geld binnenbracht – hij was zelfs een derde minder gaan verdienen. 'Ik ben nog steeds een Plezierzoeker, maar ik vind het plezier nu in andere dingen dan ik gewend was,' legde Andy uit. Hij vond nu vooral voldoening in het helpen van andere zakenmensen die hun droom wilden realiseren. En onlangs werd hij verliefd op een vrouw met een jong kind. Tot zijn verrassing bleek hij in het spelen met de jongen net zoveel plezier te hebben als in het rijden op motors. Door deze nieuwe bron van vreugde is hij in staat om zijn financiële leven anders te benaderen. Hij denkt er nu serieus over na om te gaan sparen voor de toekomst van zijn stiefzoon. Sparen is niet meer zo ongrijpbaar voor hem. Het vooruitzicht om voor iemand van wie je houdt te kunnen zorgen schenkt hem plezier. Het is een hele omslag, maar wel een die hij 'de moeite waard vindt'.

Net als Andy kunnen ook andere Plezierzoekers baat hebben bij het herdefiniëren van de dingen die hen plezier geven. De beste manier om nieuwe passies naar de oppervlakte te laten komen, is vaak het vereenvoudigen van je levensstijl. Zoals je je herinnert is een van de mantra's van De Plezierzoeker 'Ik verdien het'. Een van de methoden waarmee je de gewoonte om elke wens te bevredigen kunt doorbreken is door je af te vragen of datgene wat je koopt je werkelijk gelukkig maakt.

PLEZIER HERDEFINIËREN

Vul deze lijst in. *Voor mij zijn de vijf belangrijkste dingen in het leven:*

1. ....
2. ....
3. ....
4. ....
5. ....

Als je zoals de meeste mensen bent zijn sommige van de dingen op deze lijst geen voorwerpen die je bezit. Misschien heb je je gezin op de lijst gezet of vrije tijd. En zelfs als je voorwerpen op de lijst hebt gezet, zijn dat waarschijnlijk dingen die een hoger doel dienen, zoals een huis of misschien zelfs je auto.

Vijf dingen waar ik in de laatste week geld aan heb uitgegeven:

1. ....
2. ....
3. ....
4. ....
5. ....

Lees de eerste lijst nog eens door en beantwoord de vraag: In hoeverre droeg ik, toen ik hieraan geld uitgaf, bij aan de lijst van de vijf belangrijkste dingen in mijn leven? Of ging het juist ten koste daarvan?

EEN RUSTDAG

Plezierzoekers zullen een paradigmawisseling moeten doormaken, andere manieren moeten vinden om plezier te ervaren in hun dagelijks leven. Rabbi Harold Kushner, auteur van vele bestsellers, waaronder *When all you've ever wanted isn't enough: The search for a life that matters*, herinnert ons aan het belang van een dag waarin je even uitrust van al dat willen en verlangen. Veel religieuze tradities kennen een sabbat, wat ook een tijd kan zijn om het geld met rust te laten. Probeer dit eens: eens per week, het maakt niet uit op welke dag, leef je 24 uur zonder geld. Je koopt van tevoren je boodschappen en betaalt je rekeningen op een andere dag. Vermijd het betalen met geld of een creditcard. Maar het moet geen dag worden waarin je leeft als een asceet. Probeer andere manieren te vinden om van het leven te genieten. Spelen met je kinderen, de natuur intrekken, luisteren naar of dansen op muziek die je in huis hebt, een goed boek lezen. Wat je ook doet, probeer dingen te doen die je plezier geven zonder dat je ervoor betaalt. Er zijn vele manieren om je zintuigen te voeden zonder een cent uit te geven. Wees creatief

Mijn handen zijn leeg

Plum Village is een prachtige boeddhistische gemeenschap in de buurt van de Franse stad Bordeaux. De gemeenschap is gesticht door de Vietnamese monnik Thich Nhat Hanh en ligt tussen dichtbegroeide bossen en glooiende groene heuvels. Plum Village verschaft een permanent thuis voor driehonderd monniken en lekenbeoefenaars. Mensen komen hiernaartoe voor een retraite en om de boeddhistische principes te leren praktiseren. Op een van die retraites was ik in de gelegenheid om te spreken met broeder Phap Ang, een voormalig ingenieur uit Vietnam die enkele topopleidingen in de Verenigde Staten volgde voordat hij zijn succesvolle carrière opgaf om monnik te worden. Ang heeft nu meer dan veertig jaar een eenvoudig leven geleefd van gebed en meditatie. Zoals alle boeddhistische monniken drinkt hij geen alcohol en leeft celibatair. Ook bezit hij niets. Terwijl ik met deze bescheiden man verkeerde, kon ik het niet laten om hem te vragen hoe men met geld omging in Plum Village.

Hij wilde mijn vraag graag beantwoorden en legde uit dat mensen die in Plum Village leven zelf geen bezittingen hebben, maar veertig euro per maand krijgen om uit te geven. 'En waar geeft u dat dan aan uit?' vroeg ik, terwijl ik berekende dat dit minder was dan sommige Amerikaanse gezinnen wekelijks uitgeven aan zakgeld voor hun schoolgaande kinderen. Hij pauzeerde om de vraag te overwegen. 'Oh,' zei hij, 'Ik geef het uit aan het een of ander als ik in de stad ben.' Maar meestal heeft hij aan het eind van de maand geld over, wat hij dan aan de wezen en scholen in Vietnam geeft die Plum Village ondersteunt. Zijn houding tegenover geld is heel eenvoudig: 'Ik houd het niet. Dus meestal zijn mijn handen leeg.'

Ik zat daar en dacht na over zijn woorden. Ik was stomverbaasd door het feit dat de inwoners van Plum Village zo weinig geld hadden en het weinige dat ze kregen ook nog eens weggaven. Ze leken me de meest gelukkige mensen die ik ooit had gezien. Terwijl ze in stilte zaten, en niets bijzonders deden, straalden ze eenvoudig van binnenuit.

Wat was hun geheim?

Het antwoord, zo legde broeder Ang uit, was dat ze hadden geleerd om 'met één ding te zijn'. Hoewel ze geen alcohol dronken of seks hadden, kwamen hun zintuigen niets tekort. Ze richtten hun aandacht op één ding tegelijk. Als ze liepen dan letten ze op het pad voor hen, op de bomen die ze langs de weg zagen of op de bloemen. Ik mocht daar zelf ook iets van ervaren in Plum Village. Iemand die daar wandelt, let maar op één ding en niet op honderd dingen tegelijk. Als je er in het bos zit, voel je de wind op je gezicht, ruik je de lentegeuren, de vochtigheid van de bodem, de eikachtige schimmellucht van de bomen. Ik ervoer in die ene week dat ik daar was meer zintuiglijk plezier dan in vele jaren daarvoor.

ÉÉN DING TEGELIJK

Je hoeft niet naar een ver dorp in Frankrijk te gaan om een dergelijke ervaring op te doen. Weersta in het leven van alledag de verleiding om via de dingen die je doet of koopt weg te springen uit het heden en op zoek te gaan naar een betere ervaring. Als je een maaltijd eet, kauw dan eens een beetje langer en praat niet. Besteed als je door de stad loopt aandacht aan je ademhaling en merk op hoe je zintuigen reageren op de mensen en de dingen om je heen. Luister als je met iemand praat aandachtig en probeer de expressie op zijn gezicht of de toon in zijn stem te volgen. 'Wees aanwezig' als je iets doet – geef dat ene moment je volledige aandacht en zet voor een poosje al je gedachten opzij over wat je straks wilt gaan doen. Sta je zintuigen toe om van de wereld om je heen te genieten, gewoon zoals hij is. Als die ervaring plezierig is voor je zintuigen en je daar je volledige en ongedeelde aandacht aan geeft, zal de vreugde die je ervaart vele malen groter zijn. Een volkomen en aandachtige aanwezigheid verhoogt het plezier op een manier die je met geld niet kunt kopen.

HOOFDSTUK VIJF

DE IDEALIST

'Idealisme is een garantie voor desillusie. Er is niets mis met idealisme, maar het brengt de waarheid niet dichterbij omdat het een idee is over de waarheid. Je koestert een ideaal dat niemand kan halen en in plaats van vraagtekens te zetten bij het ideaal wordt er getwijfeld aan of zelfs neergekeken op de mensen die niet aan het ideaal voldoen. Als armoede wordt geïdealiseerd zijn we in oorlog met mensen die geld hebben of krijgen we het gevoel dat we beter zijn of zuiverder of waarachtiger. En dat is een grote valkuil.'

Gangaji,
spiritueel leraar

De eerste keer dat Margaret haar mond opendeed in mijn workshop kon ik zien dat ze moeite had met haar tegenstrijdige gevoelens. Een andere deelnemer in de zaal, een man van ongeveer twintig jaar jonger, had zojuist beweerd dat de vrije markt geweldig was voor de wereld en dat sinds de val van het Sovjetblok elk land de vrijemarkteconomie in de armen sloot. Margaret, een vrouw met grijs haar en doordringende ogen, die zichzelf eerder had voorgesteld als vredesactivist, viel hem in de rede.

'Ik vraag me af of ik wel in deze workshop thuishoor,' zei ze abrupt.

'Oké,' antwoordde ik. 'Kun je ook zeggen waarom je daaraan twijfelt?'

'Nou,' zei ze terwijl ze diep ademhaalde, 'ik zou graag een gezondere relatie met geld willen. Dat wil ik echt. Maar is het niet overduidelijk dat de vrije markt niet vrij is voor iedereen? Sweatshops zijn een vorm van moderne slavernij. En zelfs in de Verenigde Staten krijgen mensen geen gelijke kans als ze aan het leven beginnen. Middenklassers en rijke mensen zien niet in hoe bevoorrecht ze zijn. Niet iedereen erft geld van zijn ouders of krijgt hulp bij het afbetalen van zijn huis. Veel mensen worstelen elke week weer om hun gezin te eten te geven, zonder dat ze daaraan zelf schuld hebben. Ik denk dat het meeste lijden in deze wereld veroorzaakt wordt door het kapitalisme. Ik begrijp niet dat mensen daar zo enthousiast over kunnen zijn,' zei ze fel. 'Ik geloof werkelijk dat ons hele economische systeem corrupt is! Creativiteit wordt niet gewaardeerd en het systeem slaagt er zelfs niet in om alle mensen van hun basisbehoeften te voorzien. Wat is er zo geweldig aan als er elke dag mensen in armoede sterven zodat enkele rijke directeuren in hun luxueuze buitenhuizen kunnen wonen? Er is zoveel geld in de wereld – als we het gewoon eerlijk zouden delen zouden we dat soort lijden niet meer zien.'

Ik viel haar in de rede. 'Je hebt een duidelijke mening. Zou je een voorbeeld kunnen geven van hoe deze opvatting je relatie met geld beïnvloedt?'

Ze stopte en dacht na. Daarna zei ze: 'Nou, ik word vaak behoorlijk kwaad als ik zie hoe oneerlijk de wereld van het geld is. Ik ben schooldecaan op een plaatselijke school en het salaris dat ze me betalen is niet genoeg om de eindjes aan elkaar te knopen, terwijl ik toch een verantwoordelijke baan heb.'

'Als je salaris niet voldoende is, hoe slaag je er dan toch in om de eindjes aan elkaar te knopen?' vroeg ik.

'Mijn echtgenoot verdient wat als freelance filmeditor, maar niet echt genoeg om onze maandelijkse kosten te dekken.' En ze voegde er beschaamd aan toe: 'Gelukkig heb ik wat geld geërfd van mijn grootmoeder. Maar de waarheid is dat ik het gevoel heb dat als ik dit aan mijn vrienden zou vertellen ze me zouden zien als een rijkeluiskindje. Daarom verberg ik het met als gevolg dan ik me nu een bedrieger voel.'

Het kernverhaal van De Idealist

Idealisten zijn meer dan welk ander archetype ook tegen geld. Ze voelen zich in de kringen van de middenklasse en de hogere klasse niet thuis. Ze schamen zich en weten zich geen raad met financiële zaken. Als ze aan geld denken volgt er instinctief een negatieve reactie. Veelvoorkomende gedachten van De Idealist zijn: 'Geld is de wortel van al het kwaad', 'Ik zou een verrader zijn als ik meer geld had', 'Geld maakt niet gelukkig, maar staat geluk in de weg', 'Het systeem deugt niet, want het bedrijfsleven en de overheid zijn immoreel en worden gecontroleerd door de rijkste één procent van dit land'. Idealisten die zich voor geld schamen hebben soms het gevoel: 'Hoe kan ik zo veel hebben als anderen zo weinig hebben?', 'Als ik echt geïnteresseerd was in een betere wereld, zou ik delen wat ik had'. De aversie van Idealisten tegenover geld draagt bewust of onbewust bij aan een onevenwichtig en onbevredigend financieel leven.

Tot het idealistische archetype behoren met name sociale activisten, spirituele zoekers en kunstenaars.

Idealisten concentreren zich vooral op hun roeping, de zaak waar ze in geloven of het spirituele pad dat ze volgen. Ze verkeren vaak in verwarring over hun financiële behoeften en hun reële financiële situatie. Zelfs als ze zuinig leven en door hun minimale uitgavenpatroon kunnen rondkomen van hun spaarzame inkomen, dwingt een gebrek aan financiële stabiliteit hen vaak om een baan te nemen waarin ze zich niet thuis voelen. Ook besteden ze daardoor vaak meer tijd aan het zich zorgen maken over geld dan aan hun levenskeuze. Misschien dromen ze van het moment waarop hun werk erkenning krijgt en ze in beter vaarwater terechtkomen. Hoewel ze een hekel hebben aan geld, zitten ze vaak net als anderen gevangen in een kringloop van verlangen, zelfs als hetgeen ze willen niets van doen heeft met hun financiën. De stress die ze voelen ten aanzien van geld versterkt de aversie ertegen. Geld zelf lijkt het probleem te zijn dat hen ervan weerhoudt om hun ware passie te volgen en niet de manier waarop ze met geld omgaan.

> 'Een vriend die me bezocht zei: "Waarom kijk je zo zuur?" Ik zei: "Ik denk aan geld."'
>
> RAM DASS

Een van die Idealisten, een middenklasser die oorspronkelijk uit de arbeidersklasse afkomstig was, vertelde me dat ze zich bevoorrecht voelde. Ze hoefde zich niet meer 'voortdurend zorgen te maken over eten en de temperatuur in huis zoals mijn ouders in mijn jeugd en ikzelf in mijn vroege volwassenheid'. Ze vervolgde: 'Daarvan verlost te zijn was op zich al een beloning voor iemand als ik. Meer dacht ik niet te kunnen verwachten.'

Idealisten komen niet altijd uit arme gezinnen. Soms zijn mensen bij wie dit archetype dominant is financieel afhankelijk van geld dat ze niet zelf hebben verdiend – via een partner, een studiebijdrage van hun ouders, een echtscheidingsregeling, een erfenis of een creditcard. Omdat we leven in een cultuur die onafhankelijkheid hoog in het vaandel draagt, voelen Idealisten die financieel niet zelfvoorzienend zijn zich vaak schuldig en onzeker, ook al weten ze dat soms goed te verbergen. In de wereld van vandaag is geld synoniem met overleven. En ieder mens wil overleven.

JE BENT WAARSCHIJNLIJK EEN IDEALIST...

• Als je jezelf als een kunstenaar, een muzikant of een entertainer beschouwt of als je werkzaam bent in de non-profitsector.
• Als je niet genoeg verdient om iets terug te krijgen van de belasting of als je genoeg verdient maar afziet van belastingteruggave.
• Als je van anderen (uit heden of verleden) afhankelijk bent voor financiële ondersteuning.
• Als je het liefst investeert in kleine ondernemingen, een tweede of derde huis of in een kunst- of muziekcollectie, aangezien je grote ondernemingen wantrouwt.
• Als je investeert in aandelen die maatschappelijk verantwoord zijn, dat wil zeggen niet in de tabaksindustrie, vervuilende bedrijven, wapenfabrikanten, atoomenergie, alcoholproducenten en bedrijven die onder slechte arbeidsomstandigheden werken (ook mensen die tot andere archetypen behoren screenen bedrijven waarvan ze aandelen kopen, maar de Idealisten doen het allemaal – als ze aandelen hebben).
• Als je liever vijf dollar geeft aan iemand op straat dan aan een liefdadigheidsorganisatie.

Oorsprong van De Idealist: 'het oog van de naald'

Idealisten zijn, zoals de naam zegt, bijzonder idealistisch. Vaak heeft hun kijk op geld een ideologische achtergrond, die politiek is of religieus. Idealisten kunnen socialisten zijn, communisten, 'ware' christenen of boeddhisten. Mensen die onder dit archetype vallen hebben vaak op de een of andere manier een gelofte van armoede afgelegd en het is voor hen heel moeilijk om die belofte te breken.

Zoals bij elk archetype schuilt er ook in de visie van De Idealist veel waarheid. De uitwassen van de vrije markt hebben ongetwijfeld bijgedragen aan veel menselijk leed. Ondernemers hebben vaak geen oog voor wat niet winstgevend is. Recente schandalen waarbij grote ondernemingen winst boven mensen of het milieu plaatsten, rechtvaardigen het natuurlijke wantrouwen van De Idealist tegenover 'het systeem'. De menselijke geschiedenis is bezaaid met voorbeelden van mensen die hebben geprofiteerd van het ongeluk van anderen. En het is waar dat in veel gevallen het verlangen naar materieel gewin heeft geleid tot oorlog en ellende.

Sommige Idealisten zouden willen dat ze konden terugkeren naar een tijd waarin de dingen eenvoudiger waren. Ze verheerlijken een cultuur waarin het geld een andere rol speelt dan in onze samenleving. Vaak voelen ze zich solidair met de armen en als ze geld verdienen, hebben ze soms het gevoel dat ze niet loyaal zijn of hypocriet, wat hen in verwarring brengt. Door hun visie op geld komen Idealisten snel voor een probleem te staan. Hun strategieën om met 'de wortel van het kwaad' om te gaan zijn bijvoorbeeld: 'Geef niets uit', 'Doe alsof het niet bestaat' of 'Houd er niet aan vast'. Deze strategieën zijn niet altijd houdbaar in de wereld waarin we leven. Het onvermogen om theorie en praktijk met elkaar in overeenstemming te brengen laat De Idealist dan ook vaak boos en gefrustreerd achter.

'Money sucks'

Zoals Spaarders hun heil zoeken in spaargedrag en Plezierzoekers zich prettig voelen als ze geld uitgeven, zo gebruiken Idealisten hun opvattingen over geld om zichzelf te beschermen. Wanneer mensen niet genoeg geld verdienen om voor zichzelf te zorgen worden ze financieel kwetsbaar. Ze zullen zich op een 'aangepaste' manier moeten gedragen tegenover de mensen die hen ondersteunen omdat anders hun inkomstenbron opdroogt. Dat is moeilijk te verteren voor Idealisten, omdat ze in veel opzichten juist rebels zijn. Deze zwakke plek is vaak zo pijnlijk dat er niet bewust over na wordt gedacht. Niettemin creëert het grote frustratie.

Als een Idealist ondersteund wordt door een echtgenoot, een partner, de overheid of een bank, voelt hij vaak een diepe ambivalentie, die zich manifesteert als een gevoel van onrechtvaardigheid of arrogante verontwaardiging: 'Waarom zou ik verantwoording moeten afleggen tegenover jou?', 'Wat heb jij gedaan dat je het verdient om macht over mij uit te oefenen?', 'Laat me met rust en laat me het zelf opknappen! Ik wil geen deel uitmaken van jullie vuile wereld!' Dit ressentiment over de oneerlijkheid van het leven in een wereld waarin het geld regeert, is vaak gericht op de weldoener van De Idealist omdat dat de persoon of het instituut is dat hij te vriend moet houden om te overleven. Een kunstenaar die voor zijn stipendium van een overheidsprogramma of een non-profitorganisatie afhankelijk is, schrikt terug voor elke beperking die hem wordt opgelegd. Op dezelfde wijze gaat een activist tekeer tegen de materialistische waarden van zijn ouders, die hem ondersteunen maar wel voorwaarden verbinden aan de beschikbaarstelling van het geld. Sommige Idealisten hebben zo veel moeite om hun eigen kwetsbaarheid of aansprakelijkheid in 'the money game' toe te geven, dat ze een oogje dichtknijpen voor de manier waarop ze zich financieel afhankelijk maken van anderen. Ik ken een briljante schilder, die oprecht verliefd werd op een succesvolle vrouw en onlangs bij haar is ingetrokken. Hij weigert de helft van de woonkosten van zijn partner te betalen omdat, zo zegt hij, 'zij ervoor heeft gekozen om in een groot huis te wonen en omdat ze haar hypotheek ook zou afbetalen als ik er niet was'. Hij beschouwt zichzelf als 'een gast' en 'gelooft niet in het hebben van eigendom'.

Hoewel het in een relatie waarin beide partners het met elkaar eens zijn heel redelijk kan zijn om minder te betalen als je minder hebt, moeten dergelijke afspraken wel wederzijds zijn. Als alles openlijk wordt besproken en de partner die minder vermogend is andere bijdragen levert, kan het heel goed zijn dat beide betrokkenen het gevoel hebben dat de zaak billijk en evenwichtig is geregeld. Maar als een Idealist zijn visie oplegt aan een partner die zijn visie niet deelt, volgen er onvermijdelijk spanningen.

Terwijl sommige Idealisten voor hulp afhankelijk zijn van anderen, met alle gemengde gevoelens van dien, zijn andere Idealisten van niemand afhankelijk. Ze maken zich liever druk om hun creatieve, spirituele of sociale idealen dan om geld. Het gevolg is vaak wel dat ze zichzelf daarmee financieel saboteren. Een muzikant die ik ken, gaf onlangs toe: 'Waarom moet ik me met geld bezighouden? Het is de minst favoriete bezigheid in mijn leven. Money sucks…' Iedereen heeft dat soort gevoelens wel eens in zijn leven. Je financiën op orde houden is lastig en niet altijd even interessant. Maar Idealisten zijn over het algemeen zo gefascineerd door en begaafd in dat andere deel van hun leven dat ze hun intelligentie en passie liever besteden aan hun roeping dan aan geldzaken. Ze halen meer plezier en vervulling uit hun 'echte werk' en geloven vaak dat dat hun bijdrage is aan de wereld en dat zoiets nu eenmaal een financieel offer vraagt.

Kop in het zand

Niet alle Idealisten zijn arm, maar de meesten van hen kiezen ervoor om niets met geld te maken te willen hebben. Een groot aantal Idealisten is financieel niet afhankelijk van anderen. Er is een groep die een behoorlijke som geld bezit, maar, zoals Margaret, zich daar schuldig over voelt, zich er voor schaamt of zich op een andere manier belast voelt. Ik ken iemand die rond zijn vijftigste een erfenis ontving. Hij vertelde dat hij op kostschool zijn uiterste best deed om er arm uit te zien. 'Ik walgde van die verwende kereltjes daar. Ik kleed me nu nog steeds als een soort punker,' zei hij verlegen.

Bij sommige Idealisten leidt de concentratie op hetgeen waar ze van houden en in geloven tot een enorme vitaliteit. (Sommige Idealisten hopen dat ze ooit beroemd of erkend zullen worden, wat zou kunnen leiden tot voorspoed en rijkdom, al zien ze die mogelijkheid als een gelukkige bijkomstigheid en niet als een doel op zich). Een beeldhouwer die ik ken en die duidelijk beïnvloed is door het idealistische archetype had recentelijk een opening in een galerie. Zijn werken werden verkocht voor in totaal meer dan een miljoen dollar. Hij heeft er moeite mee om dit aanzienlijke bedrag te beheren, omdat hij zo lang tegen geld was. Dit vermijdingsgedrag kan ertoe leiden dat Idealisten na tien jaar professioneel succes uitroepen: 'Waar is het geld gebleven?' – of, als ze niet financieel succesvol waren: 'Waarom wil men hier niet voor betalen?'

DE BRIL VAN DE SCEPTICUS

Kunstenaars, activisten en spirituele zoekers die vanuit het idealistische archetype opereren hebben een neus voor hypocrisie en zien vaak heel duidelijk en scherp de beperkingen van 'het systeem' of de culturele ideologie. Als jij ook een kritische geest hebt en graag populaire mythes kraakt, daag ik je uit om diezelfde sceptische bril eens op te zetten bij het volgende ideeën:

• Laat het idee dat het systeem corrupt is, even los en richt alle aandacht op jezelf. Wat zie je over het hoofd als het gaat om je relatie

met geld? Op welke manier is je relatie met geld in strijd met je
idealen of zelfs hypocriet te noemen?
- Stel dat je een Idealist bent die zijn geld niet zelf heeft verdiend:
hoe zou je leven eruitzien als je het geld wel zelf had verdiend? Zou
je anders over geld denken of er anders mee omgaan? Waarom?
- Zou je kunst of ideaal er niet mee gediend zijn als je in je eigen
levensonderhoud kon voorzien?
- Stel je eens voor wat je met meer geld zou kunnen doen. Maak een
lijst van de idealen die je met geld zou kunnen dienen.

Hippies met geld

In de Verenigde Staten zetten tientallen miljoenen mensen, die in de jaren
zestig volwassen werden, zich af tegen de generatie van hun ouders. Ze ver-
wierpen 'het systeem' en de oorlog in Vietnam. Ze namen een antiautoritai-
re houding aan en vormden een tegencultuur. Beïnvloed door het marxisme
en andere radicale ideeën geloofde dit deel van de bevolking dat de wereld
spoedig zou veranderen, dat oude systemen zoals de 'economie van het geld'
spoedig tot het verleden zouden behoren en dat we terug zouden keren naar
een eenvoudiger levensstijl gebaseerd op ruilhandel en onderlinge dienstverlening. Veel van deze mensen ontvingen een uitkering of bijstand. Ze
hadden daar geen problemen mee, omdat ze zich op die manier tegen de
corrupte overheid keerden en tegelijkertijd in staat waren om hun eigen
idealen gestalte te geven. Maar de revolutie die velen verwachtten bleef uit.
Voor veel babyboomers was het einde van het idealistisch tijdperk een slag
in het gezicht.

De generatie die het motto 'Vertrouw niemand boven de dertig' had uit-
gevonden, is inmiddels zelf tussen de vijftig en de zeventig jaar. Ze zijn op
het hoogtepunt van hun rijkdom en macht. Hun ouders laten hen biljoenen
dollars aan erfenissen na. Velen van hen hebben een bloeiende carrière. Aan
het begin van de eenentwintigste eeuw hebben deze voormalige leden van de
flowerpowerbeweging meer geld dan ze ooit konden dromen in Woodstock.
Maar ze houden nog steeds vast aan hun progressieve idealen.

Deze waarden zijn, evenals het wantrouwen tegen de gevestigde orde,
kenmerkend voor Idealisten, waarbij het niet uitmaakt of ze miljonair zijn

of niets bezitten. Idealisten zijn over het algemeen vrij cynisch over Wall Street, multinationals en de economische orde. Daarom investeren ze graag in onroerend goed, kunst of de kleine onderneming van vrienden of van zichzelf. Nu deze generatie met pensioen gaat en in sommige gevallen grote sommen geld erft, staan ze voor een dilemma. Ze moeten hun waarden en normen in overeenstemming zien te brengen met concrete financiële beslissingen. De financiële dienstverleners proberen uit te vinden hoe ze hun vertrouwen moeten winnen.

Veel Idealisten krijgen problemen met hun waarden en normen als ze kinderen krijgen en dan vooral als ze beginnen na te denken over hun testament en bezittingen. Ik ken een man, een hoogleraar en milieuactivist, die een beetje heeft gespaard voor zijn pensioen (wat belegd is in maatschappelijk verantwoorde aandelenfondsen) en weinig meer bezit dan zijn intellectueel eigendom. Voordat hij zijn huidige baan kreeg, knoopte hij de eindjes aan elkaar met vreemde baantjes en subsidies voor de non-profitorganisatie die hij had opgericht. Toen hij over zijn twee volwassen kinderen sprak, zei hij: 'Ik heb nooit veel fiducie gehad in geld, maar toen de kinderen groter werden, voelde ik me opeens schuldig dat ik niet in staat was om hun liefde voor muziek te ondersteunen met muzieklessen en geen beter onderwijs voor hen kon betalen – wat gratis zou moeten zijn, maar dat in onze maatschappij niet is. Ik troostte mezelf met het idee dat mijn werk in elk geval van betekenis was voor de wereld, en dat ik ook hen op die manier hielp, maar nog steeds voelde – nee, voel – ik me schuldig.'

De opvattingen van De Idealisten, hoe diep en oprecht ze ook mogen zijn, kunnen als rookgordijn fungeren, als schild tegen een gevoel van kwetsbaarheid dat hen beloert. Mensen die zich met dit archetype identificeren kunnen zich onzeker voelen over hun vermogen om als mens te slagen of over hun afhankelijkheid van anderen. Door die kwetsbaarheid zijn ze niet vrij. Hoe intenser onze opvattingen en reacties, hoe meer we de confrontatie met datgene wat ons tegenhoudt trachten te ontlopen.

Het goede nieuws is, zoals we zullen zien, dat de confrontatie met onze diepste kwetsbaarheid nooit zo eng is als we het ons hadden voorgesteld. En zoals de hiernavolgende hoofdstukken zullen laten zien, hoeven Idealisten hun diepste waarden – mededogen, gelijkheid, rechtvaardigheid, verantwoordelijkheid voor het milieu – niet te verloochenen om financieel te kunnen slagen.

Het profijt

Zoals bij elk archetype loont het ook om Idealist te zijn. De meeste Idealisten geloven dat ze een scheiding tussen zichzelf en de gevestigde orde moeten creëren om echte kunst te kunnen maken, effectieve activisten te kunnen zijn of oprechte religieuze of spirituele leraren of leerlingen te worden. Idealisten creëren dit gevoel van scheiding vaak door zich niet op het geld te richten, door te weigeren om uit te zoeken hoeveel ze hebben, hoeveel ze uitgeven, hoeveel ze verdienen of waar ze financieel naar streven. Op korte termijn voelt het als een levensstijl vol vrijheid en ongedwongenheid.

In plaats van naar zichzelf te kijken wijzen Idealisten naar andere mensen of zien het geld als het probleem. Het is natuurlijk veel gemakkelijker om het systeem of anderen de schuld te geven dan om je eigen vooronderstellingen bloot te leggen en te onderzoeken of die wel dienstbaar zijn aan je plannen. Het zou wel eens kunnen zijn dat je ideeën je idealen in de weg staan en dat je op een nieuwe manier moet leren omgaan met geld. Ik geef toe dat er veel kan en moet worden verbeterd aan ons economisch stelsel. De talloze problemen waar mensen die in armoede opgroeien, mee te maken krijgen, kunnen moeilijk worden begrepen door mensen die geen armoede kennen – mensen zoals ik. Niemand kan ontkennen dat de rijken en de grote ondernemingen vaak misbruik maken van hun macht. En mensen uit verschillende klassen krijgen zeker geen gelijke kansen. Maar de mensen die het meest effectief zijn in het veranderen van de maatschappij hebben in zichzelf een balans gevonden, zodat ze niet tegenover de wereld staan die ze willen verbeteren. Een confrontatiepolitiek polariseert en stoot de krachten die De Idealisten willen beïnvloeden juist af. Een dergelijke houding draagt meer bij aan het probleem dan aan de oplossing. Hoeveel meer zouden de intelligente en gepassioneerde Idealisten kunnen bereiken als ze de wereld op een positieve manier zouden proberen te veranderen en te verbeteren? Als ik iemand ontmoet met diepgewortelde negatieve denkbeelden over geld en de maatschappij dan moet ik denken aan een mooie uitspraak die ik ooit hoorde: 'Wrok is het neersteken van jezelf met een mes en hopen dat de ander sterft.'

Ik ken een vrouw die met opzet niet meer verdient dan $7000 per jaar zodat ze geen belastingaangifte hoeft te doen. Andere Idealisten zijn zo boos over de besteding van belastinggelden door de overheid dat ze hun belastingen weigeren te betalen, zelfs als ze boven de inkomensgrens zitten. Maar dit soort weerspannig gedrag biedt slechts een kortetermijnoplossing. Uiteindelijk worden Idealisten moe van het financiële leven dat hun kernverhaal onbewust heeft gecreëerd. Sommige Idealisten bereiken dit punt als ze kinderen krijgen of als ze niet langer een beroep kunnen doen op overheidsinstanties om hun werk te financieren. Op dergelijke momenten zijn ze vaak bereid om hun leven te veranderen.

In het geval van Margaret bleek haar boosheid niet alleen gericht tegen de maatschappij en haar werkgevers die haar baan financieel onderwaardeerden, maar ook tegen haar echtgenoot. Dat komt vaker voor bij De Idealist, mede omdat idealisme vaak op gespannen voet staat met de realiteit. Op een bepaald moment zei Margaret in de workshop: 'Ik weet dat het verkeerd is dat ik zo denk, maar als Bradley net als zijn vriend Steve naast zijn baan wat klusjes zou doen, zouden we genoeg hebben om de eindjes aan elkaar te knopen.' In werkelijkheid projecteerde Margaret op haar echtgenoot haar wens om financieel zelfstandig te zijn (ze herkende de ironie in haar verlangen dat haar man meer geld zou moeten verdienen zodat zij haar handen niet vuil hoefde te maken). Ik heb het idee dat als hij voor de financiën zou zorgen, zij nog steeds wrokgevoelens zou koesteren. Ze zou het onaangename gevoel houden dat hij macht over haar had. Als ze dat probleem niet zou aanpakken zou dat ertoe kunnen leiden dat zij in een ander deel van de relatie de macht greep, zoals het zich toe-eigenen van de ouderlijke macht of onthouding van seks.

Jezelf bevrijden

De meeste mensen hebben zulke sterke opvattingen dat ze met de structuur van hun identiteit lijken te zijn verweven. Het veranderen van hun denkpatroon lijkt net zo moeilijk als het veranderen van de kleur van hun ogen. Toch heb ik Idealisten zien veranderen. Ik herinner me iemand die zo gevangen zat in zijn idealen en opvattingen over de corruptie van het geld dat hij elke kans op een baan saboteerde. Door goed naar de oorsprong van zijn opvattingen en gevoelens te kijken, ontdekte hij dat geld niet het monster was dat hij ervan had gemaakt en dat hij veel meer sociale verandering teweeg zou kunnen brengen als hij zijn financiën op orde had – wat hij voor elkaar kreeg in een periode van drie jaar.

Stel jezelf de volgende vragen. Is je opvatting de prijs waard die je betaalt in je financiële leven? Zou je niet vrijer zijn om je idealen te uiten als je financieel ongebonden was? Als je ongelukkig bent met je relatie met geld en het idee hebt dat je (op zijn minst deels) een Idealist bent, dan zijn hier enkele oefeningen en praktische stappen die je kunnen helpen om jezelf te bevrijden.

EEN PAAR DINGEN OM TE PROBEREN

- **HOE REAGEER JE OP GELD?** Denk na en maak deze zin af op drie verschillende manieren: 'Geld is ....' Welke lichamelijke reacties voel je in reactie op de antwoorden die je noteerde? Trekt jouw opvatting geld aan of stoot ze juist geld af (en daarmee vrijheid, rust, mededogen en misschien ook creativiteit)? Als je altijd platzak bent (of je gevangen, bezorgd, onrustig, boos of geblokkeerd voelt) is er een grote kans dat je geld afstoot. Is je kernverhaal werkelijk dienstbaar aan je creatieve, sociale of spirituele idealen?

- **WAT ZIJN DE FEITEN?** Bij vrijwel elke Idealist die ik heb ontmoet, bleek het beheersen van de uitgaven en de schulden of het opzetten van een investeringsprogramma zonder hulp gedoemd om te mislukken of op zijn minst tot veel frustratie te leiden. Er is eenvoudigweg te veel weerstand tegen het omgaan met geld. Gelukkig hoef je je financiën niet alleen te regelen. Je kunt een boekhouder inhuren of in ruil voor iets anders een afspraak maken met een vriend die goed is met getallen en de zaken voor je op een rijtje kan zetten. Geef hun volmacht om je blinde vlekken op te speuren, een automatische schuldafbetaling of spaarprogramma te regelen of het contante geld te beheren dat je elke maand uitgeeft.

- **DOE ONDERZOEK.** Idealisten willen graag dat anderen anders zijn. Als je een uitgesproken mening hebt over andere mensen en de manier waarop ze met geld omgaan, dan beveel ik van harte de volgende oefening bij je aan. De oefening is bedacht door Byron Katie, die onder de titel *Loving what* is een prachtig boek schreef over aanvaarding. Ik heb haar oefeningen aangepast en speciaal toegepast op geld.
  Schrijf om te beginnen al je vooroordelen over geld op. Wees zo

bekrompen, kortzichtig en overdreven als je maar wilt. Stel de dingen niet mooier voor dan je denkt. Met andere woorden, schrijf niet: 'Ik ga liever niet met geld om omdat het me tegen de borst stuit', maar schrijf (als dat is wat je denkt): 'Geld is voor mij het kwaad. Ik haat geld'. Confronteer vervolgens elk van deze gedachten met de volgende vier vragen:

1. Is deze gedachte waar?
2. Is het mogelijk om er absoluut zeker van te zijn dat dit waar is?
3. Wat voor reacties voel je als je deze gedachte denkt?
4. Hoe zou je zijn zonder die gedachte?

Toen Margaret haar opvatting onderzocht met behulp van deze vragen, kwam ze met de volgende antwoorden:

Ik haat geld en het najagen van geld.

1. Is deze gedachte waar?
Ja, het is waar! Ik walg van geld en materialisme.
2. Is het mogelijk om er absoluut zeker van te zijn dat het waar is?
Tja, ik vermoed dat je er niet echt zeker van kan zijn dat dit waar is, aangezien ik geld niet alleen haat, maar ook nodig heb – en graag wil dat mijn echtgenoot het verdient.
3. Wat voor reacties voel je als je deze gedachte denkt?
Als ik hieraan denk, voel ik me boos, woedend. Ik voel me machteloos omdat het zo belangrijk is voor zoveel mensen, voor mijn leerlingen en voor iedereen. Ik krijg opvliegers als ik eraan denk. Ik kan nauwelijks ademen bij die gedachte.
4. Hoe zou je zijn zonder deze gedachte?
Zonder deze gedachte zou ik meer vrede hebben, meer tevreden zijn met mijn eigen keuzes. Ik zou niet die knoop in mijn maag voelen, waardoor ik waarschijnlijk veel effectiever zou zijn in mijn leven. Verder zou ik me vrij voelen om andere keuzes te maken en de keuzes van mijn echtgenoot te accepteren. Soms ben ik zo boos op hem en dat is verwarrend omdat ik van hem houd en me niet kan voorstellen zonder hem te zijn. Als ik niet zou vasthouden aan de gedachte dat ik geld haat, zou ik meer van mijn echtgenoot kunnen houden.

HOOFDSTUK ZES

DE SPAARDER

'Geld is leegheid. Als rijke mensen ultieme zekerheid denken te kunnen vinden via hun geld, jagen ze de wind na.'

Tsoknyi Rinpoche,
Tibetaans meditatieleraar

Jeremy liep mijn kantoor binnen. Hij was gekleed in een eenvoudige groene corduroybroek en een oude trui. Er verscheen een warme glimlach op zijn gezicht toen hij me groette. Hij ging aan het einde van de sofa zitten. Met zijn handen in zijn schoot keek hij naar de kunstwerken, de planten en het meubilair in de kamer. Jeremy had onlangs een van mijn workshops bijgewoond en had gevraagd of hij me persoonlijk kon spreken. Er waren een paar problemen waarbij hij hulp nodig had. Ik had hem gezegd dat hij welkom was en een vragenformulier gegeven dat hij thuis in kon vullen zodat onze tijd effectief kon worden besteed. Uit Jeremy's antwoorden bleek dat hij was opgegroeid in een sober gezin waarin een goede opleiding belangrijker werd geacht dan financieel succes. Na zijn bachelorstudie psychologie aan Stanford University behaalde hij een Ph.D. aan de UCLA (University of California, Los Angeles) en werd daar docent psychologie. Een paar jaar later begon hij een privépraktijk psychotherapie. Toen hij mij om raad vroeg verdiende hij $120.000 per jaar met een werkweek van vijfentwintig uur, wat als een voltijdse baan wordt gezien in de geestelijke gezondheidszorg.

'Goed, Jeremy, wat zijn de problemen die je met me wilt bespreken.'

'Nou,' zei hij, 'ik heb altijd beseft dat ik erg verantwoordelijk ben met geld. Ik heb nooit echt schulden gehad. Ik geef minder uit dan ik verdien. Iedereen die ik ken is jaloers op mijn omgang met geld, maar het is niet zo goed als het lijkt.'

'Hoe bedoel je?' informeerde ik.

'Nou, er zijn veel momenten waarop ik eronder lijd – waarin mijn geldgewoonten me in problemen brengen.'

Ik vroeg hem of hij een situatie kon beschrijven waarin dat het geval was. Hij begon zenuwachtig te schuifelen, was duidelijk verlegen met de situatie. 'Nou,' zei hij, 'laten we zeggen dat ik plannen maak om uit eten te gaan met een vriend. Zelf ga ik liever naar een Chinees restaurant waar ik kan eten voor $8,95, maar mijn vrienden nemen me meestal mee naar een hippe tent waar je op zijn minst $25 betaalt.'

Hij zei dat hij zou willen dat dit voor hem niet zo'n probleem was. Hij wist dat de weerstand die hij voelde niet echt tegen het geld was gericht. Hij kon het zich zeker veroorloven en hij gaf ook onmiddellijk toe dat hij meer van het diner van $25 genoot dan van de maaltijd van $8,95. Hij had een succesvolle praktijk en verdiende goed. Hij had in de afgelopen twee jaar $50.000 weten te sparen. Toch had hij er nog steeds een ongemakkelijk gevoel bij, zoals bij vrijwel elke uitgave die niet direct nodig was. Ik vroeg hem om me te vertellen wat hij voelde als hij met zijn vrienden naar een restaurant ging dat zij hadden uitgekozen.

'Als ik op het menu kijk en de rekening komt,' zei hij, 'voel ik het koude zweet over mijn rug lopen. Ik vraag me bezorgd af of dit het begin is van een bestedingspatroon waarin ik meer uitgeef dan me lief is. Maar ik voel me niet alleen zo als mijn vrienden geld uitgeven. Op sommige dagen word ik wakker en maak me zorgen om niets of ik merk dat ik gespannen ben als ik de rekeningen moet betalen.'

Het kernverhaal van De Spaarder

'Als je die angst een stem mocht geven, wat zou die stem dan tegen je zeggen,' vroeg ik Jeremy.

'Ik heb het nooit echt onder woorden gebracht. Maar ik denk dat die stem zou zeggen: "Je moet meer sparen om je veilig te voelen. Je geeft te veel uit. Je gooit het over de balk. Wat doe je als er een economische crisis komt en je praktijk terugloopt? Waar komt dan het geld vandaan voor die dure diners? Wat kan je nu op dit moment doen om je financiële zekerheid te vergroten?"'

'Hoe voel je je als je jezelf al deze dingen hardop hoort zeggen?' vroeg ik.

'Het is waar! De economie is nooit stabiel. Dat zorgt ervoor dat ik harder werk om meer geld te sparen zodat ik niet zuinig hoef te doen als ik uitga met mijn vrienden en zodat ik me geen zorgen hoef te maken over de toe-komst. Ik ontdek dat ik me neerslachtig voel omdat er zo ongelofelijk veel dingen zijn waar je je geld aan kunt uitgeven. Ik ben bang dat mijn uitgaven uit de hand lopen als ik niet zuinig ben.'

Ik wist dat Jeremy in de laatste twee jaar een groot deel van zijn netto-inkomen had gespaard, meer dan de meeste mensen. Ik vroeg of dat zijn angst enigszins had weggenomen.

'Ja, ik denk van wel. Maar toch komen de zorgen op bepaalde dagen of in bepaalde situaties weer terug. Ik geniet echt van momenten waarop ik mijn rekening met duizend dollar zie groeien.'

In het leven van De Spaarder vertegenwoordigt geld zekerheid, stabiliteit, bescherming en voeding. Op emotionele momenten stellen Spaarders sparen gelijk aan overleven. Of liever gezegd: voor hen is een gebrek aan spaargeld hetzelfde als een kans op financieel faillissement. Om die reden krijgt geld een oneigenlijke importantie voor Spaarders, wat vaak leidt tot een frequent en obsessief verlangen naar het tellen van hun spaargeld, buitensporige aandacht voor het rendementspercentage van hun investeringen, moeite met het kopen van dingen of spanningen met een partner, familieleden of vrienden die naar hun mening 'te gemakkelijk' zijn met geld. Ten diepste geloven Spaarders dat ze zich veilig en zeker zouden voelen als ze genoeg geld zouden kunnen sparen.

Spaarders kunnen twee wegen volgen: (1) gericht zijn op het beperken van uitgaven, wat ook wel zuinigheid wordt genoemd, en/of (2) gericht zijn op het vergroten van hun spaargelden. Jeremy behoort tot het eerste type, zoals blijkt uit zijn moeite met het uitgeven van geld, zelfs voor dingen die prettig voor hem zijn en die hij zich kan veroorloven. Veel zuinige Spaarders hebben een 'bedelaarsyndroom'. Net als bij Bewakers is hun kernverhaal dat ze bang zijn om in de goot te belanden. Zelfs al nemen ze dat niet letterlijk, toch is de manier waarop ze met geld omgaan altijd bepaald door het streven om het dreigende faillissement te vermijden. Ze hebben hun hele leven gehoord en gezien dat het niet zorgvuldig met geld omgaan leidt tot een financieel doemscenario.

Andere zuinige Spaarders zijn opgegroeid in de tijd van economische crisis. In 1929 verloor de aandelenmarkt 83 procent van zijn waarde, bijna tweemaal zoveel als in de recente crisis van 2002-2003. Maar dat was slechts de financiële tol die ze toen betaalden. Emotioneel waren de jaren dertig letterlijk een tijd van nationale depressie, waarin het aantal zelfdodingen, depressieve patiënten en alcoholisten sterk groeide. In onze tijd van huishoudens met twee of drie auto's en een mobiele telefoon voor het hele gezin is het moeilijk te begrijpen hoe ontwrichtend die periode was.

Mensen die de economische crisis van de jaren dertig hebben meegemaakt wilden grip krijgen op wat er toen is misgegaan en vroegen zich af hoe ze konden voorkomen dat het opnieuw zou gebeuren. De volgende principes werden kenmerken van de ouders en de kinderen van dit tijdvak. Deze kenmerken beïnvloeden op verschillende manieren elke Spaarder:

GELDMANTRA'S VAN DE SPAARDER

- Houd altijd vast aan je belangrijkste principe, dat wil zeggen: leef van de rente die je investeringen opbrengen, maar verkoop nooit je investeringen om je uitgaven te financieren.
- Leef niet op te grote voet. Geef niet meer uit dan je je verdient.
- Verkoop je land of je huis nooit, en sluit als het even kan nooit een lening af met je land of huis als onderpand.
- Zuinigheid is het hoogste ideaal. Verwen je kinderen niet.

Het tweede type Spaarder wordt niet zozeer gedreven door de angst of de dreiging van financieel faillissement, maar is in plaats daarvan verslaafd aan de groei van zijn spaargelden. Soms zijn mensen zo omdat sparen hogelijk geprezen werd toen ze jong waren. Het kan ook zijn dat ze een vader of moeder (of een ander rolmodel) hadden die veel spaarde en die ze naar de kroon willen steken. Ook kunnen Spaarders zo zijn omdat ze in het verleden iemand hebben gekend die niet spaarde en in de problemen kwam, waarna ze zichzelf hebben gezworen het voorbeeld van die persoon niet te volgen.

Een bekende dynamiek tussen Spaarders en hun investeringsadviseurs is dat cliënten zich schuldig voelen als ze hun consulent om een gedeelte van hun eigen geld vragen. Ze hebben net als toen ze kind waren het gevoel dat ze hun uitgaven moeten verantwoorden. Ze willen daarmee hun schuld goedmaken of hun angst bedwingen. Een cliënt gaf toe: 'Ik vind het vreselijk om jou op kantoor te bellen en te vragen om geld over te maken. Ik moet mezelf echt dwingen om de telefoon op te pakken. Het is alsof ik een tiener ben die een meisje uitvraagt voor een afspraakje. Het is te gek voor woorden!' Spaarders die geen extern financieel adviseur hebben, ervaren deze dynamiek soms in zichzelf, voelen zich bijvoorbeeld schuldig als ze een deel van het spaargeld gebruiken voor een reis waar ze lang naar hebben uitgekeken.

Soms is het archetype van de Spaarder actief in mensen die worstelen om de eindjes aan elkaar te knopen. In veel Zuid-Amerikaanse culturen kent men bijvoorbeeld het ideaal van de *buen pobre*, of 'de goede arme man'. Deze term wordt gebruikt om iemand te beschrijven die in een agrarische maatschappij leeft waar weinig geld in omloop is, iemand die weet hoe je zuinig moet leven en die misschien ook zelf zijn kleren maakt, zijn schoenen verzoolt, zijn eigen voedsel verbouwt en niet in een auto rijdt maar fietst of wandelt – kortom: iemand die weet hoe hij zijn reserves op een goede manier inzet.

Niet alle Spaarders zijn zo gericht op zuinigheid als Jeremy. En niet alle Spaarders die hun spaarpot graag zien groeien, voelen een weerzin tegen het uitgeven van hun geld. Er zijn veel Spaarders die elk jaar grote bedragen wegschenken of uitgeven en zichzelf in niets tekort doen. Wat deze mensen toch tot Spaarder maakt is dat ze meer bij elkaar hebben verzameld (of geerfd) dan ze ooit kunnen uitgeven, of jaarlijks veel meer verdienen dan ze weggeven of uitgeven. Op die manier sparen ze automatisch. De Spaarder wil zijn of haar financiële nettowaarde elk jaar zien groeien. Het is vooral het vermeerderen en bewaren en niet het hebben, weggeven of uitgeven van geld dat hen een goed en rustgevend gevoel geeft.

JIJ BENT WAARSCHIJNLIJK EEN SPAARDER ...

- Als je elk jaar meer dan 20 procent van je verdiende inkomen spaart.
- Als je minder dan 3 procent per jaar van je totale financiële nettowaarde spaart of doneert.
- Als je nettowaarde meer dan 5 procent per jaar groeit (zoals we zullen zien kan dit criterium er ook op wijzen zijn dat je een Imperiumbouwer bent).

De schaduwzijde van sparen

Terwijl kranten en televisie een ideaalbeeld geven van het materialisme en consumentisme die onze samenleving beheersen, vormen Spaarders het ideale archetype van individueel financieel beheer. Er zijn talloze boeken geschreven die mensen helpen om een betere spaarder te worden, zoals *Rich dad, poor dad*, *The automatic millionaire* en *The millionaire next door*. Maar net als bij elk archetype is er ook hier een schaduwzijde die zelden onder de aandacht wordt gebracht door experts op het gebied van personal finance en zelfs onder goede vrienden niet graag wordt besproken.

Of die angst nu bewust is of niet, Spaarders zijn altijd bang dat hun geld op een dag op is en dat ze arm, eenzaam en afhankelijk zullen worden. Ze bezweren deze diepe angstgevoelens door te sparen, waardoor de ergste zorgen tijdelijk verdwijnen. Angst is verreweg hun sterkste drijfveer. Vaak hebben deze mensen, die wij vaak beschouwen als voorbeelden van gezond financieel gedrag – miljonairs die met niets zijn begonnen, zuinige, hardwerkende mensen en gezinnen die werken en sparen om zichzelf uit de armoede te bevrijden – het innerlijk niet makkelijk. Ze worden vaak geplaagd door angsten en zorgen die niet rationeel zijn omdat ze een aanzienlijk vermogen bezitten. Daarom lijken Spaarders vaak niet te kunnen genieten van de dingen die ze kopen, hebben ze moeite om gul te zijn en voelen ze zich naar eigen zeggen niet erg ontspannen met geld – tenzij ze sparen.

In de loop van mijn gesprek met Jeremy ontdekte ik dat zijn ouders voortdurend bang waren geweest dat ze geen geld meer zouden hebben, hem waarschuwden dat hij zijn bord leeg moest eten, dat hij blij moest zijn met de kleren die hij had en dat hij niet voortdurend om nieuwe moest vragen. Over mensen die veel geld uitgaven spraken ze in het bijzijn van Jeremy een hard oordeel uit met opmerkingen zoals: 'Kijk die nieuwe auto eens! Wat mankeerde er aan de oude? Die was pas vier jaar oud!'

Omdat het geld dat ze op de bank hebben voor hen zo veel meer is dan een getal, hebben Spaarders er grote moeite mee als ze geld verliezen of hun huis of ander eigen vermogen kwijtraken. Geld staat in hun geest gelijk aan innerlijke zekerheid. Andere archetypen, met name Plezierzoekers, Verzorgers, Sterren en Idealisten, zijn voor hun emotionele welzijn veel minder afhankelijk van hun financieel vermogen. Voor Spaarders (en Imperiumbouwers) is geld of eigendom dat ze verloren hebben niet iets wat gewoon kan worden vervangen. Voor hen voelt financieel verlies meer als het geconfronteerd worden met de dood. Als er zich verliezen voordoen, intensiveren de meeste Spaarders hun beproefde methode om zichzelf te beschermen tegen de angst: ze gaan nog meer sparen, ook al hebben ze meer dan genoeg om de klap te verwerken. Maar Spaarders die in tijden van tegenslag aandacht leren geven aan hun innerlijke ervaring zullen zien dat geld niet de sleutel is tot blijvende stabiliteit. Ze realiseren zich dat geld hun niet werkelijk het diepe gevoel van zekerheid kan geven waar ze naar zoeken. Hoewel dit in het begin een schokkende openbaring is, is het uiteindelijk goed nieuws voor De Spaarder, omdat het hem of haar bevrijdt van het onbewuste streven naar steeds meer geld en dat jaar in, jaar uit.

Het profijt

Spaarders ervaren een stroom van positieve gevoelens – geluk, opluchting of optimisme – als ze geld op hun rekening storten, in hun uitgaven snijden of een langetermijninvestering doen. Vaak zijn dat de momenten waarop ze zich het meest vitaal voelen, het meest tevreden zijn met zichzelf en het best in staat zijn om te ontspannen en te genieten van het leven. Sparen geeft hun een gevoel van bevrijding – het is de ervaring die hen raakt en die in hun geest wordt geassocieerd met zekerheid en geborgenheid. Maar zoals bij elk archetype is dit geluk slechts van tijdelijke aard. De Verlangende Geest realiseert zich snel genoeg dat ook deze zekerheid betrekkelijk is en zoekt een nieuwe impuls, die het aangename gevoel van zekerheid kan versterken. Daarom zoekt De Spaarder naar een gelegenheid om opnieuw iets te kunnen sparen (of besparen). Dat is de reden waarom er zoveel mensen zijn die meer dan genoeg geld hebben om in al hun behoeften te voorzien en toch steeds meer willen in altijd groter wordende hoeveelheden. Ik heb tientallen cliënten gehad die verslaafd waren aan sparen, ook al hadden ze genoeg reserves om hun levensstijl de rest van hun eigen bestaan en dat van hun kinderen vol te houden. Dit archetype kan een heel benauwende gevangenis zijn. Als dat niet echt erg positief klinkt dan is het omdat het dat ook niet is. De emotionele kosten van het zijn van een extreme Spaarder wegen vaak niet op tegen de financiële voordelen.

JE STREEFVERMOGEN

Wat hoop je dat je spaargeld je zal brengen? Maak de zin af 'Als ik erin slaag om .... euro te sparen, dan ben ik tevreden!' Heb je jezelf in het verleden wel eens een financieel doel gesteld? Veranderde het streefbedrag nadat je je doel had bereikt? Is er werkelijk een bedrag in spaargeld dat je tevreden stelt of heeft ook jouw Verlangende Geest 'nooit genoeg'?

Je bevrijden uit de greep van De Spaarder

Sparen is, net zoals andere gedragspatronen die in dit boek worden besproken, een vorm van verkrampte zelfbescherming die slechts tot op zekere hoogte werkt. Ik heb talloze Spaarders geholpen om hun verslavende gedragspatroon om 'ten koste van alles' te sparen om te buigen naar een meer evenwichtige benadering van geld. Ik herinner me een cliënt wiens spaargelden primair waren geïnvesteerd in onroerend goed en aandelen. Ze wilde kunnen leven van de cashflow van dit geïnvesteerd vermogen, wat nogal weinig was. Nadat ik haar had laten zien hoeveel haar activa in de laatste vijf jaar in waarde waren gestegen en dat haar vermogen in de toekomst nog sterker in waarde zou stijgen, was ze in staat om wat meer geld uit te geven. Ze verving haar veertien jaar oude auto door een nieuwe en besloot bij te dragen aan de universitaire studie van haar neefje. Als je dit archetype in je hebt maar zijn greep op je leven wilt doorbreken zijn hier drie suggesties:

HOE KOM JE UIT DE GREEP VAN DE SPAARDER

• **NEEM EEN TIME-OUT** als je problemen hebt met geld en onderneem niet direct actie om deze gevoelens te verlichten. Gewoonlijk reageert de Spaarder op een financieel probleem door automatisch meer geld opzij te zetten. Las deze keer een periode van zelfreflectie in en probeer het probleem niet meteen van buitenaf op te lossen – het maakt niet uit hoe lang of hoe kort deze time-out duurt. Het kan vijf minuten zijn, een uur, een dag, het is maar wat je uitkomt. Wees je

tijdens deze bezinningsperiode bewust van de gevoelens die bij je opkomen. Schrijf op hoe vreselijk je je voelt door niet te doen wat je gewoonlijk doet om dit onbehagelijke gevoel te laten verdwijnen. Het
is niet gemakkelijk om een onbewust gedragspatroon te doorbreken
dat je al die jaren van dienst is geweest, ook omdat er altijd zoveel
waardering is geweest voor je financiële gedrag. Maar een time-out
is wezenlijk als je jezelf wilt bevrijden uit de greep van de Spaarder. Probeer daarom de volgende keer als je geld op je rekening wilt
storten even een pauze te nemen. Ondervraag jezelf. Waarom ging
je in dit geval onmiddellijk naar de bank? Het is heel gewoon om
bang te zijn, angst te voelen of in paniek te raken als je een time-out
neemt. Waardeer de moed die je hebt om jezelf met deze gevoelens
te confronteren. En stel jezelf de vraag of je een deel van het geld zou
kunnen gebruiken om iets anders te doen.

• **Huur een professional in.** Vraag advies aan een financieel planner
en laat hem of haar analyseren hoeveel je zou moeten sparen. Misschien heb je al wel genoeg spaargeld om je levensstandaard voor
de rest van je leven op dit niveau te kunnen houden. Bij Abacus
noemen we deze analyse het Levenslang-genoeg-rapport omdat het
onze cliënten laat zien dat ze genoeg geld hebben voor de rest van
hun leven, zelfs als de crisis van de jaren dertig zich herhaalt (een
scenario waar veel Spaarders en Bewakers serieus bang voor zijn!).
Een consulent die gewapend is met harde gegevens die laten zien
dat je zelfs bij een nationale ramp niet aan de grond raakt, kan de
zorgen van de Spaarder wat gemakkelijker wegnemen. Als meer sparen werkelijk een optie is, kan de financieel adviseur je helpen om
een automatische bankrekening of salarisafschrijving te regelen zodat
je je kunt ontspannen en weet dat het spaargeld dat je nodig hebt
vanzelf opzij wordt gelegd, zodat je daar niet bij elke uitgave over na
hoeft te denken.

• **Delegeer lastige taken.** Sommige Spaarders hebben veel baat bij
het delegeren van hun betalingen aan een betrouwbare partner of
boekhouder. Soms geeft het niet hoeven zien van elke uitgave je de
benodigde ademruimte. Om dezelfde reden adviseer ik je om een

betrouwbaar adviseur of een familielid te zoeken om investeringsbeslissingen af te handelen als blijkt dat je daar voortdurend veranderingen in aanbrengt of jezelf achteraf steeds bekritiseert.

- LAAT AUTOMATISCH GELD OPZIJ ZETTEN VOOR LEUKE DINGEN OF DONA-
TIES. Zou je tevredenheid toenemen als je op lange termijn minder
geld spaarde en meer geld besteedde aan uitgaven zoals bijvoorbeeld
het kopen van meer tijd om dingen te doen die je graag doet? En
hoe zou het voelen als je wat guller was met geld, als je doneerde aan
liefdadigheidsinstellingen, buren, vrienden of familieleden in nood?
Zet wat geld opzij – $1 per dag of $100 per maand, wat goed voelt
voor jou in je financiële en emotionele situatie – en besteed de helft
ervan aan materiële objecten of ervaringen die je plezier doen en
onmiddellijk een goed gevoel geven (denk eraan, de Spaarder houdt
ervan om de beloning uit te stellen). Wees gul met de andere helft,
wat dat ook betekenen mag. Ga er maar van uit dat het soms moeilijk zal zijn. Je zult zenuwachtig zijn als je geld uitgeeft voor jezelf
of vrijgevig bent. Sta jezelf toe om nerveus te zijn en doe het zonder
na te denken. Zorg dat het automatisch gebeurt zodat je niet elke
maand in een emotionele strijd verwikkeld raakt. Laat het gekozen
bedrag door je bank of een werknemer overmaken naar een aparte
'speelrekening'. Of doe het zelf. Sta jezelf niet toe om die rekening
voor iets anders te gebruiken dan donaties of uitgaven aan iets wat
je direct plezier geeft. Voelt het onaangenaam als je met dit soort
nieuwe gedragspatronen werkt? Doe het toch!

HOOFDSTUK ZEVEN

DE STER

'Geen geld in de wereld kan anderen ertoe brengen om achter je rug om goed over je te spreken.'

Chinees spreekwoord

Isabella is een actrice die in Los Angeles woont en bijrollen heeft gespeeld in vier speelfilms en tientallen tv-reclames. In de laatste paar jaar had ze een goed inkomen dat haar in staat stelde om in de heuvels van Hollywood een fantastisch huis te huren met vier slaapkamers, waar ze woont met haar echtgenoot en haar zes Perzische katten. Als je haar ontmoet zie je onmiddellijk dat Isabella veel waarde hecht aan haar uitstraling. Dat is geen oppervlakkigheid. In haar beroep is het volgens Isabella zo dat de indruk die je maakt een effect heeft op het werk dat je krijgt aangeboden. Het gevolg is dat ze driemaal plastische chirurgie heeft ondergaan, wat niet werd vergoed door de verzekering. Ze bezoekt vaak beautycentra voor behandelingen van microdermabrasion tot kostbare haarkleuring. Ze is een vaste klant bij de beste kledingzaken en besteedt een groot deel van haar inkomen aan haar uiterlijk. Tijdens haar zaterdagochtendwandeling naar Sunset Boulevard, waar ze altijd een cappuccino gaat drinken, heeft ze het haar met een Guccispeldje in een strak knotje naar achteren. Haar trainingspak is kreukvrij en zit als gegoten. En haar nagels zijn onberispelijk. 'Je weet nooit wie je tegenkomt,' legt ze uit. Ze is druk in de weer met het inzamelen van geld voor non-profitorganisaties, die onder haar leiding honderdduizenden dollars vergaren. Onlangs was ze een van de gastvrouwen bij een chique liefdadigheidsbal voor de plaatselijke voedselbank. Tijdens het programma kondigde de ceremoniemeester aan dat Isabella $20.000 had toegezegd aan het goede doel. Toen ik haar de volgende dag zag, vermeldde ze met zichtbaar plezier dat het evenement goed was ontvangen in het plaatselijke ochtendblad en met name haar gift aan het goede doel. Lachend gaf ze toe: 'Een beetje aandacht in de media doet niemand kwaad.'

Aan de andere kant van het spectrum staat de liefdespartner van een ge-

zamenlijke vriend van ons. Marc, een intelligente jongeman die van gezelschap houdt en leeft en werkt als kabelinstallateur in Culver City, een mid-
denklassenbuurt in Los Angeles. Marc en zijn twee broers werden opgevoed
door een alleenstaande moeder die voor het Departement van Veteranen-
zaken werkte. Marc is een aantrekkelijke man, die altijd goed gekleed en
glad geschoren is. Hij heeft een grote kring van vrienden en bewonderaars.
Als hij niet aan het werk is, draagt hij lage jeans van Tommy Hilfiger, een
splinternieuw paar sneakers van Adidas en een zonnebril van Rayban. Als
hij meer formeel gekleed moet gaan, pakt hij een van zijn vijf designerspak-
ken. Hij krijgt veel positieve reacties op zijn uiterlijk en gelooft in het oude
motto 'Kleren maken de man'. Hij dwaalt graag door de stad in zijn nieuwe
Duitse performance coupé waar hij met zichtbare trots in zit. Hoewel zijn
inkomen niet zo hoog is als dat van Isabella, besteedt hij het grootste deel
ervan aan zijn uiterlijke verschijning. Als aanvulling op het onderhouden
van zijn imago studeerde Marc mediastudies aan de universiteit. Ook heeft
hij plannen om zijn eigen media-adviesbureau te beginnen. Vanwege zijn
charismatische persoonlijkheid hebben verschillende mensen hem ondersteuning beloofd als hij zijn eigen zaak begint.

Het kernverhaal van De Ster

Wat hebben Marc en Isabella gemeen? Hoewel deze twee mensen zich in
heel andere sociale kringen bewegen, worden ze door de buitenwereld allebei gezien als elegante en natuurlijke leiders. Ook hebben ze een vergelijkbare motivatie. Sterren willen aandacht, erkenning, respect of prestige – of
ze nu beroemd zijn of niet (wat vaker het geval is). Dit verlangen beheerst
het grootste deel van hun financiële beslissingen, zoals de vraag hoeveel en
wat ze uitgeven, welke soort carrière ze nastreven, waar ze wonen en zelfs
met wie ze trouwen. Volgens een Ster kun je liefde kopen met geld. Dat kan
betekenen dat ze een buitensporig bedrag besteden aan kleding en schoonheid, waarbij ze vooral gericht zijn op hun lichamelijke aantrekkingskracht.
Het kan ook zijn dat ze hun financiële reserves besteden aan het creëren
van een succesvol imago: door op het juiste adres te gaan wonen, een snelle
Duitse sportauto te kopen, ervoor zorgen dat de kinderen naar de juiste
scholen gaan of lid worden van een exclusieve club. Andere Sterren gebruiken hun vrijwilligerswerk voor liefdadigheidsinstellingen, hun carrièrekeuze

of de buurt waarin ze wonen om indruk te maken op mensen en aandacht te trekken.

Dingen die niet noodzakelijk zijn, kunnen voor Sterren toch als noodzakelijkheden *voelen*. Ze geloven dat geld een middel is om het respect en de bewondering van anderen af te dwingen. Ze zijn voor hun identiteitsgevoel afhankelijk van anderen. Zeker, onze cultuur is geobsedeerd door beroemdheden en hoewel we lippendienst bewijzen aan het idee dat het niet uitmaakt wat anderen over ons denken, vallen velen van ons ten prooi aan de culturele dwang om je status te vergroten door het kopen van een steeds kleinere en geavanceerdere mobiele telefoon, de nieuwste handtas of het laatste model auto. Soms is het imago dat we uitstralen vertaalbaar in financiële voordelen zoals werkopdrachten, sponsors of andere vormen van steun. Maar het feit dat je geld uitgeeft als een beroemdheid maakt je nog niet tot een beroemdheid. Voor mensen bij wie dit archetype dominant is, kan de zucht naar erkenning niet alleen leiden tot schulden, maar ook tot gevoelens van leegheid.

> 'Ik wil niet rijk worden. Ik wil verbazen.'
>
> MARILYN MONROE

JE BENT WAARSCHIJNLIJK EEN STER ...

- Als je meer dan 25 procent van al je uitgaven besteedt aan kleding, haar, schoonheid, sieraden, lichaamsverzorging en andere dingen die vooral je imago verfraaien (auto's, meubilair, kunstwerken en beeld- en geluidsapparatuur kunnen, maar hoeven daar niet onder te vallen).
- Als je voortdurend erkenning zoekt voor je generositeit.
- Als je geregeld je investeringspatroon verandert om de laatste trends te kunnen bijhouden.

Oorsprong van De Ster: goede sier maken

Wie kinderen heeft, weet wat reclame kan doen. Onze kinderen vragen vaak om de laatste merkkleding, het nieuwste speelgoed, de modernste computers en zijn niet tevreden met namaak of alternatieven. In de hiërarchie van de kindermaatschappij staat wat je bezit voor wat je bent. Sterren zijn in zekere zin gevangen in deze kinderlijke denkwijze. Effectieve reclame richt zich dan ook vooral op De Ster in ons. Sterren zijn allesbehalve dom en naïef. In veel opzichten zijn het realisten. Hoewel het gemakkelijk is om de omgangsstrategieën van het archetype van De Ster oppervlakkig te noemen, is het in de eenentwintigste eeuw nu eenmaal realiteit dat mensen mede op grond van hun uiterlijk worden beoordeeld en beloond. Studies hebben aangetoond dat schoonheid een positieve invloed heeft op je salaris. Lengte en omvang van een werknemer maken ook een verschil. Een onderzoek dat werd uitgevoerd door Malcolm Gladwell voor zijn boek *Blink*, een enquête onder de helft van de bedrijven uit de Fortune 500, onthulde dat mannelijke bedrijfsdirecteuren gemiddeld 1.80 meter waren – 7 tot 8 centimeter groter dan de gemiddelde lengte van een man. Hoewel het heel ver gaat om je lengte te veranderen, zijn er miljoenen mensen die hun toevlucht nemen tot allerlei maatregelen om hun uiterlijk te verbeteren, van liposuctie tot dure gebitsbehandelingen tot haarvervanging.

Waarom hebben Sterren zoveel aandacht voor uiterlijke kenmerken zoals rijkdom en schoonheid? Waarom laten Sterren zich vangen in het waanbeeld dat ze met geld liefde en acceptatie kunnen kopen? Er zijn natuurlijk vele oorzaken te noemen en elke persoonlijke situatie is uniek, maar de volgende motieven zijn het resultaat van de vele gesprekken die ik heb gevoerd met mijn cliënten. Soms lijken hun verhalen vanzelfsprekend. Het is echter verbazingwekkend hoe goed de menselijke geest erin slaagt om de oorzaak van de pijn te maskeren.

Veel sterren zijn in hun jeugd gediscrimineerd, op grond van hun ras, klasse of seksuele voorkeur. Ze hebben zich voorgenomen om nooit meer in een situatie te komen waar anderen hen op hun uiterlijk veroordelen. Hoewel het geld dat ze vergaren in hun volwassen leven hen niet echt beschermt, biedt het opvulling in een wereld waar degenen die geld hebben de dienst uitmaken.

Andere Sterren hebben last van het syndroom van het Lelijke Eendje: een ervaring waarin je je niet aantrekkelijk voelt op grond van een lichamelijke toestand in je jeugd, waarbij het overigens niet uitmaakt of dat gevoel reëel is of ingebeeld. Een vrouwelijke cliënt, de echtgenote van een bekende architect, gaf ruiterlijk toe: 'Ik wil altijd de mooiste zijn als ik ergens op bezoek ben!' Ze ging daarin heel ver en gaf veel uit om er zeker van te kunnen zijn dat ze ook werkelijk de mooiste is. Toen we over de oorsprong van haar verlangen spraken, zei ze dat ze als kind verwond was geraakt bij een ongeluk en vele pijnlijke operaties had ondergaan die haar heel onzeker maakten over haar uiterlijk. Hoewel niet elk verhaal zo extreem is, is er vaak iets in het verleden van De Ster dat hem of haar heeft geleerd hoe pijnlijk het is om te worden beoordeeld op je uiterlijk.

Het verlangen naar aandacht van anderen is echter het sterkst bij mensen die in hun jeugd weinig goedkeuring, bemoediging of onvoorwaardelijke liefde hebben gehad van hun ouders. Zo huivert Isabella nog steeds als ze beschrijft hoe haar moeder haar vergeleek met de andere kinderen in haar klas. Vanaf de tijd dat deze aantrekkelijke, perfect verzorgde vrouw een jong meisje was, zeurde haar moeder voortdurend over haar uiterlijk en haar cijfers op school. Ze richtte zich voortdurend op het feit dat Isabella's prestaties onder het niveau lagen van andere kinderen. Net als iedereen wilde Isabella gewoon bemind worden en toen ze die liefde en aandacht thuis niet kreeg, zocht ze het bij andere mensen die ze in haar vriendenkring of tijdens haar werk ontmoette. Het is vaak tijdens dit soort pijnlijke ervaringen dat we onszelf beloven: 'Als ik niet opval omdat ik slim ben, dan zal ik ervoor zorgen dat ik opval omdat ik mooi ben of charmant.' Isabella deed veel moeite om positieve aandacht te krijgen, niet alleen van andere leden van haar gezin, maar ook van buitenstaanders die haar moeder vaak op straat aanhielden om te zeggen hoe charmant haar dochter was. Ze was ook artistiek uiterst getalenteerd en had verschillende prijzen gekregen voor haar schilderijen. Omdat ze minder zeker was over haar intelligentie koos ze voor een beroep waarin het vooral ging om haar uiterlijk. Zo buitte ze haar talenten maximaal uit.

Sterren zijn vaak opgevoed door ouders die zelf ook een gebrek aan eigenwaarde hadden of op hun eigen manier Sterren waren die graag de aandacht trokken van mensen om zich heen. Vaak waren deze ouders overdreven bezorgd over de meningen van anderen. Ze moedigden hun kinderen aan om goed op hun haar of kleren te letten en zeiden vaak dingen zoals 'Je gaat zo toch niet naar buiten, hè?' of 'Wat zullen de buren wel niet denken?' Sommige van deze ouders waren zelf niet rijk en waren jaloers op het succes van anderen. Ze bevorderden in hun kinderen een verlangen naar uiterlijke tekenen van succes.

Sterren verschillen van Plezierzoekers doordat hun primaire financiële drijfveer de reactie van anderen is en niet hun eigen zintuiglijke plezier. Natuurlijk worden veel mensen op verschillende momenten beïnvloed door beide archetypen. Soms hebben onze financiële beslissingen meerdere doeleinden en willen we twee meesters dienen. Een nieuwe woonkamer zal ons waarschijnlijk niet alleen persoonlijk plezier geven, maar ook bewondering van anderen opleveren. Mensen die vooral zijn beïnvloed door het archetype van De Ster zijn bereid om ter wille van de erkenning onaangename aspecten op de koop toe nemen. Als Antarctica bijvoorbeeld de nieuwste trendy vakantiebestemming is, zullen ze de onaangename reis en de vrieskou verdragen om te kunnen zeggen dat ze er geweest zijn. Als pijnlijke en dure plastische chirurgie hun het uiterlijk geeft waar ze naar verlangen, zien ze dat als de noodzakelijke prijs die ze daarvoor moeten betalen.

Het profijt

Niemand geeft graag toe dat we genieten van of hunkeren naar de bewondering van anderen. Toch is dit goed beschouwd een tamelijk onschuldige menselijke eigenschap. Kinderen hunkeren vanaf hun geboorte naar aandacht en die impuls verandert niet echt – we weten het als volwassenen alleen beter te camoufleren.

Sterren hebben ontdekt dat aandacht zo belangrijk is voor hun zelfgevoel dat ze grote beslissingen in hun leven, waaronder ook hun financiële keuzes, hierdoor laten bepalen. Aandacht is de kick die De Ster bevrediging en plezier geeft. Daarom zijn ze vooral gebrand op financieel gedrag dat indruk maakt op andere mensen. Iedereen herhaalt graag gedrag dat positieve resultaten oplevert. Voor Spaarders draait het om het verzamelen van steeds meer geld. Plezierzoekers gaat het vooral om het genieten van tastbare dingen. En Sterren streven naar een bepaald gevoel van klasse of stijl. Ze willen elegant, hip of cool zijn in de ogen van hun omgeving.

Een pijnlijke kloof

Isabella gaf toe: 'Er gaapt een enorme kloof tussen wat ik denk over mezelf en wat anderen over mij denken. Mijn man vertelt me dat ik een mooie vrouw ben, zowel van binnen als van buiten, maar ik geloof hem niet. Ik voel me vaak gevangen in deze manier van leven, maar ik ben altijd zo geweest. Het is vanwege mijn carrière belangrijk dat ik er op een bepaalde manier uitzie. En toch, al die operaties hebben me niet echt een ander gevoel gegeven...'. Haar stem was nauwelijks hoorbaar. Het was duidelijk dat ze zich gevangen voelde in de aandacht voor haar uiterlijk. Isabella was heel eerlijk over wat haar dreef. Waarom was het zo moeilijk voor haar om daar verandering in aan te brengen?

Laten we wel bedenken dat kernverhalen diep gaan. Als je in de greep van De Ster bent, is er een kloof tussen ons zelfbeeld en het publieke imago dat we uitstralen. We willen dat anderen ons anders zien dan de manier waarop we onszelf ervaren. Dat geldt ook voor de financiële kant van het leven. Hoewel sommige Sterren ruim bij kas zitten, willen ze anderen vaak laten geloven dat ze meer geld bezitten dan ze in werkelijkheid hebben, of dat ze er beter mee omgaan dan ze in werkelijkheid doen. Door de juiste kleren te kopen, op de juiste feestjes te verschijnen, geld te geven aan de juiste goede doelen en in de juiste auto's te rijden zijn Sterren vaak in staat om anderen te laten geloven dat ze rijker zijn dan ze zijn – wat op korte termijn helpt om hun een goed gevoel te geven.

Een Ster zijn betekent overigens niet altijd dat je meegaat met de stroom. Er zijn Sterren die genieten van de aandacht die ze krijgen door tegen de gevestigde orde aan te schoppen en te doen alsof ze daar niet bij horen. Maar de tegencultuur of sociale underground is ook een sociale kring en ook deze alternatieve Sterren zoeken erkenning. Ze gebruiken geld of het gebrek aan geld om in beeld te blijven. Ik hoorde onlangs van een jonge vrouw die in een kleine camper woont – een groen huis op wielen. Ze gebruikt het voertuig om naar vredesbijeenkomsten en muziekfestivals te reizen, met het doel om zo veel mogelijk media-aandacht te krijgen voor haar dramatische levensstijl van vrijwillige eenvoud.

De ster bevrijden

Bijna iedereen wil geliefd zijn en geaccepteerd worden zoals hij of zij is. Maar als we gevangen zitten in de gewoonte om geld te gebruiken om aandacht te trekken, erkenning te verwerven of bewondering af te dwingen, houden we niet van onszelf en accepteren onszelf niet. In aanvulling op het onderricht dat zelfrespect belangrijk is, leren de meeste religieuze tradities

ONDERZOEK

De meeste Sterren voelen zich diep vanbinnen leeg en waardeloos. Het is een gevoel dat ze niet graag onderzoeken. Zoek jij als je ongelukkig bent anderen op om je beter te voelen, bijvoorbeeld door je mooi aan te kleden en naar een plek gaan waar je mensen kunt kijken en door anderen bekeken wordt? Denk aan de laatste keer dat je een roes van plezier voelde omdat iemand aandacht aan je gaf – toen hij of zij je vertelde dat je er goed uitzag of dat je nieuwe flatscreentelevisie zo geweldig was of je bewonderde omdat je zo'n grote bedrag had gedoneerd. Deed deze ervaring je naar meer van dit soort aandacht verlangen? Heb je jezelf op dat moment iets voorgenomen wat je financiën heeft beïnvloed. Isabella werd pijnlijk getroffen door het nonchalante commentaar op een filmset in New York. Ze speelde een scène waarin ze ten huwelijk werd gevraagd met een diamanten ring. De casting director vond dat ze in deze verlovingsscène heel goed acteerde, maar gaf toen hij het materiaal zag het commentaar: 'Je zult nooit een handmodel worden, dat is zeker!' Pas toen ik informeerde of dit commentaar Isabella had gekwetst, realiseerde ze zich dat de nieuwe saffieren ring die ze had gekocht een poging was om deze pijnlijke woorden te vergeten.

dat in de kern alle mensen één zijn. Als je De Ster toestaat om je financiële leven te laten bepalen, begeef je je op glad ijs. Daarmee benadruk je dat je gescheiden bent van andere mensen, wat slechts een illusie is. Het vermindert je vermogen om liefde te geven of het innerlijk vermogen om jezelf lief te hebben. Ook bouw je zo niet echt een gevoel van eigenwaarde op.

Maar je kunt veranderen. Ik heb een cliënt, een producer van visuele effecten uit Hollywood, die geobsedeerd was door wat de mensen over haar dachten. Toen de druk van het leven in L.A. ondragelijk werd, vertrok ze voor een maand naar Vietnam om daar in een kindertehuis te werken. Door deze ervaring ging ze inzien dat ze veel meer te geven had. De liefde en goedkeuring die ze bij anderen had gezocht, werden nu vervangen door een gevoel van eigenwaarde dat van binnenuit kwam.

Van jezelf houden is een van de belangrijkste principes van Oosterse spirituele wijsheid. Het is ook een van de moeilijkste dingen om te doen. De liefde die je zoekt is je geboorterecht en niet iets wat een financiële beslissing je kan geven. Als je je gevangen voelt of beïnvloed bent door het archetype van De Ster beveel ik de volgende oefeningen bij je aan:

DE STER BEVRIJDEN

- **BEWUSTWORDING.** Let in de komende dagen op of je dingen koopt of geld geeft om respect af te dwingen bij anderen. Wees zo eerlijk mogelijk. Besef dat de ware motieven van dit archetype gewoonlijk gemaskeerd worden. Probeer uit te vinden welk resultaat je verwacht. Als je bijvoorbeeld een te dure zonnebril koopt, heb je dan het gevoel dat je meer klasse hebt, en als dat het geval is, welk gevoel ligt daar dan aan ten grondslag? Geeft het nieuwste model audioapparatuur je het gevoel dat je op technisch gebied bij de tijd bent? Geef de voorbeelden die het beste bij je passen en onderzoek wat de werkelijke motieven achter je daden zijn. Zoals gezegd kopen de meeste Sterren op deze manier de goedkeuring van anderen of het gevoel dat ze erbij horen. Koop gerust wat je op het oog hebt, zolang je je daarmee niet echt in de vingers snijdt. Koop, maar blijf je motieven onderzoeken.

  Let op hoe je geest reageert in de komende vierentwintig uur. Gaat het je erom hoe mensen reageren op je nieuwe bezit? Hoe lang blijf je geïnteresseerd in de aankoop? Wat doe je als de gewenste reactie uitblijft? Verhoog je de inzet door een artikel te kopen dat nog meer aandacht zal trekken? En is, als je de gewenste reacties krijgt, het positieve gevoel zo goed en duurzaam als je gedacht had? Doe deze oefening elke keer als je het gevoel hebt dat je iets hebt gekocht wat primair is gemotiveerd door het archetype van de Ster.

  Pas als je de diepere motieven van de Ster hebt geïdentificeerd, kunnen ze gaan schuiven en veranderen. Bedenk een manier om een vergelijkbaar (of misschien nog wel beter) resultaat te boeken dat geen geld kost. Zou je bijvoorbeeld ook waardering kunnen krijgen door wat een oudere kennis te laten zien hoe je muziek downloadt op een iPod?

- **DE IMPULS WEERSTAAN.** Probeer, nu je je meer bewust bent geworden van wat je motiveert, eens per week de impuls te weerstaan om iets te kopen of te doneren om je imago te verbeteren. Dat kan lastig zijn omdat dit gedragspatroon je altijd heeft beschermd. Het is jouw manier om je goed te voelen over jezelf in de wereld. Probeer het standpunt in te nemen van een getuige. Doe alsof je van buitenaf naar je eigen gevoelens en gedachten kijkt. Probeer niet te reageren op de gedachten die opkomen; maar laat ze gewoon door je heen vloeien, hoezeer ze je ook proberen aan te zetten om iets te ondernemen. Hoe lang blijven je gevoelens gericht op de aankoop of donatie die je overwoog? Is er iets anders voor deze behoefte in de plaats gekomen?

- **GEEF JE *SHTICK* OP.** *Shtick* is een Jiddisch woord dat 'de routine van een entertainer' betekent. Op welk gebied is jouw shtick het sterkst als het om geld gaat? Wees eerlijk tegenover jezelf. Welk financieel probleem geef je moeilijk toe aan mensen? Het kan iets te maken hebben met de manier waarop je geld uitgeeft, een mislukte investering, een verborgen geheim in de familiezaak, de hoogte van je inkomen of je spaarrekening, of de hoeveelheid schulden die je hebt. Voor Isabella was het het besef dat ze zich diep vanbinnen nog steeds lelijk voelde, ondanks de vele duizenden die ze elke maand had uitgegeven aan haar uiterlijk. Voor Marc was het de ontdekking dat de afbetaling van zijn auto de helft van zijn maandsalaris kostte en dat hij veel minder succesvol was dan hij naar buiten toe liet blijken. Op dit moment hoef je niets te veranderen aan je eigen shtick. Wees je gewoon bewust van de verborgen waarheid in je handelen. Schrijf deze waarheid op en hang die ergens op zodat je het niet langer onder het vloerkleed kunt vegen.

- **DURF EEN NIEUWE WERELD TE BETREDEN.** Als je het gevoel hebt dat de tijd rijp is en je niet langer doet wat je 'moet doen'. zou je op zoek kunnen gaan naar een ander gedragspatroon met betrekking tot goede doelen. Ga bijvoorbeeld naar een plaats waar niemand je kent en niemand je zal beoordelen op je uiterlijk. Breng zo enige tijd door met vrijwilligerswerk en geef iets van jezelf. Als auteur en leraar zegt David Deida: 'Als je meer wilt, moet je meer geven.' Misschien kies je ervoor om een bejaardenhuis te bezoeken, een dierenasiel of een brandwondenafdeling in een kinderziekenhuis. Geef geen geld, maar geef wat van je tijd en vertel er niemand iets over.

• **ZOEK DE WAARHEID.** Wat weet je als het om geld gaat over jezelf dat je eigenlijk liever niet zou weten? Misschien besef je dat je meer geld uitgeeft aan goede doelen dan je je kunt veroorloven of dat je nooit iets zou geven als niemand ervan wist. Misschien ben je verslaafd aan merkkleding omdat je graag wilt dat anderen zien hoe hip en gefortuneerd je bent. Of misschien woon je in een te duur huis omdat je graag het onderwerp van gesprek bent op feestjes. Als je echt moedig bent, kun je iemand zoeken die je de waarheid vertelt. Bij veel Sterren die eerlijk zijn geweest over hun verborgen agenda verdwijnt de behoefte om die agenda uit te voeren. Dat geldt vooral als ze in staat zijn om andere manieren te vinden om hun gevoel van eigenwaarde te voeden. Vaak lijkt alleen al het spreken over je motieven het gedrag van zijn kracht te beroven. Het vertellen van de waarheid stelt je in staat om je energie te richten op dingen die meer evenwicht en blijvende voldoening creëren – bijvoorbeeld op je pensioen in plaats van op een groter huis. Toen Marc zijn kernverhaal onderzocht, realiseerde hij zich dat hij door zo veel geld uit te geven aan een succesvol imago zijn droom van een eigen media-adviesbureau saboteerde. Toen hij zijn uitgavenpatroon had gereorganiseerd kostte het hem slechts zes maanden voordat hij in staat was om zijn baan op te geven en zijn eigen zaak te beginnen.

HOOFDSTUK ACHT

DE ONSCHULDIGE

'Uitstel en onmiddellijke bevrediging zijn de twee belangrijkste redenen waarom mensen niet sparen. Er is te weinig kennis in ons land.
Mensen vinden geld heel mysterieus en complex. En als iets complex
is, haken ze af.'

Carrie Schwab-Pomerantz,
hoofd Strategie, Consumer Education
Charles Schwab & Co,
en president van de Charles Schwab Foundation

Mary was een massagetherapeut die twee dagen per week werkte vanuit
de praktijk van een chiropractor. Verder ontving ze in haar vrije tijd zoveel
mogelijk privé patiënten. Op een dag woonde ze mijn workshop bij over de
yoga van het geld. Na de bijeenkomst kwam deze zesendertigjarige vrouw
naar me toe en zei: 'Toen u het had over het onbewuste kernverhaal en
hoe dat zijn eigen gang gaat en ons gevangen houdt in hetzelfde financiële
gedragspatroon, wist ik dat u het over mij had. Maar ik voelde me ook wanhopig. Lichaamsgerichte therapie is mijn derde baan in vier jaar. Hiervoor
was ik receptioniste en daarvoor personal trainer. Welke baan ik ook kies of
hoeveel ik ook verdien, ik slaag er niet in om uit de schulden te komen en
kan me geen dingen veroorloven die ik echt wil.'

Ik bestudeerde haar bezorgde gezicht en zei: 'Dat moet ongelofelijk frus-
trerend zijn.' Daarna informeerde ik: 'Waarom denk je dat *jij* in die positie
terecht bent gekomen?'

'Ik weet het niet,' zei ze zacht. 'Ik heb altijd met geld geworsteld. Zelfs als
ik een goede maand heb, lijkt het wel alsof het in een oogwenk verdwenen
is. Vorig jaar bijvoorbeeld, toen ik twee banen had, ging de versnellingsbak
van mijn auto stuk en daar ging het kleine beetje spaargeld dat ik had.'

Het kernverhaal van De Onschuldige

Mary is een van de vele Onschuldigen die ik ken. Er zijn ook mensen die tot dit archetype behoren die hun schaapjes op het droge hebben en na dertig jaar nog steeds hetzelfde werk doen. Ik ken Onschuldigen die op een bepaald moment meer dan een miljoen dollar aan spaargeld hadden. Het gaat er bij dit archetype echter niet om hoeveel geld men op zak heeft. De rode draad in het verhaal van De Onschuldige is dat hij er niet in slaagt om het geld op een zodanige manier de baas te worden dat het op lange termijn financiële zelfstandigheid biedt.

Bij veel mensen in onze cultuur zijn de concentratie, de aandacht en het lineaire denken die nodig zijn om geld te verdienen en te beheren minder ontwikkeld dan andere belangrijke eigenschappen zoals intuïtie, artistieke creativiteit, sociaal activisme, het vermogen om academisch onderzoek te doen, religieuze of spirituele studies te volgen of eenvoudig te ontspannen en lol te maken. Er zijn miljoenen mensen die in het huidige economische systeem vastlopen omdat hun talenten op een terrein liggen dat financieel niets of weinig oplevert.

Anders dan Idealisten zijn Onschuldigen niet noodzakelijk tegen geld of het economisch systeem. Ze hebben echter 'nooit genoeg' en raken in verwarring door geld. Als ze geld hebben, lijken ze het niet te kunnen vasthouden. En Onschuldigen zonder geld hebben het gevoel dat ze het nooit zullen krijgen.

De Verlangende Geest is erg actief onder Onschuldigen. Ze willen meer geld om de eindjes aan elkaar te kunnen knopen, maar ze hebben niet de passie en de vaardigheden die door het systeem financieel worden beloond. Omdat het niet hun sterkste kant is, gaan Onschuldigen geldzaken vermijden. 'Ik ben gewoon niet zo goed met geld' is hun verweer, of: 'Het vliegt mijn portemonnee uit als ik het heb.' Andere archetypen hebben hun kernverhaal ontwikkeld in reactie op frustratie, angst of woede. Spaarders vertrouwen bijvoorbeeld op hun onbewust gedragspatroon om zich zeker en veilig te voelen. Bewakers analyseren op een dwangmatige manier hun financiële zaken in de hoop om daarin enige geruststelling te vinden. De Onschuldige heeft echter geen enkele financiële strategie om zichzelf te troosten en daarom heeft hij of zij vaker dan andere mensen een negatief beeld van geld. Het lijden van Onschuldigen kan dicht aan de oppervlakte komen en zelfs zichtbaar zijn voor anderen.

JE BENT WAARSCHIJNLIJK EEN ONSCHULDIGE...

- Als je langer dan een jaar persoonlijke schulden hebt (uitgezonderd een hypotheek voor een huis of een auto) en voor korter dan drie maanden spaargeld hebt.
- Als levensomstandigheden zoals ziekte, handicap of gebrek aan onderwijs of training je in een positie hebben gebracht waar je de eindjes niet meer aan elkaar weet te knopen.
- Als je voortdurend worstelt om te overleven en alles wat je hebt – zelfs als je veel verdient – uitgeeft aan je levensstijl.
- Als je in de laatste tien jaar in één keer een groot bedrag aan geld hebt ontvangen via een erfenis, loterij, echtscheidingsregeling, baan of een andere eenmalige gebeurtenis, terwijl daar nu weinig of niets meer van over is.
- Als je liever een wortelkanaalbehandeling ondergaat zonder verdoving dan dat je je chequeboek op orde moet brengen, je rekeningen moet betalen of je uitgaven op een rijtje moet zetten.
- Als je de bank meer aan maandelijkse kosten verschuldigd bent dan ze je aan rente uitbetalen.

Wat onschuldigen geloven

Onschuldigen hoeven geen armoedzaaiers of steuntrekkers te zijn, hoewel dat soms wel het geval is. Ze zijn niet in staat om geld te verdienen of, als ze dat wel zijn, om het in hun zak te houden. Velen van hen strompelen van looncheque naar looncheque, hebben chronische schulden of hebben een veel lagere levensstandaard dan ze zouden willen. Onbewust geloven ze dat ze het nooit breed zullen hebben. Dat kan te maken hebben met een zelfbeeld dat ze als kind hebben overgenomen of in de hand zijn gewerkt door een gebrek aan de vereiste vaardigheden. Ze hebben weinig of geen reserves waarmee ze dingen kunnen kopen, giften kunnen doen of kunnen sparen.

Ik herinner me dat ik een cliënt, een aannemer van middelbare leeftijd, vroeg om zich voor te stellen dat hij genoeg geld verdiende voor zijn gezin en zelfs $10.000 had gespaard. Hij zei: 'Ik kan me dat gewoon niet voorstellen. Ik heb het gevoel dat ik om genoeg geld te verdienen iemand moet worden die ik niet ben – een huichelaar of iemand met heel veel mazzel.' Onschuldigen voelen zich niet competent in het beheren van geld en voor velen breidt dit gevoel van onbeholpenheid zich zelfs uit tot het verdienen van geld.

GELDMANTRA'S VAN DE ONSCHULDIGE

Veel Onschuldigen zien het veranderen van hun omgang met geld als een bijzonder zware opdracht. Geld verlamt Onschuldigen. Ze zijn niet getraind om het te verdienen of er iets van te begrijpen. Hun onbewuste zendt geïnternaliseerde boodschappen uit zoals 'Ik ben als het om geld gaat niet slim genoeg om mijn leven op orde te krijgen', 'Het leven is te kort om je zorgen te maken over geld', 'Ik red me wel', 'Er is toch nooit genoeg' en 'Laat iemand anders zich maar zorgen maken over geld'. Deze gedachten zijn vaak niet bewust aanwezig, maar zijn niettemin krachtige obstakels voor financieel succes.

De meeste Onschuldigen hebben niet het gevoel dat ze in staat zijn om hun situatie te veranderen. Vaak hebben ze wel het gevoel dat ze dit vermogen zouden moeten hebben, maar onbewust voelen ze dat ze niet de kracht hebben om de dingen te veranderen. Veel Onschuldigen hopen dat ze door geluk of goedgunstigheid een financiële meevaller of salarisverhoging krijgen zodat ze uit de schulden komen en wat kunnen sparen voor later. Maar onder deze fantasie ligt het diepgewortelde geloof dat ze eenvoudig niet in staat zijn om een stabiele financiële basis te leggen voor zichzelf.

Onschuldigen nemen vaak deel aan loterijen of netwerkmarketing. Ze zijn zo gefrustreerd en wanhopig over hun situatie dat dit soort recepten om snel rijk te worden een aantrekkelijke oplossing lijkt te bieden. Helaas wordt het gebrek aan zelfvertrouwen hierdoor alleen maar versterkt en groeit hun gevoel van financiële mislukking. Natuurlijk, zo af en toe zijn er Onschuldigen die een loterij winnen, professionele sport- en entertainmentcontracten tekenen of gewoon veel geld verdienen in hun beroep. Maar de weinigen die financieel succesvol zijn eindigen negen van de tien keer in dezelfde hachelijke situatie als vóór de meevaller, omdat hun geest hen onbewust influistert dat ze daar thuishoren. Dat is tragisch. Het goede nieuws is echter dat ook een Onschuldige met de juiste instrumenten kan leren om geld te verdienen en te behouden en zelfs rijk te worden als hij of zij dat wil. Dit boek zal enkele van deze instrumenten behandelen.

Oorsprong van De Onschuldige

Wat Onschuldigen onderscheidt van andere archetypen, is dat ze moeite hebben om geld te verdienen en te behouden. Ze hebben de neiging om hun eigen positieve eigenschappen – zoals het vermogen om voor kinderen of ouderen te zorgen, hun mededogen en empathie – niet hoog in te schatten. Omdat geld verdienen prioriteit krijgt in onze samenleving is dat niet verrassend.

Mary, de massagetherapeut, vertelde me: 'We hadden thuis nooit geld. We gaven niet veel uit, maar er kwam gewoon niet genoeg binnen. Een van mijn eerste herinneringen aan geld vond plaats toen ik ongeveer zes jaar oud was. We reden na een bezoek aan mijn grootmoeder naar huis en we stopten bij ons huis. Voor de deur stonden twee mannen. Ze waren door de bank gestuurd om onze auto in beslag te nemen. Ze namen de auto mee en de volgende zes maanden moest mijn vader met iemand anders meerijden naar zijn werk of de bus nemen.'

'Herinner je je hoe hij daar op reageerde?' vroeg ik.

'Ik had het gevoel dat mensen zoals wij nooit geld zouden hebben. Het was alsof het lot tegen ons was, wat we ook probeerden en hoe hard we ook werkten. Dat gaf me een hopeloos gevoel en maakte me bang. Een paar van mijn vrienden hebben een succesvolle carrière en een stabiel financieel bestaan opgebouwd – ze kregen altijd van hun ouders en leraren te horen dat het hen zou lukken. Ik dacht nooit zo over mezelf en heb dat nog steeds niet. Ik verlang ernaar om geld te hebben, maar het lijkt buiten mijn bereik te vallen.'

Sommige Onschuldigen slagen er in om geld te verdienen, maar weten niet hoe ze het moeten beheren. Ik had een cliënt die als advocaat elk jaar meer dan een miljoen verdiende, maar niet wist hoe hij een flink deel daarvan kon behouden. Toen we het hadden over wat hij in zijn jeugd had geleerd over geld, zei hij: 'Bij ons thuis werden een goede opleiding en carrière hoger ingeschat dan al het andere. Niemand heeft me ooit geleerd hoe ik met mijn geld om moest gaan.' Hoewel deze advocaat een uitstekende opleiding had, ontbrak het hem aan inzicht in de basisregels van goed geldbeheer.

Ouders die zelf met hun handen in het haar zitten als het om financiën gaat, zijn vaak niet in staat om hun kinderen deze basisregels te leren. Een cliënte vertelde me dat niemand haar had geleerd hoe je je uitgaven bijhoudt. Toen ze jonger was, waren haar financiën lange tijd een rommeltje. Bij de bank stond ze voortdurend rood en omdat ze de weg was kwijtgeraakt in de enorme stapel betalingsherinneringen hief ze haar rekening op en opende ergens anders een nieuwe. Nadat ze dat een aantal keren had gedaan, realiseerde ze zich dat dit gedrag haar niet gaf wat ze zocht: helderheid over hoeveel ze verdiende, hoeveel ze op haar rekening had en hoeveel ze kon uitgeven. Met enige hulp was ze in staat om op een praktische manier met deze vragen om te gaan. Op den duur bleek zij in staat om meer financiële stabiliteit voor zichzelf te creëren.

Let wel, Onschuldigen zijn niet altijd arm. Sommige van mijn cliënten hadden aanzienlijke bedragen geërfd of werden ondersteund door hun ouders. In beide gevallen (en vooral als het vrouwen waren) kregen ze vaak opmerkingen te horen die hun financiële onvermogen versterkten: 'Maak je geen zorgen om geld, lieverd. Wij zullen wel voor je zorgen.' Ook al wordt het niet altijd openlijk gezegd, het feit dat gezinshoofden welgesteld zijn leidt er vaak toe dat kinderen en kleinkinderen, zowel mannen als vrouwen, financiële zaken vermijden. In andere situaties worden kinderen van succesvolle ouders vaak onbewust Onschuldigen uit rebellie, vooral als hun ouders hen slecht hebben behandeld of niet genoeg liefde hebben gegeven.

Het profijt

Zoals eerder gezegd is geld voor mensen die zich met dit archetype identificeren vaak een lijdensweg. Daarom is het moeilijk om je voor te stellen dat er ook voordelen verbonden zijn aan dit archetype. Maar als we goed kijken, zien we er toch een paar.

Veel Onschuldigen krijgen aandacht vanwege hun lijden en de zware last die de wereld op hun schouders heeft gelegd. Onschuldigen zijn vaak slachtoffers, van misbruik door een echtgenoot, verslaving, een ongelukkig toeval, discriminatie of een gebrek aan opleiding. Omdat deze situaties vaak verschrikkelijk zijn, is de slachtofferrol en het medelijden het enige positieve (hoewel perverse) resultaat. Andere Onschuldigen zijn financieel afhankelijk van anderen zonder daar een duidelijke afspraak over te hebben gemaakt. Een vrouw die ik ken, Miriam, woonde jarenlang in het gastverblijf van een rijke vriend in ruil voor tuinierswerkzaamheden die nooit duidelijk waren vastgelegd. Miriam wist dat haar vriend zich bezorgd maakte over haar situatie en dat was ook zo, maar geen van beiden wisten ze hoe ze het onderwerp moesten aansnijden. Dit soort dubbelzinnige situaties zorgen ervoor dat De Onschuldige op de korte termijn niet wordt geconfronteerd met de onderliggende opvattingen en keuzes die hebben geleid tot zijn of haar situatie. Natuurlijk is het mooi als er voor je gezorgd wordt en het moeilijke werk om voor anderen te moeten zorgen je uit handen wordt genomen. In afhankelijkheidsrelaties waarin geen duidelijke en billijke afspraken zijn gemaakt, kan het er echter toe leiden dat Onschuldigen nog meer verwond worden. In Miriams geval viel haar vriend op een dag tegen haar uit en noemde haar een 'profiteur', terwijl zij dacht dat ze haar bijdrage leverde doordat ze (zoals ooit informeel was afgesproken) de tuin verzorgde.

Ten slotte is er nog een voordeel verbonden aan het vermijdingsgedrag van De Onschuldige: je hoeft niet onder ogen te zien hoeveel je hebt uitgegeven, hoeveel je nu precies verdient en welke veranderingen er nodig zijn om jezelf te bevrijden. Door de ogen te sluiten voor hun problemen ontlopen Onschuldigen de angst voor onvermogen, verwarring en incompetentie. Spaarders, Bewakers en Imperiumbouwers, die juist plezier beleven aan het in kaart brengen van hun financiële situatie, zien het vermijdingsgedrag van De Onschuldigen als iets ongezonds. Ik kan niet genoeg onderstrepen hoeveel moed, steun en zelfliefde ervoor nodig is om de waarheid van onze financiële situatie onder ogen te zien. Het zoeken naar de waarheid vereist dat we bereid zijn om onze ideeën over geld kritisch tegen het licht te houden en de gevoelens waartegen deze ideeën ons beschermen onder ogen zien. Pas dan kunnen er dingen veranderen en kan de genezing beginnen.

Zorg dat je een plezierig gevoel krijgt bij geld

Het feit dat je je in het verleden als een Onschuldige gedroeg, betekent niet dat je ook in de toekomst aan dit archetype vastzit. Zie het als volgt: als je anders was geconditioneerd in je leven – als je ouders je andere ideeën hadden bijgebracht over geld, als je wat meer financieel onderricht had gekregen en als je niet mislukt maar geslaagd was toen je voor het eerst zelf je geld beheerde – zou je nu een heel ander beeld van jezelf hebben. Hoe zou je relatie met geld zijn als dat het geval was?

Het transformeren van een archetype dat je in zijn greep heeft is moeilijk. Je kunt letterlijk misselijk worden als je de oefeningen doet die ik je geef. Toch vraag ik om je demon recht in de ogen te kijken en je niet te laten afleiden. Zoals veel meditatieleraren zeggen: 'Alles wat we weerstaan, houdt aan'. Maar als we oprecht naar de opvattingen kijken die ons financiële leven beheersen, dan zijn we in staat om te transformeren. Er zijn allerlei manieren om innerlijk een meer bevredigende relatie met geld te krijgen.

DE ONSCHULDIGE BEVRIJDEN

- **ONDERZOEK.** Zijn je opvattingen over geld waar? Om te beginnen vraag ik je om na te denken over de ideeën, begrippen en gedachten die je hebt over jouw relatie met geld.

Hier volgen een paar voorbeelden van opvattingen waar de Onschuldige zich aan vast kan klampen:

Ik zal altijd in de huidige financiële situatie gevangen blijven zitten.
Ik zal nooit meer verdienen dan ik nu verdien.
Ik zal nooit in staat zijn om met pensioen te gaan omdat dat mijn lot is.
Ik zal nooit genoeg geld hebben om mezelf en mijn gezin te onderhouden.
Ik zit vanwege het geld vast aan dit huwelijk/deze baan/deze stad.

Schrijf nu je eigen lijst zonder er een oordeel over te vellen. Blijf minstens een minuut lang alles opschrijven wat je in gedachten schiet. Censureer niets, zelfs als je nadat je het hebt opgeschreven denkt: Dat vind ik niet echt. Maak een lange lijst. Het hoeft niet spiritueel, intelligent, fatsoenlijk of volwassen te zijn wat je opschrijft. Gebruik vrije associatie en laat jezelf gaan.

Kijk vervolgens wat je hebt opgeschreven. Ik nodig je uit om de volgende vier vragen te gebruiken die de auteur Byron Katie aanreikt om je opvattingen kritisch tegen het licht te houden:

1. Is deze gedachte waar? Is het meer waar dan het tegendeel? (Bijvoorbeeld: is 'Nooit zal ik succesvol zijn' meer waar dan 'Ooit zal ik succesvol zijn'?)
2. Is het mogelijk om er absoluut zeker van te zijn dat deze gedachte waar is?
3. Welke reactie voel je als je deze gedachte denkt? Wat gebeurt er in je lichaam?
4. Wie zou je zijn als je deze opvatting over geld niet had?

Toen Mary de massagetherapeut deze oefening deed, kwam ze met de volgende gedachte: 'Ik maak nooit vooruitgang als het om geld gaat.' Toen ze deze opvatting onderzocht, kwam ze tot deze conclusies:

1. *Ja, het lijkt waar voor wat betreft mijn verleden. Maar het is ook zo dat ik de toekomst niet kan voorspellen.*
2. *Nee, ik kan dit niet zeker weten.*
3. *Als ik deze gedachte denk, voel ik me verdrietig en moe. Ik heb weinig energie en mijn armen en benen voelen slap. Ik heb een heel zwaar gevoel.*
4. *Zonder die gedachte voel ik me gelukkiger. Ik heb meer energie om meer cliënten aan te nemen! Ik voel me lichter en zou zelfs meer kunnen gaan verdienen.*

• RESPECTEER JE EIGEN TALENTEN. Onschuldigen gaat het niet om geld. Wat zij te bieden hebben is creativiteit, medeleven, activisme, geleerdheid of dienstbaarheid. Wat is jouw passie? Geef je natuurlijke gave niet op om in de economische molen te kunnen meedraaien. Je kunt een plan maken dat je de ruimte geeft om vrede te hebben met je huidige inkomensniveau, wat dat ook is. Hier zijn een paar opties:

1. Maak een openlijke afspraak met je partner of echtgenoot (of misschien een andere relatie) waarin wordt erkend dat jouw gaven financieel niet winstgevend zijn. Bereik overeenstemming over andere manieren waarop jij zou kunnen bijdragen aan het huishouden of de relatie. Zoek een manier die voor jullie allebei in balans is.

2. Onderzoek je financiële situatie. Breng daarna de nodige veranderingen aan, zodat je in staat bent om binnen de grenzen van je financiële middelen te leven. Deze veranderingen kunnen aanvankelijk nogal radicaal lijken. Maar hetzelfde geldt voor het gevoel dat je zult hebben als je financieel vrij zult zijn! Ik ken een echtpaar dat hun villa van een half miljoen dollar in Los Angeles verkocht voor een huis van $150.000 in Silver City in New Mexico, zodat zij tai-chilessen kon blijven geven en hij in een verpleeghuis kon gaan werken met terminale patiënten. Voor jou betekent het misschien dat je bereid moet zijn om binnen een bepaald bestedingsbudget te blijven zodat je een baan kunt nemen waarin je misschien minder goed verdient maar wel de tijd hebt om je passie na te streven die financieel niets oplevert. Schrijf om te beginnen op zijn minst vijf radicale stappen op die je zou kunnen nemen om te leven van de financiële middelen die je ter beschikking staan. Als je niet precies weet wat die middelen zijn of hoe je je levensstijl zou moeten veranderen, kun je een financieel planner inhuren of een kredietadviseur raadplegen om je te helpen bij deze analyse. Bedenk wel, je kunt een goed financieel leven leiden met elk inkomen of vermogen, zelfs met $10.000 per jaar. (Lees *Your money or your life* van Joe Dominguez en Vicki Robin voor een radicale no-nonsense benadering van dit onderwerp.)

• HOUD HET VAST. Als je de volgende keer een overschot hebt, moet je ruimte laten voor een periode van op zijn minst drie dagen tussen het ontvangen van het geld en de besteding ervan. Doe dit ook als je schulden hebt. Veel Onschuldigen voelen zich ongemakkelijk bij de gedachte dat ze een overschot hebben. Zodra het er is willen ze hun rekeningen betalen of familieleden terugbetalen die hun geld hebben geleend of iets kopen dat ze al heel lang willen hebben. Natuurlijk, als je je huis uit dreigt te worden gezet of er andere drastische maatregelen boven je hoofd hangen, moet je zo snel mogelijk betalen. Maar in alle andere gevallen moet je je geld op zijn minst drie dagen of het liefst een week vasthouden. Stel je eens voor dat je al het geld dat je een jaar lang uitgeeft als spaargeld had. Denk hier eens over na of schrijf op wat je voelt bij deze gedachte. Is het opluchting, zelfvertrouwen, een gevoel van vrijheid. Voel je je waardeloos, ongemakkelijk, verward of vreemd?

• **MAAK HET ONAANTASTBAAR.** Reserveer elke maand een bedrag om te sparen, hoe gering dat ook is (ja, zelfs vijf euro per maand is goed). Zet het spaargeld op een aparte rekening. Laat het bedrag automatisch door de bank overmaken. Daardoor wordt de verleiding kleiner om je overschot uit te geven. Als dit niet werkt, plaats dan een vertrouwd familielid of een investeringsadviseur tussen jou en het geld, zodat je het niet meer als je eigen geld ziet. Kijk niet eens naar de afschriften. Mocht je nog steeds meer uitgeven dan je verdient door het gebruik van creditcards, ga dan over op het betalen met contant geld voor al je uitgaven. Bezuinig totdat je een echt overschot hebt. Dat is geen offer, maar nee zeggen tegen een levensstijl die in strijd is met het diepste verlangen van je ziel en je gezond verstand. Je doel is om je talenten op een ontspannen wijze en zonder financiële druk tot uitdrukking te kunnen brengen.

HOOFDSTUK NEGEN

DE VERZORGER

'Hoeveel je ook hebt of niet hebt, de last van het voortdurend geld
moeten uitdelen kan psychisch heel zwaar zijn.'

David Whyte
Dichter en organisatiedeskundige

Brenda is een moeder van middelbare leeftijd met vijf kinderen. Ze staat
met beide benen op de grond. Ze beschouwt zichzelf als een overlever en
heeft een olifantenhuid gekregen door alle ellende die ze heeft meegemaakt.
Ze nam me enkele jaren na een moeilijke echtscheidingsperiode in dienst
om haar te helpen met het beheer van haar financiële zaken. Ze kreeg dat
jaar meer belasting terug dan ze had verwacht en in plaats van het geld te
besteden aan haar gezin, besloot ze om zichzelf te trakteren op een professioneel advies. Brenda was trots op zichzelf omdat ze de laatste trends in
het zakenleven bijhield. Bij onze eerste afspraak bleek haar financiële admi-
nistratie echter behoorlijk ongeorganiseerd te zijn. Niettemin had ze naar
eigen zeggen altijd de eindjes aan elkaar weten te knopen. Dat lukte nog
steeds, ondanks het feit dat twee van haar volwassen kinderen, samen met
hun vier kinderen, bij haar in woonden – in een huis met drie slaapkamers.
Brenda vertelde me over haar ex-echtgenoot en zijn financiële avonturen.
Hij gokte graag bij football- en basketbalwedstrijden met als gevolg dat hij
tijdens hun huwelijk tienduizenden dollars schuld had bij zijn bookmakers.
Dat was een van de redenen geweest waarom ze was gescheiden.

Terwijl Brenda sprak, werd duidelijk dat ze altijd de financieel verantwoordelijke partner was geweest. Of het nu haar ex-echtgenoot, haar volwassen kinderen of haar vrienden waren, Brenda was financieel altijd degene
die de dingen regelde.

Nadat we elkaar wat vaker hadden ontmoet, vroeg ik of ze het een probleem vond dat ze financieel altijd voor de mensen in haar leven moest
zorgen.

'Ben je gek,' flapte ze eruit. 'Mijn hele leven help ik mensen uit de penarie. Ik vind het niet leuk. Maar ja, wat moet ik anders? Het is mijn familie.' Ik vroeg haar of ze me wat meer wilde vertellen over hoe ze was opgevoed als het om geld ging. 'Zolang als ik me kan herinneren,' zei ze, 'hebben mijn ouders voor het geld moeten vechten. Mijn moeder schreeuwde altijd naar mijn vader dat hij ons geld verbraste. Hij gokte bij de paardenraces terwijl de gasrekening nog niet was betaald. Mijn vader schreeuwde dan terug dat wat hij met zijn salaris deed niet haar zaak was. En mijn moeder? Ze gaf geld uit aan dingen die we niet echt nodig hadden.' Brenda pauzeerde even en verplaatste haar blik naar een plek op het plafond. 'Toen ik tien jaar oud was, haalde ik het geld uit hun portemonnee en ging naar het postkantoor om postwissels te halen, zodat de rekeningen konden worden betaald. Op die manier konden mijn ouders het niet uitgeven of vergokken.' De ironie wilde dat ze was getrouwd met een man die net als haar vader was. Ze dacht dat het bij hem anders zou gaan, maar ze was 'verblind door de liefde'. Brenda vertelde hoe graag ze zou willen dat haar kinderen het huis uit gingen, maar ze wist niet wie haar kinderen en kleinkinderen zou helpen als zij het niet deed.

Het kernverhaal van De Verzorger

Verzorgers gebruiken hun geld, tijd en energie om hun familie en vaak ook hun vrienden te helpen. Ze offeren zich op voor het succes van anderen, zelfs als die financieel niet van hen afhankelijk zijn. Een van De Verzorgers uit mijn kennissenkring staat altijd klaar voor haar familieleden. Ze betaalt een vakantie die iemand hard nodig heeft, helpt een ander om een auto te kopen en heeft zelf een saaie baan die ze haat zodat haar geliefde zijn droom van een eigen bedrijf kan realiseren. Verzorgers vinden de behoeften van anderen belangrijker dan die van zichzelf. Ze denken vaak dat de mensen die op hen vertrouwen zonder hen in de goot zouden belanden. De omstandigheden van degenen voor wie ze zorgen zijn soms inderdaad erbarmelijk. In sommige gevallen moeten De Verzorgers overal voor betalen, van de boodschappen en de huur tot de elektriciteitsrekening.

Niet alle Verzorgers richten hun energie op het zorgen voor familieleden en vrienden. Degenen met een wat breder perspectief offeren hun financiële stabiliteit op om bijstand te verlenen aan mensen die minder bevoorrecht zijn. Ze wijden hun tijd en geld aan het ondersteunen van doelen waarvan ze denken dat die de mensheid ten goede zullen komen. Sommigen werken op terreinen zoals de gezondheidszorg of de sociale hulpverlening en maken soms extreem veel uren of lange dagen waarvoor ze weinig betaald krijgen. Anderen geven veel geld uit aan armoedebestrijding in ontwikkelingslanden, aan aids-onderzoek of aan de milieubeweging, waarbij hun redenering is dat het belang van hun eigen pensioenopbouw verbleekt bij het redden van het tropisch regenwoud. Vaak hebben Verzorgers ongelofelijk veel talent. Ze hebben hun financieel leven beter op orde dan de mensen om zich heen. Verzorgers zijn niet alleen zelfvoorzienend, maar 'voorzien ook anderen'. Dat betekent dat anderen financieel op hen kunnen vertrouwen. Hoe pijnlijk en destructief sommige van deze relaties ook lijken voor buitenstaanders, bij geen ander archetype vind je zoveel medeleven, empathie en vrijgevigheid. Op zijn tijd hebben we allemaal iemand nodig die voor ons zorgt. En zonder Verzorgers zou deze wereld een stuk lelijker en harder zijn.

Wat verzorgers geloven

Net als Idealisten zijn Verzorgers niet geïnteresseerd in geld. Ze geloven dat geld het beste kan worden gebruikt om te delen met en te zorgen voor andere mensen. Soms, zoals in het geval van een cliënt die zijn gehandicapte kind verzorgt, hebben Verzorgers geen keuze. Degenen die financieel op je vertrouwen kunnen je echt nodig hebben en hebben vaak weinig keuze, als ze al een keuze hebben. Ze kunnen soms helemaal van je afhankelijk zijn en dat is een zware verantwoordelijkheid die je niet met meditatie of positief denken kunt (of moet) uitwissen. Als je in deze categorie valt, gaan je gedachten ongeveer als volgt: 'Als ik de boel niet bij elkaar houd, doet niemand het', 'Ze hebben me nodig', 'Vertrouw maar op mij', 'Wat moeten ze zonder mij?' Je opvattingen over geld zijn eerder feiten.

Of degenen die je helpt nu wel of geen keuze hebben, als Verzorger heb je de neiging om je eigen financiële welzijn ondergeschikt te maken aan het welzijn van anderen. Dit hoofdstuk wil zowel vrijwillige als onvrijwillige Verzorgers helpen om meer vrijheid te vinden op financieel gebied en de relatie met degenen die ze helpen te verbeteren.

Verzorgers zien zichzelf als vrijgevige mensen. Vaak geven ze meer dan andere archetypen wijs vinden. Maar soms ontstaat hun gedrag niet uit generositeit, maar uit een soort plichtsgevoel of de behoefte om iemand te hebben die hen nodig heeft. Verzorgers vinden het moeilijk om geld aan zichzelf uit te geven en als ze dat doen, dan voelen ze zich schuldig omdat anderen er meer behoefte aan hebben dan zij.

JE BENT WAARSCHIJNLIJK EEN VERZORGER...

* Als je meer dan 20 procent van je inkomen besteedt aan mensen in nood, hetzij familieleden, vrienden of goede doelen.
* Als je jezelf niet veel gunt en je wat ongemakkelijk voelt bij je eigen vrijgevigheid.
* Als andere mensen vaker financieel afhankelijk zijn van jou dan jij van hen zonder dat er sprake is van een tegenprestatie (bijv. kinderoppas, huishoudelijk werk, verbondenheid aan een humanitair of creatief beroep).
* Als je totale spaargeld minder is dan zes maal je maandelijkse uitgaven, omdat je je geld vaak gebruikt om voor anderen te zorgen.
* Als je je investeringen altijd beschikbaar houdt, omdat je er rekening mee houdt dat iemand je hulp nodig zou kunnen hebben.

Oorsprong van De Verzorger: 'ik draag hem wel'

Mensen die vanuit dit archetype leven zijn zoals Brenda vaak al vroeg in hun leven in de rol van verzorger geplaatst. Soms zijn ze de oudste van het gezin, het 'verantwoordelijke' kind, of het kind van ouders die zelf onverantwoordelijk omgingen met hun geld. Verzorgers zijn soms de enige in hun gezinnen die financieel succesvol zijn en zijn in staat om uit moeilijke financiële situaties te komen. In welgestelde gezinnen zijn het soms degenen die de beste opleiding kregen of werden klaargestoomd om de leiding over te nemen van het familiebedrijf. Ze dragen om die reden een soort schuldgevoel met zich mee en proberen dat te sussen door de rol van redder van de familie aan te nemen. Veel Verzorgers zijn bang voor het moment waarop ze niet meer nodig zijn. Toen ze opgroeiden, hoorden ze vaker 'Bedankt, je hebt mijn dag goed gemaakt' dan 'Ik zie dat je een zware dag hebt gehad, wat kan ik voor je doen?'

Laten we niet vergeten dat we allemaal een bepaald gedragspatroon ontwikkelen, omdat dat nu eenmaal de meest intelligente reactie is op indrukwekkende gebeurtenissen of omstandigheden uit onze jeugd. Ook verzorgers maakten een verstandige keus. De meest verstandige keuze die ze hadden. Verzorgers zijn zeker geen dwazen die werden opgescheept met de zorg voor anderen en zichzelf vergaten. Ze hebben al vroeg ingezien dat er voor anderen moet worden gezorgd en begrepen dat ook dit een manier is om zelf te groeien. In extreme gevallen dwongen de omstandigheden hen om voor anderen te zorgen die zonder hun zorg misschien te gronde zouden zijn gegaan: gehandicapte kinderen, chronisch depressieve ouderen, een misbruikte vriendin.

Soms zijn mensen financieel afhankelijk van Verzorgers, omdat ze niet over de vaardigheden beschikken die in onze maatschappij financieel worden beloond. Ze hebben andere gaven om te geven, terwijl De Verzorger, uit liefde of vanwege familierelaties, het niet erg vindt om voor hen te zorgen. Zolang dit geen herhalend patroon wordt in het leven van De Verzorger en het geven wederkerig blijft, is het een gezonde relatie en zal De Verzorger zich er zeker goed bij voelen.

Het profijt

Het is prachtig als je een Verzorger bent en je geld gebruikt om anderen te helpen. Het inlevingsvermogen van Verzorgers, hun zorg, hun inzet en hun vindingrijkheid zijn eigenschappen waar veel andere archetypen van kunnen leren. Als je een Verzorger bent, zou je trots moeten zijn op de liefdevolle aandacht die je geeft aan je medemensen.

Het profijt van een gezonde manier van geven kan enorm zijn, zelfs in materiële zin. Veel mensen die gul zijn met hun tijd en geld vertellen dat ze het tienvoudige van wat ze gaven terugontvingen. Veel hoog ontwikkelde spirituele mensen groeiden op in welgestelde gezinnen, maar kozen ervoor om alles wat ze hadden weg te geven en een leven zonder bezittingen na te streven. Beroemde voorbeelden uit de geschiedenis zijn Franciscus van Assisi, Boeddha en Mahatma Gandhi, die allen in een welgesteld gezin opgroeiden, maar besloten om zich toe te wijden aan een spiritueel leven dat onder meer bestond uit het helpen van de armen.

Maar de meesten van ons zijn geen heiligen. En het streven naar heilig-

VEEL SPIRITUELE TRADITIES ONDERSTREPEN HET BELANG VAN GEVEN:

• Net als veel andere inheems-Amerikaanse cultuurvolken leren de Lakota's dat vrijgevigheid een van de zeven belangrijke deugden is. *Wopila* is de ceremoniële handeling waarin de gever iets weggeeft dat kostbaar voor hem is. Dat gebeurt vooral als men zich rijk gezegend voelt, zoals bij de geboorte van een kind of bij een bruiloft.

• De Talmoed dringt er op aan om ten minste 10 procent van het jaarlijkse inkomen af te staan.

• Het hindoeïsme kent het spirituele pad van zelfloze dienstbaarheid, of karma yoga, waarin we onszelf geven (hetzij door werkdiensten of financiële bijdragen) zonder er iets voor terug te verwachten.

• De Bijbel zegt: 'Het is beter te geven dan te ontvangen.'

• De islam legt een sterk accent op vrijgevigheid als een manier om de ongerechtigheid in de samenleving in evenwicht te brengen, zowel formeel, in de vorm van *zakat* (tienden geven), als informeel, in de praktijk van *sadaqat* (spontaan geven aan mensen die het nodig hebben).

• In het boeddhisme beschouwt men *dana*, wat generositeit betekent, als de natuurlijke toestand van het menselijk hart, die zich spontaan manifesteert als alle misvattingen zijn opgeruimd.

heid kan een valkuil zijn. Als je niet genoeg aandacht schenkt aan het onderzoeken van de bron van de leegheid en het verlangen, leidt het zorgen voor anderen niet tot geestelijk evenwicht of blijvende voldoening, maar tot een ongezond martelaarschap.

Maar als hun vrijgevigheid niet gebaseerd is op schuldgevoelens of wederzijdse afhankelijkheid, kunnen Verzorgers een enorm gevoel van zelfwaarde ontlenen aan de vitale rol die ze spelen in het welzijn van anderen. Iemand horen zeggen: 'Ik zou het zonder jou niet hebben gered' – of dat nu het afstuderen, het kopen van een huis of het overleven van een moeilijke echtscheiding is – is vaak de grootste beloning voor een Verzorger. Verzorgers verschaffen onschatbare hulp. Zonder die hulp zouden hun geliefden of anderen die door hen worden geholpen, drastische veranderingen moeten aanbrengen in hun leven. Dat te beseffen is op zich al een belangrijk profijt.

WE HEBBEN ER ALLEMAAL RECHT OP

Ram Dass, de populaire hindoeïstische leraar en auteur van *Be here now*, werd geboren als Richard Alpert. Hij was de zoon van een prominente familie uit Boston. Zijn vader had een fortuin verdiend in de spoorwegindustrie en had meegewerkt aan de oprichting van Brandeis University. Net als andere heilige mensen uit alle eeuwen verliet Ram Dass zijn welgestelde familie om anderen te helpen. Hij gaf een groot deel van zijn bezit aan de armen, werkte in een groot aantal humanitaire projecten. Zo was hij onder meer werkzaam onder blinden in Azië, Afrika en Latijns-Amerika. Ook zijn vader moedigde hij aan om ruimhartig geld te geven. Zelfs Ram Dass geeft eerlijk toe dat het niet altijd gemakkelijk is om deze barmhartigheid ook aan jezelf te bewijzen. Toen hij in 1997 een beroerte kreeg, stond hij opeens aan de andere kant van de lijn omdat hij nu zelf hulpbehoevend was. Zijn vriend, de auteur Wayne Dyer, stuurde aan miljoenen mensen een brief waarin hij om hulp vroeg voor Ram Dass. Hij ontving heel veel geld waarmee de onkosten konden worden betaald. Ram Dass vertrouwde me toe dat hij zich ondanks zijn spirituele studie en praktijk beschaamd voelde toen hij deze gaven ontving. Waarschijnlijk denk je: 'Waarom zou deze lieve vrijgevige man, na al die jaren waarin hij anderen heeft gediend, deze hulp minder verdienen dan de armen aan wie hij zelf zoveel gaf?'

'Ik heb mezelf altijd geïdentificeerd met de rijken,' vertelde Ram Dass me. Die conditionering, dit soort grenzen tussen degenen die geven en degenen die ontvangen zijn moeilijk uit te wissen.

Velen van ons kopen hun gevoel van schaamte over de relatieve welvaart in de westerse wereld af door geld te geven aan goede doelen. Maar we kunnen ook geven uit medeleven en verbondenheid met andere mensen. Om echt een verschil te maken moeten Verzorgers dicht bij huis beginnen, bij de manier waarop ze met zichzelf omgaan. De boeddhisten zeggen: Blijf af van dat wat je niet vrijwillig wordt gegeven, maar aanvaard met dankbaarheid dat wat je vrijwillig ontvangt.

De schaduwzijde van het zorgen

In het uiterste geval kan De Verzorger door de intensieve zorg die hij verleent geheel opbranden. Onbewust zoekt dit archetype situaties uit waar het indien nodig kan zorgen voor mensen die financieel minder draagkrachtig zijn. Als Verzorgers opgebrand zijn of geen waardering krijgen, ontstaat vaak het gevoel dat ook zij recht hebben op toewijding en zorg van anderen. Omdat het creëren van een wederkerige relatie niet hun sterkste punt is, ontvangen ze zelden de zorg waar ze naar verlangen.

Verzorgers hebben de neiging om te denken dat degenen die door hen worden ondersteund zelf niet competent of genereus zijn als het om geld gaat. Ze denken dat ze hun kinderen, familie of vrienden helpen door hun een lening te verschaffen of door hun rekeningen te betalen. Maar hulp helpt de anderen niet altijd. De ander kan door hulp ook afhankelijk worden, of het nu gaat om het betalen van de huur van een volwassen kind of om een lening aan een broer of zus die nooit iets terugbetaalt maar de volgende keer als er een crisis opdoemt nog meer vraagt. Vanwege hun 'onzelfzuchtige' generositeit en alles wat ze hebben opgegeven hebben Verzorgers soms de neiging om zichzelf als martelaar te beschouwen. Misschien hopen ze hun hulp later te kunnen incasseren bij de geliefden die ze hebben geholpen. Dit quid pro quo kan in extreme gevallen zelfs de vorm aannemen van verbaal of emotioneel misbruik, seksuele eisen of de eis tot financiële vergelding. Hun hulp kan onuitgesproken een gevoel van morele superioriteit en zuiverheid maskeren.

Als je het gevoel hebt dat je te ver gaat in het zorgen, vraag jezelf dan af: Wie help ik hier echt mee? Waarom geef ik mijn tijd en mijn geld eigenlijk en wat verwacht ik precies terug? Behulpzaamheid schept afhankelijkheid die moeilijk te doorbreken is. Je denkt misschien dat je je kinderen, familie en vrienden helpt als je hun geld leent of hun rekeningen betaalt, maar is dat ook echt zo? Als de mensen die je helpt weten dat ze altijd bij jou terecht kunnen als ze in nood zitten, wordt het veel moeilijker voor hen om te leren voor zichzelf te zorgen en een gezond financieel leven te creëren. Denk aan het oude gezegde 'Geef een man vis en hij heeft een dag te eten. Leer hem vissen en hij heeft zijn hele leven te eten'. Op welke manieren conditioneer je de ander met je zorg tot afhankelijkheid, zoals jij bent geconditioneerd tot zorgzaamheid?

Naar mijn ervaring is de grote meerderheid van De Verzorgers vrouwen.

Over het algemeen zijn er veel meer mensen afhankelijk van vrouwen dan van mannen, met name in ontwikkelingslanden, waar een moeder gemiddeld financieel verantwoordelijk is voor een gezin van vijf personen. Ik heb in mijn praktijk een grote verscheidenheid van vrouwelijke zorgzaamheid gezien, zoals vrouwen die toestaan (of zelfs stimuleren) dat volwassen kinderen thuis wonen zonder een bijdrage te betalen voor het huishouden, vrouwen die met weerzin hun echtgenoot ondersteunen die zijn betaalde baan opgeeft om onbezoldigd zijn roeping of droom na te jagen, vrouwen die vrienden van het gezin toestaan om jarenlang voor niets bij hen in te wonen, vrouwen die uit schuldgevoel een huis kopen voor een oude schoolvriendin, vrouwen die meer vrijwilligerswerk voor school of andere instanties doen dan van hen kan worden verwacht, en vrouwen die impulsief grote sommen geld doneren of lenen aan goede doelen of familieleden in nood.

Hoewel Verzorgers vaak vrouwen zijn, kunnen natuurlijk ook mannen deze rol op zich nemen. Mannelijke Verzorgers zijn vaak de enige kostwinner in de familie. Ze dragen niet alleen de financiële lasten, maar hebben ook de machtspositie die de rol van kostwinner met zich meebrengt. Ik heb in mijn vak te vaak mannelijke patriarchen gezien die hun kinderen, en dan met name dochters, decennialang afhankelijk houden. Ik heb ooit gewerkt met de dochter van zo'n Verzorger, een extreem rijke ondernemer die in alle financiële behoeften van zijn kinderen voorzag en zich afvroeg waarom ze zo weinig ambitie toonden. Zijn dochter was zevenenveertig toen ze bij me kwam. Haar vader, die lang daarvoor was gestorven, had haar jongere broer de beschikking gegeven over zijn vermogen toen hij eenentwintig was, maar haar vermogen stond onder beheer zodat ze er na haar vaders dood niet zelf over kon beschikken en haar verzoek om geld moest rechtvaardigen tegenover een beheerder. Ze klaagde bitter: 'Hij heeft nooit geloofd dat ik in staat zou zijn om de verantwoordelijkheid te dragen zonder dat anderen er misbruik van maakten of dat het geld over de balk zou worden gesmeten.'

Soms proberen Verzorgers genoegdoening te krijgen voor iets waarover ze zich schuldig voelen, of dat nu terecht is of niet. Een Verzorger die financieel afhankelijk is van haar echtgenoot kan op haar beurt veel geven aan mensen waarvan ze denkt dat die het minder hebben. Het enige gezinslid dat naar de universiteit mocht, kan zich verplicht voelen om zijn financieel minder gefortuneerde broers en zussen te helpen. Maar pas als we leren om echt voor onszelf te zorgen kunnen we op een waardevolle manier voor anderen zorgen. Pas als we een identiteitsgevoel krijgen dat niet primair afhankelijk

WAARACHTIGHEID

In de Yoga Soetra's betekent *Asteya* waarachtigheid, een diepgaand onderzoek naar de waarheid in elke situatie. Ga naar een plaats waar het heel, heel stil is en je niet wordt afgeleid. Adem diep in en uit, denk na over alle manieren waarop je voor anderen zorgt in de besteding van je tijd en je geld. Kies drie mensen of organisaties die het doel van je zorg zijn en beantwoord voor jezelf de volgende vragen:

1. Wat is de waarheid achter deze situatie?
2. Voel ik me in enig opzicht boos of ondergewaardeerd voor mijn inzet?
3. Wat verwacht ik openlijk of heimelijk terug?
4. Heb ik mezelf in het proces van geven in een onzekere financiële situatie gemanoeuvreerd?
5. Heb ik met mijn generositeit pijnlijke gevoelens of een bepaald zelfbeeld verhuld?

is van onze relaties met anderen, kunnen we andere mensen echt helpen.

Als we te veel van onze eigenwaarde en identiteit ontlenen aan mensen die door ons geholpen worden, negeren we de gevoelens van waardeloosheid of angst die een onvermijdelijk deel van het mens-zijn vormen. We vullen ons leven met veeleisend (en schijnbaar belangrijk) werk om ervoor te zorgen dat ons gezin en degenen van wie we houden het goed hebben en veilig zijn. Maar wat gebeurt er als zij er niet meer zijn, door overlijden of veranderingen in het leven? Het is wezenlijk dat Verzorgers leren om zichzelf minstens zo goed te behandelen als ze anderen behandelen.

De oefeningen in dit hoofdstuk zijn uiterst eenvoudig en kosten weinig tijd. Verzorgers hebben hier meer aan dan aan een week op een cruiseschip in de Caraïben! Zorg voor jezelf en probeer de oefeningen!

Een ander soort zorgen

Jezelf bevrijden van een ongezonde vorm van zorgzaamheid betekent niet dat je een koud en ongevoelig mens moet worden die alleen om zichzelf geeft – dat is wat veel Verzorgers denken en vrezen. Ik vraag je absoluut

NIETS DOEN

Verzorgers zijn zo gewend aan het er zijn voor anderen dat ze nooit tijd voor zichzelf hebben – tijd waarin er geen anderen zijn die hen nodig hebben. Maak er een gewoonte van om elke dag enige tijd te nemen om te genieten van het plezier van je eigen gezelschap, al is het aanvankelijk maar voor vijf minuten. Je kunt een eenzame wandeling maken of een eindje gaan rijden om naar muziek te luisteren. Ben je bij iemand anders thuis of op een feestje, probeer dan eens om niet een van de behulpzame mensen te zijn die de afwas doet, de drankjes inschenkt, opruimt of andere zorgtaken op zich neemt. Sta jezelf toe om een relatie te hebben zonder nodig te zijn. Geef ruimte aan je gevoelens en laat ze toe. Misschien ervaar je angst of eenzaamheid of isolatie of vreugde. Let op je ademhaling, merk op of er angst of vrees bij je opkomt en probeer te ontdekken wat er aan de andere kant van je angst leeft. En als je een goed gevoel hebt, koester dat dan en neem het voor de rest van de dag met je mee.

niet om te stoppen met het zorgen voor de mensen en dingen in je leven die belangrijk voor je zijn. Wat ik voorstel is dat je hen veel effectiever zou kunnen helpen als er meer balans was tussen de zorg voor hen en de zorg voor jezelf.

Een van de eerste dingen die ik Verzorgers vraag is om te erkennen dat ook zij geconditioneerd zijn om zich te gedragen zoals ze zich gedragen, hoe reëel de noodsituatie ook is die hen beweegt. Als Verzorgers terdege beseffen dat ook hun gedrag een product is van conditionering, kunnen ze andere manieren gaan ontdekken om zorgzaamheid te tonen tegenover hun geliefden. Door je eenvoudig een andere reeks van ervaringen in het verleden voor te stellen zijn we in staat om te zien hoe anders onze keuzes hadden kunnen zijn. Wat zou er met je zijn gebeurd als je was opgevoed in een stabiele omgeving waar niemand afhankelijk van je was en je geen last had gehad van schuldgevoelens? Hoe zou je nu zijn als je je destijds meer gewaardeerd had gevoeld? Door een stap terug te doen en jezelf af te vragen 'Hoe ben ik hier gekomen?' wordt het gemakkelijker om je eigen gedragspatronen te veranderen.

Mensen die last hebben van een ongezonde manifestatie van het archetype

HET KAN

Een van mijn cliënten werd op latere leeftijd opeens een welgesteld iemand doordat ze een erfenis ontving. Ze had de neiging om het geld niet als haar eigendom te zien. Toen ze ontdekte dat haar beste vriendin door haar echtgenoot verbaal en fysiek werd mishandeld, nodigde ze haar vriendin met haar jongste kind uit om gratis in een flat te verblijven die ze bezat. Hoewel mijn cliënt het als een tijdelijke oplossing had bedoeld omdat ze afhankelijk was van de verhuur van de flat, maakte haar vriendin geen aanstalten om te vertrekken.

Ik hielp mijn cliënt om een aantal overgangsmaatregelen te treffen. Ze gaf haar vriendin een ruime periode om iets anders te zoeken, vroeg eerst de helft van de huur, daarna de volledige huur na zes maanden. Het moeilijkste was om mijn cliënt te laten inzien hoe genereus ze was geweest door haar vriendin voor een bepaalde tijd onderdak te bieden. Ze moest rekening houden met de mogelijkheid dat ze misschien niet meer nodig was of gewaardeerd zou worden als ze haar financiële steun zou intrekken. Uiteindelijk bleek haar vriendin in staat om zich aan de nieuwe regeling aan te passen, en hoewel het moeilijk was en ze uiteindelijk verhuisde naar een minder dure woning, bleven ze vrienden.

van De Verzorger zitten vast in een negatief patroon aangezien ze voor anderen zorgen zonder voor zichzelf te zorgen. Ze vergeten hun eigen welzijn en financiële zekerheid en richten zich helemaal op dat van anderen. Ze hebben geen gezonde, strak omlijnde grenzen en dat creëert een vicieuze cirkel van afhankelijkheid en wrokgevoelens ('Ze waarderen helemaal niet wat ik voor hen heb gedaan', 'Ze kunnen nog geen dag zonder me', etc.)

De waarheid is dat onze geliefden in staat zijn om te veranderen, maar alleen als ze dat willen en als jij hen helpt om geleidelijk de overgang te maken van afhankelijkheid naar zelfstandigheid. Natuurlijk zijn er soms situaties waar individuen niet de capaciteit hebben om zelfstandig te leven omdat ze gehandicapt zijn of omdat ze bepaalde economische vaardigheden nooit hebben ontwikkeld. Het is belangrijk om goed onderscheid te maken. Vraag als dat nodig is ook anderen om hun mening over deze persoon. Hoe capabel denken zij dat deze mensen in werkelijkheid zijn?

Ook als je een onvrijwillige Verzorger bent – dat wil zeggen als je zorgt

voor mensen die het echt nodig hebben doordat die rol door omstandigheden aan jou is toevertrouwd – kun je hulp zoeken in het ophelderen van de
financiële aspecten van deze relatie. Ik had ooit een cliënt, een lieve oude
man genaamd David, wiens echtgenoot Lila een ongeneselijke ziekte had en
op sterven lag. Hij deed alles om haar fysiek en emotioneel bij te staan. Zij
was jarenlang lerares op school geweest en was twee maanden gepensioneerd
toen ze echt ziek werd en duidelijk werd dat ze niet lang meer te leven had.
Temidden van alle woede en verdriet die deze tragische wending omgaf,
was er begrijpelijkerwijs weinig aandacht voor de vraag hoe David (die geen
pensioen had en zijn eigen baan had opgegeven om voor haar te zorgen) het
financieel zou redden na het overlijden van Lila. Ik bracht dit bij hem onder
de aandacht en moedigde hem aan om haar te vragen wat ze wilde dat er
zou gebeuren met haar pensioen, aangezien ze ook andere erfgenamen had
die eerder als begunstigden waren aangewezen. Ze zei: 'Natuurlijk wil ik dat
jij van mijn pensioen kan leven.' Ik zag dat er letterlijk een last van hem was
afgevallen toen hij me dit kwam vertellen. Het vergde veel moed van David

LIEFDEVOLLE VRIENDELIJKHEID

Liefdevolle vriendelijkheid is een boeddhistische meditatiepraktijk
waarin we worden bemoedigd om mededogen te laten groeien in ons
hart. Eerst richten we het mededogen op onszelf, daarna op ons gezin,
daarna op de mensen in de grotere gemeenschap om ons heen, daarna
op iedereen in ons land (inclusief de mensen die we niet mogen) en
uiteindelijk op elk levend wezen op deze planeet. Liefdevolle vriendelijkheid beoefenen betekent niet dat je iemand alles geeft wat hij
vraagt. Het betekent dat je soms nee moet zeggen. De meest barmhar-
tige daad kan betekenen dat je mensen die van je afhankelijk zijn de
kans geeft om – in verschillende fasen en geleidelijk – onafhankelijk
te worden. Je kunt tegen je kinderen bijvoorbeeld zeggen: 'Ik ga op
jullie rekening op een geregelde basis een vast bedrag zetten dat je
kunt gebruiken, maar je kunt niet meer naar me toe komen voor een
lening als het geld op is.' Jouw geluk maakt deel uit van het welzijn
van anderen. Dat is hoe we liefdevolle vriendelijkheid zouden moeten
definiëren. (Zie hoofdstuk 12 voor een begeleide meditatie in liefdevolle vriendelijkheid).

om Lila te vragen of er voor hem gezorgd zou worden. Haar antwoord stelde hem in staat om de laatste dagen samen door te brengen zonder dat hij gehinderd werd door wrokgevoelens of financiële zorgen.

ZORGEN VOOR DE VERZORGER

De volgende activiteiten vergroten de levensvreugde en het gevoel van financiële zekerheid van jou en van de mensen en doeleinden die je lief zijn:

* **NAUWGEZET ONDERZOEK.** Vraag jezelf:

1. Laat ik mezelf in de steek als ik voor anderen zorg? Hoe? Waarom?
2. Wil ik werkelijk hulp bieden of ben ik uit op macht? Verwacht ik een bepaalde reactie of wil ik hiermee een bepaald zelfbeeld voeden?
3. Zou het kunnen zijn dat ik de afhankelijkheid van degenen die ik help overdrijf?
4. Zijn er andere mensen in nood die ik eigenlijk beter zou kunnen helpen of effectiever?
5. Hoe stel ik me voor dat mijn relatie met deze persoon zal veranderen als ik mijn financiële steun intrek? Als ik niet meer nodig ben, ben ik dan nog steeds welkom of geliefd? Ben ik bereid om daar achter te komen?
6. Maakt mijn benadering degene die afhankelijk van me is werkelijk sterker of bevordert het slechts zijn of haar afhankelijkheid? Heb ik een keuze in deze situatie of niet?
7. Als de mensen die van me afhankelijk zijn in staat zijn tot meer onafhankelijkheid, wat is dan de eerste stap die *ik* moet nemen om de ander te helpen om onafhankelijker te worden?
8. Als de mensen die afhankelijk van me zijn niet in staat zijn tot meer zelfstandigheid, wat zijn dan de mogelijkheden om meer persoonlijke ruimte te creëren zodat er meer balans ontstaat in mijn leven? (Voorbeelden zijn: minder of alleen schriftelijk communiceren, betere grenzen, delen van de last met anderen.)

• **EEN GESPREK HEBBEN.** Een veel voorkomende fout die Verzorgers maken is dat ze denken te weten wat degenen die door hen worden geholpen nodig hebben. Het kan onaangenaam zijn om deze zaken openlijk te bespreken met mensen die jarenlang, of zelfs altijd van je hulp afhankelijk zijn geweest. Of beide partijen nu een ouder en een volwassen kind zijn, twee partners of twee vrienden, er kan schaamte zijn aan beide kanten. Vaak ben je allebei geneigd om de waarheid van de situatie te ontkennen. Toch kan het kritisch tegen 't licht houden van de vooronderstellingen soms leiden tot waardevolle inzichten die je kunnen helpen om oude patronen te breken. Stel degenen die op je hulp vertrouwen de volgende vragen, of als dat te moeilijk is, vraag iemand die meer neutraal is om dit voor je te doen en de antwoorden met je te delen. Hoe moeilijk dit ook lijkt, je zult er geen spijt van hebben als je de antwoorden kent!

1. Wat wil je werkelijk in je leven?
2. Bewijs ik je een dienst?
3. Hoe kan ik er beter voor zorgen dat jij je doelen bereikt?
4. Hoe zou onze relatie eruitzien als ik mijn financiële steun verminderde of terugtrok?

• **ACTIEPLAN.** Probeer het volgende actieplan uit om je te bevrijden van de rol van Verzorger. Zet de beloften aan jezelf op schrift en bewaar ze:

1. Bedenk drie eenvoudige manieren om de zorg voor jezelf tot uitdrukking te brengen voordat je begint met het zorgen voor anderen. Dat kan heel eenvoudig zijn. Je kunt aan het begin van de dag een heerlijk ontbijt maken voor jezelf en eindigen met een warm bad of iets anders doen wat je gezond en gelukkig maakt. Geen van deze dingen hoeven geld te kosten. *Om tot uitdrukking te brengen dat ik goed voor mezelf zorg, ga ik ...., ... en ....*
2. Vraag in een bepaald deel van je leven iemand anders om jou te helpen. Leun eens op een ander voor de verandering. *Ik vraag*

.... *om me te helpen met* ....

3. Experimenteer met het sparen voor je toekomst (streef ernaar om meer dan zesmaal je maandelijkse kosten aan investeringen te bezitten). *Ik beloof deze maand* .... *euro te sparen en* .... *euro in de volgende maand, en* .... *euro in de daaropvolgende maand, wat er bij anderen ook gebeurt.*

4. Koop voor jezelf iets (dat kan ook tijd zijn) wat je werkelijk plezier doet. *Ik ben van plan om voor mezelf* .... *te kopen vóór de volgende datum:* .... *Daarvoor heb ik* .... *euro nodig. Ik probeer dit te krijgen door/van* ....

5. Steek energie in relaties die wederzijds zijn. Vraag mensen wat ze in jou en de relatie waarderen.

6. Op welke manieren heb jij net zo zeer zorg en steun nodig als de mensen en doelen waarvoor je je inzet? Maak een lijst van de dingen waar jij net zoveel recht op hebt als de anderen waarvoor jij altijd klaar staat. Hang deze lijst op op een plaats waar je hem elke dag ziet.

HOOFDSTUK TIEN

DE IMPERIUMBOUWER

'Ik heb een driestappenplan voor een zakenman die zich gevangen
voelt, geen tijd heeft om te leven en lief te hebben en voor zijn geliefden te zorgen. De eerste stap is om terug te keren naar jezelf en
oefeningen te doen om te ontspannen en te genieten in het hier en
nu. Daarna moet je met deze vreugde terugkeren naar je vrouw en
kinderen en ook hen helpen om blij te zijn. Vervolgens kun je als
gezin de derde stap doen en mededogen en begrip brengen naar de
mensen in je branche. Zo hoeven werk en spiritualiteit niet langer
gescheiden te zijn.'

Thich Nhat Hanh

In het chique Santa Monica Hotel zaten drie ondernemers en ik in pluche
loungestoelen, starend naar de oceaan. Het gesprek ging over onze ondernemingen en groeiperspectieven. Een van de mannen, Alan, een gezette zeve-
nendertigjarige uit Sacramento die zijn eigen softwareontwikkelingsbedrijf
had, merkte op: 'Als je me tien jaar geleden had verteld dat ik zou hebben
wat ik nu heb, zou ik je niet hebben geloofd. Ik zou hebben gezegd: "Dan
zou ik dik tevreden zijn. Meer hoef ik niet te verdienen."'
'En hoeveel heb je nu?' informeerde ik.
'Ongeveer vijf,' antwoordden hij, waarmee hij een financiële nettowaarde
van $5 miljoen bedoelde.
Ook de andere zakenmensen vertelden hoe hun zaak ervoor stond en
wat hun perspectieven waren. Een paar minuten later zei Alan weer: 'Als ik
twintig miljoen heb, wat ik graag vóór mijn veertigste zou hebben, dan ben
ik echt klaar.'
Ik lachte. Gebaseerd op de ervaring van mijn cliënten en mijzelf, be-
twijfelde ik of Alan zou stoppen bij twintig miljoen. Hij leek niet te
beseffen dat hij op dit moment hetzelfde deed wat hij tien jaar geleden
had gedaan – een financieel doel formuleren dat hem tevreden zou stellen. Ik kende de vicieuze cirkel maar al te goed. Hij negeerde het feit dat

hij zijn oude streefvermogen had bereikt, maar dat het in zijn innerlijke ervaring geen wezenlijk verschil had gemaakt. Hij was een klassieke Imperiumbouwer.

Laat ik duidelijk zijn – ik gebruik het woord *imperium* slechts om te verwijzen naar zakelijke ondernemingen. Onder dit woord schaar ik alle activiteiten waarmee iemand grote invloed uitoefent op de samenleving of een plaatselijke gemeenschap, waarmee iemand macht heeft over een grote groep mensen of waardoor iemand na zijn dood een erfgoed kan nalaten. De meest gebruikelijke voorbeelden van Imperiumbouwers zijn mensen die een succesvol bedrijf hebben opgebouwd, of dat nu een internationale onderneming is zoals Microsoft of een klein distributiebedrijf waar jij en ik nog nooit van hebben gehoord. Imperiumbouwers kunnen ook kunstenaars of muzikanten zijn met een groot en bekend oeuvre, kunstverzamelaars, sociale activisten, uitvinders, politici of filantropen.

Ik geef je een paar voorbeelden. Ik ken twee vrouwen die kinderboeken schrijven waarmee ze zelfvertrouwen, verbeeldingskracht en hoop willen geven aan hun lezerspubliek, in het ene geval meisjes in de leeftijd van negen tot dertien en in het andere geval kinderen met chronische ziekten zoals leukemie en diabetes. Een andere cliënt is een uitvinder die innovatieve producten voor golfspelers wil patenteren. Weer een andere cliënt is een basisschool begonnen die gericht is op alternatief natuuronderwijs. Hoewel geen van deze cliënten het woord imperium in de mond zou nemen, zijn de visie, innovatie en standvastigheid die vereist zijn om dit erfgoed te creëren gelijk aan die van De Imperiumbouwers die bouwen aan een commerciële onderneming.

Een waarschuwing vooraf: dit archetype kan sterke reacties oproepen bij Idealisten, Onschuldigen en Verzorgers, omdat Imperiumbouwers erg gericht zijn op succes, met name financieel succes, en bovendien erg op zichzelf gericht lijken (en dat vaak ook zijn). Als je een negatieve reactie bij jezelf opmerkt, verzoek ik je om vooral te letten op de positieve aspecten van dit archetype. Het zouden wel eens aspecten kunnen zijn die je ten onrechte verloochent hebt in je leven. Vaak bezit het archetype dat ons tegenstaat juist de kracht die we het meest nodig hebben om ons leven in balans te krijgen en een gevoel van vrijheid te verwerven.

JE BENT WAARSCHIJNLIJK EEN IMPERIUMBOUWER...

* Als je streefvermogen – het vermogen dat naar je eigen inschatting genoeg zou moeten zijn om nooit meer te hoeven werken en van het leven te kunnen gaan genieten – met meer dan de inflatiegroei is toegenomen in de afgelopen vijf jaar. Als je imperium geen bedrijf is, zou er sprake moeten zijn van een aanhoudende schaalvergroting van het artistieke of filantropische erfgoed.
* Als je zaak of carrière meer dan 75 procent van je aandacht opeist zolang je wakker bent.
* Als je nooit geld uit je imperium haalt, of dat nu een bedrijf, een portefeuille of onroerend goed is (met uitzondering van de lopende kosten).
* Als je imperium meer dan 75 procent van je financiële nettowaarde vertegenwoordigt.

Wat De Imperiumbouwer gelooft

De meeste Imperiumbouwers verlangen niet naar grote sommen geld of een indrukwekkende nalatenschap, hoewel ze, zoals Alan, graag over geld praten en er vaak mee bezig zijn. Imperiumbouwers zijn eigenlijk visionairs die menen dat ze pas gelukkig zullen zijn als ze een belangrijke en blijvende bijdrage hebben geleverd aan de wereld. Diep vanbinnen hebben Imperiumbouwers het gevoel dat ze pas iemand zijn als ze hun droom hebben verwezenlijkt. En inderdaad leveren ze vaak belangrijke en blijvende bijdragen aan de samenleving. Bijna al het comfort en gemak dat we vandaag de dag vanzelfsprekend vinden, van medicijnen op voorschrift en veilig vliegverkeer tot computertechnologie en mobiele telefoons, zijn in ons leven gebracht door Imperiumbouwers. Deze innovatieve en onvermoeibare visionairs hebben door de eeuwen heen ook universiteiten en liefdadigheidsinstellingen bekostigd, belangrijke kunstwerken geconserveerd en het leven van talloze mensen gered en verbeterd. Soms streven ze door hun tomeloze ambitie een carrière na in de politiek, waarin ze opnieuw een belangrijke invloed kunnen uitoefenen op de levens van mensen. Door de eeuwen heen zijn er veel

Imperiumbouwers geweest die werden gemotiveerd door een droom voor de wereld. Omdat ze zelf vaak veel ellende hebben doorgemaakt, hebben ze een hart voor de armen en proberen ze de moeilijke levensomstandigheden van anderen te verlichten door filantropie. Voorbeelden zijn mensen zoals baron Andrew Carnegie, die niet alleen een fortuin verdiende, maar het ook gebruikte door overal bibliotheken te laten bouwen die arbeiders een kans gaven op ontwikkeling.

De samenleving kan bijzonder profiteren van de inzet die Imperiumbouwers tonen, die overigens zelf een comfortabel leven leiden. Maar er kunnen, afhankelijk van de reikwijdte van hun dromen, ook enorme persoonlijke kosten verbonden zijn aan het profijt dat de samenleving van hen heeft. Imperiumbouwers zijn vaak workaholics hoewel ze dat niet snel zullen toegeven. Hoe succesvoller hun toekomstdromen zijn, hoe meer hun onevenwichtigheid wordt gerechtvaardigd. In het uiterste geval offeren ze bijna alles op voor hun droom, inclusief huwelijken, familierelaties, zakenpartners en in een aantal recente gevallen zelfs hun eigen normen en waarden.

Ik heb door de jaren heen veel Imperiumbouwers ontmoet die de financiele details van het familievermogen geheim houden voor hun levenspartner om op die manier macht te kunnen uitoefenen in de relatie. Maar het zijn niet alleen huwelijkspartners die de ambities van De Imperiumbouwer kunnen beïnvloeden. Zelfs Andrew Carnegie zou, ondanks al de het goede dat hij met zijn geld deed, zijn werknemers extreem lage salarissen hebben betaald en soms langer hebben laten werken zonder hen daarvoor te betalen.

De Verlangende Geest en De Imperiumbouwer

Meer dan welk ander archetype ook wil De Imperiumbouwer altijd meer. De Verlangende Geest is De Imperiumbouwers volledig de baas. Ze geloven dat het opbouwen van een imperium hen op den duur meer geluk, voldoening, balans en rust zal brengen. Daarom brengen mensen met dit archetype een onevenredig groot deel van hun tijd door met het nadenken over en werken aan de toekomst. Zo wordt hun imperium nog groter en beter en zullen ze nog gelukkiger zijn.

Vraag een willekeurige ondernemer of hij tevreden is met de progressie van zijn concern in het laatste twee jaar en hij begint vrijwel onmiddellijk over wat hij nog niet heeft bereikt, wat er nog moet gebeuren en hoeveel potentieel er nog steeds niet is benut. Dit archetype is een klassiek voorbeeld van de Verlangende Geest in actie. De Imperiumbouwer is op het lege in plaats van het volle deel van het glas gericht. Er is altijd een 'niet genoeg'-probleem dat innovatie, besluitvaardigheid, strategisch denken en inzet van De Imperiumbouwer vraagt. Toch is het oplossen van problemen niet de belangrijkste drijfveer van De Imperiumbouwers. Ze willen vooral iets creëren – iets dat zo innoverend is dat het alle problemen oplost, zowel nu als in de toekomst.

> 'Rijk worden is geen reden om in de zaken te gaan. Het is een bijproduct. Als het de reden is waarom je in de zaken zit, gaan mensen je behandelen als een transactie. De mensen met het beste financiële vooruitzicht weten dat hun geld geleend geld is. Mensen krijgen problemen zodra ze denken dat ze dingen bezitten.'
>
> KEN BLANCHARD,
> ORGANISATIEADVISEUR EN AUTEUR

Het profijt

Er zijn vele voordelen verbonden aan dit archetype. De maatschappij respecteert en verafgoodt Imperiumbouwers, wat ze natuurlijk een goed gevoel geeft. Imperiumbouwers zijn vaak machtige, charismatische leiders die de aandacht opeisen en hun zaak, hun familie en anderen met wie ze in contact staan sterk beïnvloeden. Imperiumbouwers krijgen een kick als ze hun grootse en indrukwekkende doelen hebben bereikt. Hun ego wordt niet alleen gestreeld door hun prestaties, maar ook door de erkenning die ze krijgen.

Maar als je dieper graaft en onder de oppervlakte kijkt, kan blijken dat angst de motor is die deze individuen drijft, ook al erkennen ze dat zelf niet. Het kan de angst zijn om de controle te verliezen, om verlaten te worden, om machteloos of hulpeloos te zijn, om misbruikt te worden of de angst voor financieel verlies. Bijna elke Imperiumbouwer heeft in zijn nabije omgeving gezien wat het betekent om te verliezen of heeft zelf een pijnlijke verlieservaring meegemaakt. Als je ver genoeg teruggaat in het verleden blijken veel Imperiumbouwers uit eigen ervaring te weten hoe het is om je onbelangrijk of waardeloos te voelen, hoe het is om het gevoel te hebben dat je nooit iets groots tot stand zal brengen. Doordat ze over talent en ambitie beschikten waren ze in staat om deze pijnlijke gevoelens te compenseren door een identiteit op te bouwen die de wereld dagelijks toont dat ze waardevol en belangrijk zijn. Ze zien dit als een fenomenale prestatie. Een van mijn cliënten is de dochter van een bijzonder succesvol zakenman. Ze groeide op in invloedrijke en welgestelde kringen. Ze had het gevoel dat ze alleen iets zou bereiken als ze in staat was om zonder haar vaders hulp nog succesvoller te worden dan hij. Zo motiveerde ze zichzelf in de laatste dertig jaar en had een ongelofelijk succes met twee technologieondernemingen. Ze werd rijker (maar niet beroemder) dan haar vader. Toch was ze nog steeds niet tevreden. Ze slikte jarenlang antidepressiva en kon maar niet ontdekken waarom haar rijkdom haar niet verloste van het competitiegevoel dat ze had.

De reden waarom Imperiumbouwers niet tevreden zijn als ze hun doelstelling hebben bereikt, is dat ze niet de juiste behoefte bevredigen. Hoe meer de ambitie van De Imperiumbouwer verborgen gevoelens compenseert – onwaardigheid, schaamte, kwetsbaarheid, angst of eenzaamheid, om maar een paar mogelijkheden te noemen – des te sterker ze het gevoel hebben dat er gevaar op de loer ligt. Als ze de groei en expansie van hun onderneming niet nauwlettend in de gaten houden, zou het wel eens fout kunnen gaan, zo denken ze. Ze gebruiken hun ambitie om hun angst niet direct in de ogen te hoeven kijken. Daardoor hebben Imperiumbouwers voortdurend een onverzadigbare honger naar meer, groter en beter. Dat is waarom het voor dit archetype zo moeilijk is om te stoppen, zelfs als ze hun wel of niet vastgestelde doelen hebben bereikt.

In ons interview benoemde rabbi Harold Kushner dit probleem op de volgende manier. In zijn nuchtere stijl zei hij: 'Als het geld of je werk definieert wie je bent, loop je het gevaar dat je ook "jezelf" verliest als je het geld of je werk verliest of met pensioen gaat.'

Behandel jezelf zoals je je bedrijf behandelt

Hoewel ook creatieve mensen en filantropen tot dit archetype kunnen behoren, zijn Imperiumbouwers toch vooral zakelijke ondernemers. Hoewel de meest succesvolle zakenmensen als het om hun bedrijf gaat financieel heel capabel zijn, ontbreekt het hen ten aanzien van persoonlijke financiën vaak aan onderscheidingsvermogen en zorgvuldigheid. Ze kiezen bijvoorbeeld vaak voor een heel voorzichtige investeringsstrategie omdat ze reserves voor later uit hun eigen bedrijf willen halen.

Imperiumbouwers die hun streefvermogen – de hoeveelheid kapitaal die ze nodig hebben om nooit meer te hoeven werken – zelf proberen uit te vinden, doen dat meestal niet erg professioneel. Een heel goede zakenman zei: 'Ik zou per jaar $250.000 willen besteden, dus heb ik 10 miljoen nodig bij een rente van 2 tot 3 procent, de rente zoals die nu geldt.' Hij vergat dat de leefkosten duurder zullen worden in de dertig of veertig jaar dat hij met pensioen is. Om de eindjes aan elkaar te kunnen knopen zou hij nu meer geld opzij moeten zetten, minder moeten uitgeven en wat agressiever moeten investeren om een hoger rendement te kunnen halen.

Terwijl hij aan zijn imperium bouwde had hij meer dan 95 procent van zijn geld geïnvesteerd in een klein bedrijf – zijn eigen bedrijf. Dat was een uiterst riskante strategie. Hij wist dat hij een wat evenwichtiger strategie nodig had, maar om van zijn huidige hyperriskante investeringsgedrag over te stappen naar een hyperconservatieve investeringsstrategie was ook niet evenwichtig – dat was het andere uiterste.

Het financieel patroon waar Imperiumbouwers zich het best bij thuis voelen is het bouwen, niet het hebben. Als Imperiumbouwers een smak geld ontvangen omdat ze hun bedrijf hebben verkocht, dat een groot deel van hun nettowaarde vertegenwoordigt, kunnen ze in een identiteitscrisis belanden. Hun hele zelfgevoel is gericht op de groei van hun imperium. Daarom kunnen Imperiumbouwers niet stoppen. Ik heb door de jaren heen vele ondernemers gekend die bekende en succesvolle bedrijven hebben opgebouwd, waarmee ze tientallen miljoenen dollars hebben verdiend. Door hun nettowaarde in één bedrijf te concentreren raakten ze alles kwijt toen hun bedrijf of branche geraakt werd door een crisis. Sommige Imperiumbouwers leven zozeer van de uitdaging van het opbouwen van een imperium dat als ze daarin slagen, ze snel de belangstelling verliezen en zichzelf onbewust toestaan om alles wat ze hebben opgebouwd te verliezen, om er verzekerd van te zijn dat ze weer een nieuwe uitdaging hebben.

Imperiumbouwers willen zich vrij en belangrijk voelen. Ze willen een erfgoed nalaten dat de herinnering aan hen levend houdt – waarbij het niet uitmaakt of het imperium een bedrijf is, een belangrijk familiefonds of een kunstverzameling. Hoewel een indrukwekkende nalatenschap prachtig is voor anderen zijn de kosten die het creëren van dit erfgoed met zich meebrengt vaak astronomisch hoog.

De oogkleppen afdoen

Als je een Imperiumbouwer bent, heb je waarschijnlijk veel om trots op te zijn. Maar om te zien of je misschien te vastberaden bent – omdat je te veel vasthoudt aan je trots of op een ongezonde manier op je werk of het geld bent gericht – zul je vanuit een ander perspectief naar je situatie moeten leren kijken. Ik herinner me een cliënt die zijn carrière begon als kasbediende bij een lokale bank en in vrij korte tijd president werd van een belangrijke bank-holding-company in Californië. Twee jaar lang hielp ik hem bij het ontdekken van zijn meest belangrijke aspiraties, waarna hij besloot om zijn baan op te geven zodat hij dichter bij huis en minder dan de gebruikelijke zestig uur per week zou kunnen gaan werken.

DE OOGKLEPPEN AFDOEN

De volgende oefeningen zullen je helpen om je te bevrijden van oude patronen.

• **BEWEGENDE DOELEN.** Denk terug aan een moment, vijf of tien jaar geleden, toen je een financieel of ander ambitieus doel vaststelde voor je toekomstig imperium. Wat was dat doel? Heb je dat doel nu bereikt of overtroffen? Welke van de niet-financiële opbrengsten waar je toen op had gehoopt (zoals meer tijd om te ontspannen en van je gezin te genieten, meer rust in je hoofd of het vermogen om vrijgeviger te zijn met je geld) heb je met het bereiken van dat doel gerealiseerd? Welk van de positieve resultaten waar je op had gehoopt zijn uitgebleven? Wat is je huidige doel? Hoe zeker ben je ervan dat je de niet-financiële opbrengsten zal realiseren als je je nieuwe doel hebt bereikt?

☐ Heel zeker
☐ Behoorlijk zeker
☐ Weet ik niet
☐ Behoorlijk onzeker
☐ Heel onzeker

- **WAT ALS.** Stel je voor dat je je meest verheven, omvangrijke en visionaire doelen hebt bereikt. Je hebt alles wat je ooit hebt gedroomd en het imperium is niet langer jouw verantwoordelijkheid. (Als het een bedrijf is, is het verkocht; als het iets anders was, ben je ermee opgehouden om het nog verder uit te breiden.) Hoe breng je de week erna door, om te beginnen morgenochtend? Concentreer je op dat wat je blij maakt en een gevoel van voldoening geeft, zoals iets waar je met hart en ziel naar verlangt of dat je voordat je dood bent een keer gedaan wilt hebben.

- **WAAR BEN JE HET MEEST BANG VOOR?** Noteer één of liefst meerdere ervaringen uit je verleden die traumatisch waren of indruk hebben gemaakt en een bepaalde relatie hebben met je motivatie om een Imperiumbouwer te zijn. Een van mijn cliënten had een vader die een beroemd architect was. Mensen maakten lange reizen om zijn gebouwen te zien. Mijn cliënt herinnerde zich levendig het gevoel dat hij niet bij grote openingen en feestjes aanwezig mocht zijn waar zijn vader werd geëerd. Als volwassene werkt hij nu heel hard om zijn reputatie als scenarioschrijver op te bouwen, en hoewel hij zowel financieel als artistiek succes heeft en zelfs heeft onderzocht of hij zijn eigen onafhankelijke filmbedrijf zou kunnen beginnen, bleef hij het gevoel houden dat hij in de schaduw van zijn vader leefde.
Vraag je af tegen welke emoties je jezelf probeert te beschermen door een imperium te bouwen. Een methode om bij je onbewuste emoties te komen is om bij de schriftelijke beantwoording van de volgende vragen van schrijfhand te wisselen en te doen alsof je een traumatische ervaring uit het verleden opnieuw doormaakt. Als je met je rechterhand schrijft, gebruik je nu links en als je gewoonlijk met links schrijft, gebruik je de rechterhand om zo dicht mogelijk bij het kind in je te komen. Maak je geen zorgen over je handschrift of de snelheid waarmee je de woorden opschrijft. Deze weinig gebruikte hand zal van nature wat langzamer en onhandiger zijn, maar juist door deze hand te gebruiken komen er gevoelens en herinneringen los waar je je niet van bewust was.

Hier zijn de vragen met voorbeelden van antwoorden:

1. Wat wil je worden als je groot bent?
   Ik wil rijk en beroemd worden.
2. Waarom? Hoe voel je je dan?
   Veilig.
3. Heb je je ooit het tegendeel gevoeld van wat je zojuist hebt opgeschreven? Verplaats jezelf in dat moment en beschrijf het.
   Ik zit in mijn kamer op Oak Avenue en mijn vader en moeder hebben ruzie. Vader heeft zojuist zijn baan verloren.
4. Waar ben je bang voor?
   Ik ben bang dat hij ons gaat verlaten.

Kijk goed naar elk scenario, welke gebeurtenissen er ook bij je opkomen. Stel je voor dat deze gebeurtenissen vandaag weer zouden plaatsvinden. Wat zou je dan nu voelen? Hoe zou je op dit moment reageren? Door verschillende uitkomsten te visualiseren kun je op een krachtige manier de wonden uit het verleden genezen.

- **WEES VRIJ.** Experimenteer en leef een dag (of als dat mogelijk is een week of een maand) alsof je je doel al hebt bereikt. Doe wat er voor nodig is om van de dingen in je leven af te komen die niet meer bestaan als je je doel hebt bereikt (bijvoorbeeld zakelijke interrupties, een volle agenda, aan de zaak denken terwijl je met iets anders bezig bent). Wat zou er werkelijk anders zijn als je je imperium hebt gerealiseerd? Kun je tijdens dit experiment stoppen met verlangen? Zo niet, hoe zou je dit verlangen dan in de toekomst kunnen stoppen? Als je de neiging hebt om jezelf wijs te maken dat alles anders zal zijn als X heeft plaatsgevonden, is het goed om dat te onderzoeken voordat je daar al je energie en tijd in steekt. Zoals de boeddhisten zeggen: er is daar geen 'daar'. Vraag jezelf: 'Wat is de beste manier waarop ik me kan voorbereiden op een ontspannen leven waarin ik tevreden ben in het hier en nu?'

- **OPEN EEN 'LEVENSLANG GENOEG'-REKENING.** Dit is een idee van mijn zakenpartner, Spencer Sherman. Hij creëerde een methode om rijke cliënten te helpen die steeds meer willen en die cyclus willen doorbreken. De meeste mensen hebben een goed opgeleide financiële planner nodig voor deze berekening. Een gedetailleerde uitleg van hoe je dit moet doen valt buiten het bereik van dit boek. Kort gezegd komt het hierop neer. Onze financiële planners berekenen vanuit een aantal conservatieve maar realistische schattingen hoeveel vermogen een bepaalde cliënt nodig heeft om zijn of haar levensstandaard tot honderdjarige leeftijd te kunnen financieren. Ze verrekenen daarin ook de groeiende kosten van medische zorg, de opleiding van de kinderen en alle toekomstige leefkosten voor de cliënt en zijn geliefden. Ze gaan uit van een conservatief rendement voor al het vermogen, inclusief onroerend goed, eigen bedrijven, aandelen, obligaties en contanten. Ze maken gebruik van cijfers die enkele percentages onder de reële rendementen van de laatste dertig jaar liggen. Als duidelijk is hoeveel kapitaal er nodig is om de gekozen levensstandaard van de cliënt zijn hele leven te continueren, plaatsen we de activa die zijn behoeften moeten financieren op een zogenaamde levenslang-genoeg-rekening. Als de cliënt een Imperiumbouwer is die trekjes heeft van het archetype van de Bewaker (mensen die uitspraken doen zoals 'Maar je weet nooit wat er kan gebeuren' of zich nu al richten op de volgende economische crisis), zou je voor zijn gemoedsrust dit levenslang-genoeg-potje met 50 procent kunnen verhogen of kunnen laten zien dat hij zelfs genoeg overhoudt als de crisis van de jaren dertig zich herhaalt.

- **ZET AUTOMATISCH WAT GELD OPZIJ VOOR UITGAVEN EN DONATIES.** Of je nu wel of niet over substantiële activa beschikt die je op een levenslang-genoeg-rekening kunt plaatsen, als Imperiumbouwer moet je in elk geval ook geld besteden voor je eigen plezier of dat van anderen.. Als je genoeg hebt om een levenslang-genoeg-potje te creëren, plaats dan het overschot van de activa op een geniet-van-het-leven-rekening. Dit geld mag alleen worden gebruikt om je plezier in het leven te vergroten, wat dat ook voor jou betekent.

Sommige Imperiumbouwers worden zo opgeslokt door het verdienen van geld voor zichzelf dat ze het contact met de buitenwereld zijn kwijtgeraakt. Ze moeten weer verbinding zien te maken met hun mededogen voor anderen of weer leren genieten van het leven en relaties. De heb-het-leven-lief-rekening is bedoeld voor deze doeleinden. Sommige mensen gebruiken haar misschien alleen om het tweede huis te kopen waar ze van dromen, om naar werelddelen te reizen die ze altijd hebben willen zien, om hun meest geliefde goede doelen te ondersteunen of om familieleden te helpen met een opleiding of het opstarten van een eigen bedrijf.

JE FINANCIËLE ARCHETYPE VINDEN

Nu je de verschillende financiële archetypen hebt doorgenomen, heb je waarschijnlijk een aardig beeld van welk van deze archetypen in jouw leven domineert. Doe de volgende multiplechoicetest om je intuïties te checken. Het kan zijn dat je meer dan één antwoord wilt aankruisen. Kies in dat geval maximaal drie antwoorden per vraag. Op mijn website vind je een onlineversie van de test die automatisch berekent welk financieel archetype je bent (www.BrentKessel.com).

VRAGEN   ARCHETYPE

1. Het belangrijkste waar geld me toe in staat stelt (zou stellen) is:

☐ dat ik me geen zorgen meer hoef te maken   Bewaker
☐ dat ik me dingen en ervaringen kan veroorloven
   die ik leuk vind   Plezierzoeker
☐ de vrijheid om mijn ambities na te streven
   (bijvoorbeeld creatieve, spirituele, politieke,
   filantropische)   Idealist
☐ een toenemend gevoel van zekerheid en comfort   Spaarder
☐ dat ik me belangrijk en erkend voel door
   mijn familie, vrienden en de maatschappij   Ster
☐ het geloof dat alles dan vanzelf goed komt   Onschuldige
☐ om voor anderen te zorgen, soms ten koste
   van mezelf   Verzorger
☐ tijd en geld aan iets te besteden wat een blijvende
   invloed heeft (bijvoorbeeld mijn bedrijf)   Imperiumbouwer

2. Als het om geld gaat ben ik in het uiterste geval:

☐ verward en heb de neiging mijn kop
   in het zand te steken   Onschuldige

☐ vrijgevig, waarbij ik mezelf nog wel eens vergeet   Verzorger
☐ impulsief en op zoek naar plezier   Plezierzoeker
☐ zuinig en gedisciplineerd   Spaarder
☐ meestal bezorgd en angstig   Bewaker
☐ wantrouwig   Idealist
☐ meestal ambitieus   Imperiumbouwer
☐ op zoek naar aandacht en complimenten   Ster

3. In de laatste vijf jaar is mijn financiële nettowaarde:

☐ gegroeid, voornamelijk door goede spaar-
en investeringsgewoonten   Spaarder
☐ gedaald, vooral door gebrek aan aandacht of door
giften aan familie of vrienden   Onschuldige, Verzorger
☐ gegroeid, vooral door promotie, bonussen,
aandelen of waardestijging van mijn huis,
bedrijf of investeringen   Imperiumbouwer, Ster
☐ afgenomen, voornamelijk doordat
ik te veel heb uitgegeven   Plezierzoeker, Ster
☐ toegenomen, maar ik voel me nog steeds nerveus   Bewaker
☐ Ik heb er geen idee van of meen dat dit
niet belangrijk is   Onschuldige, Idealist

4. Welke van de volgende 'regels' volg jij in je leven?

☐ Je kunt het niet met je meenemen,
dus kun je er maar beter van genieten   Plezierzoeker,
Ster, Onschuldige

☐ Het is beter om te geven dan om te
ontvangen   Verzorger, Idealist
☐ Een gespaard dubbeltje is een
verdiend dubbeltje   Spaarder, Imperiumbouwer
☐ Het bedrijfsleven en de overheid moet   Idealist,
je wantrouwen   Imperiumbouwer

☐ Als je niet waakzaam bent,
kan het zomaar onder je handen afbreken　　　　Bewaker

5. Wat was het meest op mij van toepassing in de afgelopen drie jaar?

☐ Ik ben financieel afhankelijk van anderen
(via creditcard en andere schulden)　　　Plezierzoeker, Idealist,
Ster, Onschuldige

☐ Anderen zijn financieel afhankelijk van me
geweest (onder andere werknemers)　　　　Verzorger, Ster,
Imperiumbouwer

☐ Ik ben van niemand afhankelijk　　　　Bewaker, Spaarder

6. Bezittingen die ik (financieel) kan laten zien zijn:

☐ allerlei 'dingen' die ik door de jaren heen
heb gekocht　　　　　　　　　　　Plezierzoeker

☐ Ik heb geen investeringen
(behalve misschien een huis)　　　　　Onschuldige

☐ eigendom in een eigen zaak of
onroerend goed　　　　　　　　　Imperiumbouwer

☐ maatschappelijk verantwoorde aandelen,
verzamelingen of mijn creatieve of academische werk　　Idealist

☐ een mooi huis, mooie auto's, een restaurant
of winkel, wijn, sieraden of kunst　　　　　Ster

☐ ouders, volwassen kinderen, goede doelen of vrienden
die het niet zonder mij zouden hebben gered　　Verzorger

☐ voornamelijk investeringen van mijn inkomen
zoals een spaarrekening, termijndeposito's,
obligaties of staatsobligaties.　　　　　Bewaker

Plaats nu voor elk vakje dat je hebt aangekruist een streepje bij het archetype dat correspondeert met je antwoord. Bijvoorbeeld: als je bij vraag 4 het eerste antwoord hebt geselecteerd, zet je een streepje bij Plezierzoeker, bij Ster en bij Onschuldige. Als je het laatste antwoord hebt geselecteerd zet je een streepje bij Bewaker.

.... Bewaker   .... Plezierzoeker

.... Idealist   .... Spaarder

.... Onschuldige   .... Ster

.... Imperiumbouwer   .... Verzorger

Tel nu de streepjes op die je bij elk archetype hebt gezet en maakt een top drie van de meest dominante archetypen.

1..

2..

3..

DEEL 3

IN DE WERELD EN
VAN DE WERELD

HOOFDSTUK ELF

DE MIDDENWEG MET GELD

'Voor de Boeddha ligt de essentie in het vrij zijn van verlangen en niet in onze uiterlijke omstandigheden. Je kunt in een grot leven die vol verlangen is of leven op een plek die vrij is van verlangen. Er zijn geen inherente bezwaren tegen rijkdom. Belangrijker is iemands relatie met geld. Natuurlijk is afzien van wereldlijke bezittingen voor monniken een deel van hun weg; maar voor leken die in de wereld leven, is het vooral kunst om een vaardige geest te ontwikkelen in de omstandigheden waarin ze zich bevinden.'

Joseph Goldstein, medeoprichter
van Insight Meditation Society

Ik liet eerder zien hoe onze kernverhalen met betrekking tot geld kunnen leiden tot onevenwichtigheid, een gevoel van beklemming en zelfs bepaalde financiële omstandigheden in ons leven. Als we gevangen zitten in extreme gedachten, opvattingen en conditioneringen, investeren we onbewust in financieel misnoegen. In de voorgaande hoofdstukken hebben we de acht financiële archetypen onderzocht om zo een structuur te verschaffen die ons in staat stelt om onze opvattingen over geld beter te doorzien. We kunnen natuurlijk nooit helemaal ontsnappen aan de invloed van onze kernverhalen. Dat is ook niet wenselijk.

Hoe gaan we om met dit belangrijke aspect van ons leven als mensen zulke verschillende relaties hebben met geld – gezonde en minder gezonde relaties? Het antwoord is de Middenweg. Deze filosofie wortelt in het onderricht van de Boeddha. De Middenweg leert dat het pad naar ware vrijheid noch in genotzucht, noch in strenge ascese ligt. In de tweede eeuw na Christus schreef de Indiaanse filosoof Nagarjuna een gerespecteerde verhandeling over deze eenvoudige maar ook diepgaande methode. Daarom staat hij bekend als de meester van de Middenweg. Nagarjuna zette dit concept in een van zijn teksten uiteen door te stellen dat er twee legitieme menselijke doelen zijn. De Dalai Lama legt Nagarjuna's leer uit in *The Art of Happiness*

> 'De kracht van een man ligt in de extremiteit van de tegendelen die hij kan vasthouden.'
>
> ROBERT FROST

at Work: 'Het ene doel is materiële vervulling. De weg daarheen is het creëren van rijkdom, wat vandaag de dag neerkomt op het vergaren van zo veel mogelijk dollars. Het tweede doel is het verwerven van vrijheid. De weg daarheen is de spirituele beoefening.'

Het goede nieuws voor mensen die 'gezond rijk' willen worden is dat deze doelen – het nastreven van materiële voorspoed en het streven naar bevrijding door spirituele praxis – elkaar zeker niet uitsluiten. Geen van de spirituele leraren die ik heb geïnterviewd voor dit boek beweerde dat geld een obstakel vormt voor spirituele groei, of zij dat nu definieerden als naar de hemel gaan of verlicht worden. Ze zagen niet het geld, maar de gehechtheid aan geld als het grote obstakel.

Iemand die de Middenweg bewandelt wordt beïnvloed door de positieve aspecten van alle archetypen. Als we de Middenweg kiezen, nodigt De Plezierzoeker ons uit om te ontspannen en van het leven te genieten, terwijl De Bewaker ervoor zorgt dat we niet op een onverantwoordelijke manier ons geld uitgeven. De Verzorger heeft medelijden met onze vriendin en laat ons de boodschappen doen voor haar gezin, en De Spaarder zorgt ervoor dat we ondertussen onze eigen financiële zelfstandigheid niet verkwanselen. De Ster organiseert een geweldig feest voor liefdadigheidsdoelen, waarbij De Onschuldige met zijn optimisme aanstekelijk werkt. En ten slotte werkt De Imperiumbouwer in ons aan zijn grootste visioen, terwijl De Idealist ervoor zorgt dat onze inspanningen ook ten goede komen aan de mensheid en de samenleving als geheel.

JE DOMINANTE ARCHETYPEN

Wat denk je dat jouw dominante archetypen zijn? Gebruik de resultaten van de test die je zojuist hebt gedaan en het volgende overzicht en denk na over de rol die elk van de archetypen in jouw huidige leven speelt. Druk het resultaat uit als een percentage van je persoonlijkheid.

ARCHETYPE	FINANCIËLE FOCUS	PERCENTAGE
Bewaker	is altijd alert en voorzichtig.	....
Plezierzoeker	geeft de voorkeur aan plezier maken in het hier en nu.	....
Idealist	hecht vooral waarde aan creativiteit, mededogen, sociale gerechtigheid of spirituele groei.	....
Spaarder	streeft naar zekerheid en overvloed door een zo groot mogelijk financieel vermogen te verzamelen.	....
Ster	spendeert, investeert en doneert om te worden erkend, zich hip te voelen en zijn of haar gevoel van eigenwaarde te vergroten.	....
Onschuldige	vermijdt geld en hoopt dat alles vanzelf op zijn pootjes terechtkomt.	....
Verzorger	geeft en leent geld aan anderen uit mededogen en generositeit.	....
Imperiumbouwer	streeft naar macht en wil iets te creëren wat blijvende waarde heeft en vernieuwend is.	....

Jouw dominante archetypen

In de volgende figuur worden de acht archetypen getypeerd met twee woorden die de kerntalenten van dit archetype aangeven. In deze figuur zijn alle archetypen gelijk verdeeld. Natuurlijk bestaat deze uiterst evenwichtige persoon alleen in theorie, maar het is wel interessant om je eigen percentages op zo'n manier in beeld te brengen en met deze figuur te vergelijken.

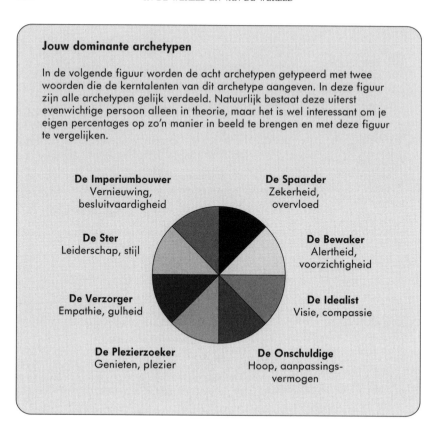

De Imperiumbouwer
Vernieuwing,
besluitvaardigheid

De Spaarder
Zekerheid,
overvloed

De Ster
Leiderschap, stijl

De Bewaker
Alertheid,
voorzichtigheid

De Verzorger
Empathie, gulheid

De Idealist
Visie, compassie

De Plezierzoeker
Genieten, plezier

De Onschuldige
Hoop, aanpassings-
vermogen

Denk meer na

De meesten van ons zitten het grootste deel van hun leven gevangen in een of misschien twee archetypen. We blijven daaraan vastzitten omdat we geen kritische vragen stellen bij het kernverhaal dat ons archetype ons vertelt over de wijze waarop we als mens overleven en gelukkig worden. Onze kernverhalen zijn steevast gericht op geld of voorwerpen buiten ons: De Spaarder wil meer sparen; De Plezierzoeker wil leuke dingen kopen; De Verzorger wil anderen helpen. Als we ons ongelukkig voelen in onze situatie, hebben we de neiging om ons te richten op de symptomen en niet op de oorzaak van ons kernverhaal: 'Mijn baas is te veeleisend', 'Mijn auto kan kapot gaan', 'Mijn echtgenoot gooit het geld over de balk'.

Het is moeilijk om je te richten op je innerlijk in een wereld vol aanlokkelijke impulsen van buitenaf. Maar we hoeven 'onze hersens niet uit te schakelen' om ons naar binnen te keren. Integendeel.

In de zomer van 2006 gaf de Dalai Lama tijdens een reis door Noord-Amerika een toespraak in het Gibson Amphitheater in de Universal Studios in Hollywood. Hoe ironisch, dacht ik, om een van de grootste levende heiligen te bezoeken op een plaats die het epicentrum vormt van commercie en marketing. Dat gevoel werd nog sterker toen ik op de parkeerplaats zag hoe de nieuwste pickuptrucks en SUV's zich verdrongen om een plekje te kunnen vinden. Iedereen was erop gebrand om Zijne Heiligheids toespraak 'Mededogen: de bron van geluk' te horen. Maar, zo dacht ik bij mezelf, de meesten van ons lieten de kans liggen om dat mededogen in de praktijk te oefenen op een parkeerplaats.

Terwijl de lange rij auto's zich langzaam voortbewoog over de voetgangersbrug naar het veiligheidscontrolescherm buiten het amfitheater, stapte er beneden uit de achterdeur een enorme groene gestalte met grote ogen en uitstekende oren. Tientallen mensen om me heen begonnen op en neer te springen, wuivend en roepend: 'Shrek! Shrek!' Plichtmatig draaide hij zich om en zwaaide terug.

Tijdens de discussie die op de toespraak volgde, vroeg ik de Dalai Lama of hij voor Amerikanen – zowel rijk als arm – een methode wist om gelukkig te zijn. De bebrilde wijze, die sereen in een kleurig gewaad voor een massa van duizenden mensen zat, leunde voorover en trok zijn wenkbrauwen op. Met zijn norse, maar vriendelijke stem antwoordde hij: 'Richt je blik naar binnen als er te veel stress is en te veel zorgen zijn! Lees meer. Denk na. Het antwoord proberen te vinden buiten jezelf is nutteloos! Denk meer na.'

'Als je strategie gewoon een idee is dat zich boven een afgrond van emotionele afhankelijkheid bevindt, dan zal ze uiteindelijk niet bevredigen. Daarom moeten we uiteindelijk terug naar dat gat, die leegte, het feit dat niets ons kan bevredigen. Als je gedesillusioneerd genoeg bent na alles dat je hebt geprobeerd om die afgrond te vermijden, is er een bereidheid om de confrontatie aan te gaan met wat je eerder vermeed en te erkennen dat het geen zin heeft om hiervoor in de ene of de andere richting te vluchten.

GANGAJI, MEDITATIELERAAR

Om Zijne Heiligheid te citeren: om in je eenzijdige bestaan de Middenweg te vinden moet je meer nadenken. Je hebt je waarschijnlijk voorgenomen om minder uit te geven, meer te sparen, beter te eten, je rekeningen op tijd te betalen of uit de schulden te komen. Ik vermoed dat je je meestal niet aan deze voornemens hebt kunnen houden. Dat komt omdat onze goede voornemens een product zijn van de bewuste geest, terwijl de meeste kracht in het onbewuste schuilt. De Middenweg leert niet dat we ons onbewuste kernverhaal achter ons moeten laten of het met wilskracht moeten proberen te overwinnen. Want elke keer als we ons kernverhaal met geweld opzij schuiven, zoekt het nieuwe wegen om zich te manifesteren en ons vast te houden in het spoor dat we willen verlaten. Nee, als je de Middenweg wilt bewandelen, moet je beide kanten van het zelf de ruimte geven: zowel het egocentrische onbewuste als de wijze volwassenheid die in ons leeft en prioriteiten stelt en visioenen heeft. Toegepast op onze omgang met geld is de Middenweg een uitdagende maar bijzonder krachtige methode waarbij we zowel naar ons onbewuste kernverhaal luisteren als naar onze bewuste wijsheid.

Een vier jaar oud kind regelt ons financiële leven

Zoals ik eerder heb gezegd werd het onbewuste kernverhaal vrij vroeg in ons leven gevormd als een overlevingsstrategie om pijn te vermijden. Dankzij ons kernverhaal konden we niettemin hopen op geluk. Veel psychologen hebben gesuggereerd dat onze onbewuste identiteit op vierjarige leeftijd volledig is gevormd. Dit product uit onze kindertijd heeft 90 procent van de macht in handen bij al onze volwassen beslissingen. In een uitleg van dit fenomeen vergelijkt de spirituele leraar Jeru Kabbal onze geest met een ijsberg. In zijn boek *Finding clarity* zegt hij:

> Een ijsberg bevindt zich voor negen tiende onder het wateroppervlak, terwijl we slechts één tiende boven het water uit zien steken. Als we dit vergelijken met de menselijke geest zouden we kunnen zeggen dat de negen tiende onder het oppervlak ons onbewuste is en dat het deel dat boven het oppervlak uitkomt onze bewuste geest is. ... Stel je voor dat onze 'ijsberg' ergens bij de Noord-Atlantische oceaan ligt. Het deel dat onder water is overweegt om op vakantie te gaan naar de Noordpool. Tegelijkertijd denkt het deel dat boven het water uitsteekt erover om naar Sicilië te gaan. Waar denk je dat

de ijsberg uiteindelijk zijn vakantie zal vieren? Natuurlijk naar de plek waar het grootste deel naartoe wil – het onbekende deel, het onzichtbare deel. Dat heeft immers de meeste kracht.

Maar hoe ontdek je iets wat onzichtbaar is? De eerste stap die we moeten zetten is om, zo eerlijk mogelijk en met alle moed die in ons is, onder ogen te zien wie nu werkelijk onze geldzaken regelt. Daarvoor moeten we wat dieper graven en zien hoe ons onbewuste werkt.

LAAT HET KIND IN JE SPREKEN

Hoe denkt het kind in ons over geld? Nee, niet de volwassene. Niet het onaantastbare, spirituele, evenwichtige of volwassen deel van ons, maar de kleine jongen of het kleine meisje in ons dat driftig wordt als de dingen anders gaan dan hij of zij wil. Wat je dominante archetype ook is, realiseer je dat elk kernverhaal meer wil. Geen Imperiumbouwer vindt zijn of haar bedrijf of nalatenschap groot genoeg. Geen Plezierzoeker denkt dat hij of zij genoeg plezier heeft. Geen Spaarder heeft genoeg gespaard. Verplaats je een moment in het meest genotzuchtige, in zichzelf gekeerde en primitieve deel van je persoonlijkheid. Beantwoord de volgende vragen over geld en gebruik daarbij de taal van een vier jaar oud kind. Censureer je woorden niet.

1. Ik zal me veilig voelen als ....
2. Als ik .... zou hebben dan was ik gelukkig.
3. Wat ik meer dan al het andere wil is ....

Een van mijn cliënten, Sally, beantwoordde de eerste vraag met 'Ik zal me veilig voelen als ik uit de schulden ben'. Sally is een uiterst succesvolle, veelgezochte publicrelationsprofessional die veel heeft geleend van investeerders om haar bedrijf te starten.

Ik antwoordde: 'Weet het kind in je, dat vier jaar oud is, wat schuld is?'

Ze antwoordde: 'Nee, ik denk het niet.'

'Probeer het nog eens. Je kinderlijke vier jaar oude zelf voelt zich veilig als...'

'Als er iemand anders is die financieel voor me zorgt.'

Ze bloosde. Sally is een onafhankelijke vrouw en staat aan het hoofd van haar eigen bedrijf. Zichzelf horen zeggen dat ze financieel afhankelijk wilde zijn deed haar huiveren.

'Ik zie dat het moeilijk voor je is om dat toe te geven. Maar even iets anders. Dat was een ongelofelijk eerlijk antwoord. Laten we naar de tweede vraag gaan,' zei ik.

Sally las de vraag, dacht na en zei: 'Als ik niet voor geld zou hoeven werken, dan zou ik gelukkig zijn.'

'Wat zou je doen met je tijd als je niet zou hoeven werken voor je geld?'

'Ik zou verre reizen maken. Ik heb altijd andere culturen willen ontdekken, maar had er nooit het geld voor.'

'Goed. En nu nummer drie.'

'Wat ik meer dan al het andere wil is zorgeloos zijn!'

'Prachtig!' antwoordde ik.

Terwijl je deze oefening doet, moet je het kind in je laten overdrijven. Je vier jaar oude zelf heeft heel duidelijke ideeën over wat hem of haar veilig en gelukkig maakt en wat niet. Censureer je gedachten of woorden niet! De meesten van ons proberen hun hele leven om hun primaire behoeften en verlangens te beheersen in plaats van ernaar te luisteren. Ik vraag je in deze oefening om het andere uiterste te doen. Probeer zo nauwkeurig mogelijk te verwoorden wat het kind in je wil. Overdrijf, blaas het buiten alle proporties op, geef het kind de kans om zich zo extreem mogelijk uit te drukken. Wat wil dat vierjarige genotzuchtige kind in je om zich veilig, zeker en gelukkig te voelen? Deze oefening kost moed omdat dit niet de manier is waarop we onszelf graag zien. Maar door onder ogen te zien wie er eigenlijk de baas is, hebben we een buitengewone kans om werkelijk 'na te denken' over wat ons leven beïnvloedt.

....

....

....

....
....
....

Onlangs stelde ik deze vraag aan een zakelijke kennis van me die het meest op een Imperiumbouwer lijkt. James is een genie op softwaregebied. Zijn producten vormen de hoeksteen van een twintig jaar oud bedrijf dat erg succesvol is. Na enige bemoediging was dit het antwoord dat hij gaf:
'Ik wil genoeg geld hebben om mezelf financieel te kunnen indekken. De aandelenmarkt kan in elkaar zakken. De huizenmarkt kan inzakken. Maar het raakt me niet. Ik zit lekker ergens op het strand. Ik wil het beste, het snelste, het sterkste bedrijf in mijn branche hebben. Smakken geld verdienen zodat niets me kan raken. Ik wil me veilig voelen zelfs als de wereld om me heen in elkaar stort.'

Je geldmasker

Als je bovenstaande oefening echt ter harte hebt genomen, stel ik me voor dat je je nu een beetje beschaamd voelt. De meesten van ons willen het kind in zichzelf niet zien. En we willen het zeker niet aan de rest van de wereld tonen.

De volgende stap op onze reis naar de Middenweg is dat we dit jonge en kwetsbare deel van onszelf gaan onderzoeken. Daarnaast kijken we hoe je door de wereld wilt worden gezien – dat noem ik je 'geldmasker'. Zoals we in hoofdstuk 7 zagen, hebben we allemaal een shtick, een imago dat we willen uitstralen.

Een vriendin van me, die ik Anna zal noemen, leefde van heel

'Er is een groot deel van je dat alles doet om te overleven. Dat zul je nooit kunnen elimineren – je moet eenvoudig in staat zijn om te begrijpen dat het je wil helpen overleven naar een volgende generatie. Maar je hebt ook een onsterfelijke ziel, die over meer vrijheid beschikt dan dat. En dus zou ik zeggen dat geld het ultieme fysieke schild is geworden.'

DAVID WHYTE

weinig. Ze kreeg alleen de royalty's van een scenario dat ze jaren daarvoor had verkocht en daarnaast een arbeidsongeschiktheidsuitkering. Die uitkering werd haar toegekend omdat ze een chronisch vermoedheidsyndroom had ontwikkeld in de tijd dat ze als accountant werkte. Haar vrienden hadden stuk voor stuk goed betaalde banen, genoeg geld om uit te geven en mooie auto's. Als ze met hen naar een chique restaurant ging, deed ze alsof ze al gegeten had en bestelde een klein toetje om geld te besparen. Anna's shtick was dat ze net als zij wilde overkomen. Ze gedroeg zich als een getalenteerde professional die even zonder werk zat. Haar vier jaar oude zelf was bang dat haar vrienden haar ware financiële toestand zagen, die sterk was verslechterd. Pas nadat ze door lichamelijke uitputting bijna een inzinking had gekregen begon ze eerlijk te kijken naar haar kernverhaal en naar de eisen die dit verhaal stelde aan veiligheid en geluk.

Als we op een geconditioneerde manier reageren op ons kernverhaal versterken we dat verhaal alleen maar. Mijn eigen kernverhaal is dat het leven onvoorspelbaar is en dat geld me de zekerheid en de vrijheid geeft om al mijn behoeften te vervullen. Elke keer als ik dat kernverhaal verfraai door een beetje meer te sparen of mijn bedrijf verder uit te bouwen, vertel ik mezelf eigenlijk dat ik zonder die uiterlijke handeling niet genoeg heb. Hetzelfde mechanisme vindt plaats als De Plezierzoeker geld uitgeeft, De Verzorger voor anderen zorgt en De Onschuldige zijn kop in het zand steekt. Deze routinehandelingen stellen ons in staat om de kwetsbaarheid te verhullen waar ons kernverhaal ons tegen wil beschermen. Pas als we die kwetsbaarheid recht in de ogen kijken, realiseren we ons dat het niet zo eng is als dat vier jaar oude kind in ons denkt. Door goed te kijken ontwikkelen we flexibiliteit en krijgen we meer keuzes.

Je aangeboren financiële wijsheid

Ook jij beschikt over een aangeboren wijsheid ten aanzien van geld, wie je ook bent en wat ook je persoonlijke financiële situatie ook is. Die aangeboren wijsheid is diepzinnig en uniek. Het is niet je geldmasker, dat om waardering van buitenaf vraagt. Het is ook niet je geconditioneerde kernverhaal, het vierjarig kind in je. Het is het financiële leven dat je zou leven als je niet gehinderd zou worden door gewoonten, neigingen en vermeende beperkingen.

JE MASKER AFDOEN

Denk na, schrijf of spreek met iemand bij wie je je veilig voelt met de antwoorden op deze vragen.

1. Wat is jouw shtick als het om geld gaat (hoe presenteer je jezelf graag aan de wereld)?
2. Wat besef je over jezelf met betrekking tot geld dat je liever niet wist?
3. Hoe wil je dat andere mensen over je denken als het om geld gaat?
4. Wat is het meest beschamende voor je in je relatie met geld?
5. Op welke terreinen van je leven ben je het meest onrealistisch en dromerig met geld?
6. Welke van jouw gedachten over geld zijn het meest vertekend? Wees specifiek.
7. Welke gevoelens ten aanzien van geld geven je een ongemakkelijk gevoel?
8. Op welk financieel gedragspatroon vertrouw je het meest om onaangename gevoelens te vermijden?

Na een eerste ronde kan het zijn dat je nog een tweede keer wilt antwoorden, waarbij je misschien op een nog extremere wijze stem geeft aan het kind in je.

Terwijl het kind en het geldmasker onbewuste reactieve kanten zijn van onze omgang met geld, is de aangeboren wijsheid het bewuste, visionaire deel van datzelfde pad. De Middenweg is de kunst om beide kanten te begrijpen zodat we het midden weten te vinden. We hebben nu behoorlijk wat tijd besteed aan het onderzoeken van de hoop en het verlangen van ons jonge zelf. Laten we nu op zoek gaan naar ons diepste visioen voor de toekomst en de rol die geld daarbij speelt.

Het is vaak lastig om je aangeboren financiële wijsheid te onderscheiden van je geconditioneerde kernverhaal. Natuurlijk, alles is geconditioneerd. Alle gedachten die we hebben zijn gebaseerd op eerdere ervaringen en invloeden. Hoe weet je wat je aangeboren wijsheid is?

De sleutel ligt in onze lichamelijke reacties. Als je luistert naar je aangeboren wijsheid, voel je een diepe vorm van ontspanning. Het voelt aangenaam, kalmerend en oprecht. Er is geen druk. Het gaat het gevoel te boven dat iets een goed idee is. Het zit niet boven je nek, maar eronder. Woorden die je te binnen schieten bij het beschrijven van deze toestand zijn: natuurlijke kracht, verbondenheid, vrede, vertrouwen, vrijgevigheid, ontvankelijkheid, dankbaarheid en aanwezigheid. Je zult een afwezigheid van angst ervaren, een gevoel van welzijn dat doordringt tot in je lichaam.

Als je een dergelijke reactie nog niet hebt gevoeld, maak je dan geen zorgen. In dat geval is er een van de volgende twee dingen aan de hand: je hebt de bevrijdende stem nog niet gevonden die je innerlijke wijsheid tot uitdrukking brengt, of je hebt die stem wel gevonden maar het kind in je is zo bang dat je die stem zult volgen dat het zijn woorden onmiddellijk overschreeuwt. Dwing hoe dan ook niets af. Begrijp dat je geconditioneerde zelf nog steeds een sterke greep op het stuur heeft. Ga door met het richten van je aandacht. Voor een begeleide meditatie om je geest af te stemmen op je innerlijke financiële wijsheid, kun je mijn website bezoeken: www.BrentKessel.com.

JE AANGEBOREN FINANCIËLE WIJSHEID

Wanneer heb je de grootste vreugde ervaren in je leven? Wat deed je toen? Was het als je in het weekend met het hele gezin eropuit ging met de auto? Toen je spijbelde van werk en ging fietsen met je beste vriend? Wat was je gemoedstoestand (bijvoorbeeld ontspannen, vredig)? Schrijf het uitgebreid op.

....

....

....

Als je een blauwdruk zou mogen schrijven voor een rijk leven zonder financiële of mentale zorgen, hoe zou dat leven er dan uitzien? Bedenk wel dat 'rijk' ook eenvoudige dingen kan aanduiden zoals vreugde, vrede en voldoening – je verhaal hoeft geen grootse dromen te bevatten. Denk aan zo veel mogelijk aspecten van het leven: familie, reizen, creativiteit, sociale actie, vrijwilligerswerk, religie en spiritualiteit, gezondheid, recreatie, werk, carrière, filantropie. Probeer de volwassen stem in je van je geconditioneerde kernverhaal te onderscheiden. Probeer elk moeten uit te sluiten dat wordt gedicteerd door de samenleving om je heen. Waarschijnlijk stuit je hier opnieuw op de authentieke levensdoelen die je eerder noteerde in hoofdstuk 1. Dit document is een geheim dat je alleen met jezelf deelt. Niemand anders leest het. Hoewel deze oefening moeilijk lijkt, zul je als je eenmaal bezig bent merken dat je gedachten vanzelf gaan stromen. Hoe zou voor jou het volmaakte leven eruit zien?

....

....

....

....

....

....

....

....

....

Houd beide vast

Wat is als het om onze financiën gaat de manier om een gelukkiger leven te krijgen? Je zult waarschijnlijk al wel hebben ontdekt dat de antwoorden van het kind in je nogal verschillen van de antwoorden van de wijze volwassene in je. Op het eerste gezicht staan ze vaak recht tegenover elkaar. Een stel dat deelnam aan een van mijn workshops deed deze oefening. Toen ze klaar waren zeiden ze allebei dat ze het liefst een ontspannen leven zouden willen zonder stress. Ze wilden weg uit de stress van Los Angeles en een klein café openen in de staat Washington.

Bij deze oefening, die ons leert luisteren naar onze aangeboren financiële wijsheid, voelden ze allebei een sterke lichamelijke reactie op hun droom om naar Washington te verhuizen en het rustiger aan te gaan doen. Hun kernverhaal was: 'Als ik genoeg had om mijn droom na te jagen, dan zou ik gelukkig zijn.' Interessant genoeg hadden ze genoeg om hun droom te verwezenlijken, maar ze moesten dan wel hun huis van $400.000 verkopen en in plaats daarvan gaan huren na de verhuizing. Het idee om hun huis te verkopen riep een sterk negatieve reactie op. 'Ik voel me een idioot als ik geen huis bezit. Iedereen weet dat het over dertig jaar beter is om een huis te hebben dan om te huren.' Het inzicht was, hoe diepgeworteld ook, niet sterk genoeg om hun onbewuste conditionering ervan te overtuigen om deze gedachte los te laten.

Ons gesprek ging door. 'Hoe oud ben je over dertig jaar?' vroeg ik aan de echtgenoot. Hij pauzeerde even om een berekening te maken. 'Tweeëntachtig.'

'En wat is de levenskwaliteit in die dertig jaar of misschien zelfs de eerste vijf jaar als je doet wat je kernverhaal je influistert?'

'Ik denk dat mijn kernverhaal vindt dat we in Washington opnieuw een huis moeten kopen. Dat betekent dat we als stedenbouwkundigen meer uren zullen moeten werken om dat te kunnen betalen. En dat voelt als een behoorlijk zware last vergeleken met het gevoel dat ik een paar minuten geleden had.'

We spraken over de levenskwaliteit van beide scenario's, terwijl we de voors en tegens afwogen. Aan het eind van ons gesprek merkte de vrouw op: 'Ik denk dat je ons probeert te vertellen dat we een eigen huis moeten hebben.' In werkelijkheid probeerde ik dat helemaal niet te zeggen. Maar haar conditionering was zo afkerig van haar diepste verlangen dat ze weigerde na te denken over de mogelijkheid dat huren in hun situatie wel eens het beste besluit zou kunnen zijn.

Het maakt niet uit hoe diep je wijze inzichten zijn. Je gelooft en vertrouwt ze pas als ze samensmelten met je primitieve conditionering. De sleutel tot verandering is om enige tijd vanuit beide perspectieven te leven – het onbewuste kernverhaal en je aangeboren financiële wijsheid. Dat is niet eenvoudig en vereist veel inzet. Blijf jezelf hieraan herinneren. Terwijl je steeds opnieuw probeert om je innerlijke wijsheid en primitieve conditionering naast elkaar te laten bestaan vindt er een echte verandering plaats.

BEIDE VASTHOUDEN

Weet je nog wat volgens jouw kernverhaal een gevoel van veiligheid en geluk creëert? Zoek de oefening 'Laat het kind in je spreken' in hoofdstuk 11 nog eens op of controleer je antwoorden op de oefeningen in hoofdstuk 2.

Verplaats daarna je aandacht naar het pad dat je volgens je aangeboren financiële wijsheid zou moeten volgen. Neem geen besluit over het tijdstip of de manier waarop je de benodigde veranderingen in je leven wilt doorvoeren. Denk gewoon even terug aan de belangrijkste boodschap die je aangeboren wijsheid je gaf.

Verplaats je aandacht daarna weer naar je kernverhaal, naar het onbewuste kind. Doe dat alsjeblieft voorzichtig! Ontken niet wat het vierjarig kind in jou te zeggen heeft, maar ontken ook niet wat je innerlijke wijsheid je wil vertellen. Je kernverhaal is ooit gecreëerd om je te beschermen. Destijds was dit verhaal de meest intelligente reactie die je kon bedenken in een leven dat onvoorspelbaar en onzeker was. Wees zolang het duurt bereid om naar zijn angsten, bezwaren en zelfs driftbuien te luisteren.

Verplaats daarna je aandacht terug naar je aangeboren wijsheid, waardeer haar ongebondenheid en haar vermogen om de kwaliteit van je leven sterk te vergroten.

En dan nu de truc. Kijk of je in staat bent om tussen die twee perspectieven te wisselen. Probeer je conditionering en je wijsheid in één adem tot uitdrukking te brengen. Zeg bijvoorbeeld: 'Ik wil dat er financieel en op elk ander gebied voor me gezorgd wordt, maar ik wil ook een onafhankelijke carrièrejager zijn die alles alleen aan zichzelf te danken heeft.' Besef dat beide perspectieven het beste voor je willen, zelfs als ze tegengesteld lijken of elkaar uitsluiten.

Ik kan niet genoeg benadrukken dat dit geen snel proces is – het is een voortdurende leerschool. Ik kan je vertellen dat de gedragspatronen en gedachten van je oude conditionering jarenlang zullen blijven terugkomen, misschien zelfs tientallen jaren. Maar deze oefening zal de greep ervan op je leven doen verslappen. Hoe meer je deze oefening doet, hoe meer je zult gaan geloven en belichamen wat je aangeboren wijsheid je vertelt. Je zult ook meer mededogen en ontspanning ervaren als je onbewuste conditionering weer de kop opsteekt. Deze oefening kan, als ze met toewijding en oprechtheid wordt uitgevoerd, de start zijn van een leven waarin de onbewuste drijfveren van je financiële conditionering doorbroken worden – een leven waarin de ijsberg zich zuidwaarts begint te keren en op weg gaat naar een warmer klimaat. Dat is de kern van de Middenweg.

Dit is deprimerend!

Als je kernverhaal zijn kracht begint te verliezen, zul je je soms gedeprimeerd voelen. Het voelt niet goed om strategieën los te laten die zo diepgeworteld zijn in ons gedragspatroon. Dit ongerief is vaak de reden waarom we terugvallen op ons oude en vertrouwde gedragspatroon, onze onbewuste omgang met geld. Het onbewuste gedijt nu eenmaal het beste als je de dingen onbewust doet. Als we ons bewust worden van ons kernverhaal, onze agenda van toen we vier jaar oud waren, en dat onbewuste verhaal in ons wakend bewustzijn houden, dan begint het te schuiven. Als de aandacht die we aan het onbewuste schenken negatief is, zal het kernverhaal slechts onderhuids verspringen en in een andere gedaante weer opduiken, aangezien het ons nog steeds tegen dezelfde angsten probeert te beschermen. Maar als we ons kernverhaal met mededogen en geduld in onze aandacht vasthouden, laat het zijn angsten los, ook al voelt dat in het begin niet goed. Het is een levenslang proces. In feite kunnen we er maar beter van uitgaan dat we ons kernverhaal altijd bij ons zullen houden, tot onze dood. Het doel is niet om ervan af te komen. Het doel is om een betere relatie te creëren tussen twee uitersten: de aangeboren wijze en het vier jaar oude kind in ons.

De praxis van de Middenweg vereist de toewijding om je over te geven aan je innerlijke volwassenheid, dat wat wijs en goddelijk in je is. Tegelijkertijd moet je ook het kind in jezelf aanvaarden. Als je een christen bent, noem je dit proces misschien de overgave aan Gods wil of het vinden van een antwoord door gebed. Als je een atheïst bent, zou je je kunnen overgeven aan iets wat je de hoogste intelligentie zou kunnen noemen. Als je een boeddhist bent, noem je het waarschijnlijk de overgave aan je boeddhanatuur. Hoe we ook beginnen, als we onze oude opvattingen en strategieën gaan onderzoeken en leren loslaten, zullen we de vrijheid vinden om het financiële leven te scheppen dat we willen.

De middenweg voor elk archetype

Welke archetypen irriteerden je in de voorafgaande hoofdstukken het meest? Heb je misschien met opzet een paar hoofdstukken overgeslagen? Voelde je bij een bepaald verhaal ongeduld of ongeloof? Als dat zo is, is de kans groot dat je juist dit archetype een plek zult moeten geven in je leven om in balans te komen. De extreme Spaarder voelt een afkeer voor de gedachte dat zijn kostbare spaargeld wordt gebruikt voor zinloze aankopen of om anderen te helpen. De Onschuldige walgt ervan dat een Imperiumbouwer, die meer dan genoeg geld heeft, weer een nieuw bedrijf is begonnen – hoe ongelofelijk narcistisch! En De Ster voelt een diepe afkeer van het gebrek aan stijl en zelfrespect dat De Idealist met zijn ongekamde haar en gebrekkige materiële bezittingen uitstraalt. Al deze emotionele reacties wortelen in angst. De angst dat we zelf ook zo zouden kunnen worden. De angst voor wat dat zou betekenen voor onze overlevingskans en ons geluk. Het vreemde is echter dat er juist meer balans en voldoening in ons leven komt als we stap voor stap iets leren van de archetypen die we het meest verafschuwen. Als we niet langer gevangen zitten in de strategieën van onze onbewuste geest vindt er een natuurlijke beweging naar evenwicht plaats. Geen van de acht archetypen is beter of slechter dan de anderen. Het gaat uiteindelijk om evenwicht.

Robert Strock, een psychotherapeut en spiritueel counselor met meer dan dertig jaar ervaring en sinds twintig jaar mijn belangrijkste mentor, heeft me geassisteerd bij het creëren van de volgende profielen van de archetypen. Bij elk type worden vier thema's behandeld om je te helpen bij het identificeren van de archetypen die jouw leven domineren en te bepalen welke archetypen in jouw geval het beste tegenwicht kunnen bieden:

1. Pijnlijke emotionele gevoelens die voorkomen in de verschillende archetypen.
2. Gedachten die voorkomen bij de verschillende archetypen, die in gematigde vorm gezond zijn, maar veel vaker op een gestoorde manier het gedrag domineren.
3. Bevrijdende wijsheid waarop we ons kunnen richten.
4. Evenwicht verlenende archetypen die je in je eigen leven meer zou kunnen benadrukken. Zoals gezegd vertonen de archetypen die we het meest verafschuwen waarschijnlijk ook het gedrag waar we het meest van kunnen leren. Maar doe wel rustig aan.

In zekere zin vraagt de hierboven genoemde oefening je om je aandacht tegelijkertijd op de tweede en de derde sectie te richten. Als je een Plezierzoeker bent zou de gedachte 'Ik wil nu leven' je kernverhaal kunnen zijn. In dat geval probeer je tegelijkertijd de volgende gedachte vast te houden:

'Door te leven binnen mijn grenzen en te zorgen voor mijn toekomst schep ik een echt, hoewel ander soort plezier, en daar houd ik van.' En als je een Verzorger bent die van nature denkt: 'Mijn behoeften zijn ondergeschikt aan anderen', dan moet je je aandacht tegelijkertijd richten op de meer uitdagende waarheid: 'Ik kan anderen niet echt helpen als ik niet eerst goed voor mezelf leer zorgen.'

DE BEWAKER

Pijnlijke emotionele toestanden

Angstig
Bang
Bezorgd

Algemeen gestoorde gedachten (geconditioneerde opvattingen uit het verleden)

Als ik niet heel erg op mijn hoede ben, gaat alles mis.
Mijn angst helpt me om de zaak bij elkaar te houden.
Er is een catastrofe op komst.

Bevrijdende wijsheid om je op te richten

Vandaag ga ik iets doen wat ik leuk vind en wat ontspannend is (bijvoorbeeld naar muziek luisteren, een middagslaapje doen, tennis of golf spelen, een film kijken, de natuur intrekken, een boek lezen, een spirituele oefening doen).
Het meest ontroerd ben ik als ik anderen van dienst kan zijn door ....
....
Ik wil in het volgende uur het liefst tijd besteden aan ....
Concrete veranderingen die mijn leven en financiële behoeften vereenvoudigen, verdienen de hoogste prioriteit.

Archetypen die je moet benadrukken om balans te creëren

Plezierzoeker: plezier, genieten
Imperiumbouwer: innovatie, besluitvaardigheid
Onschuldige: hoop, aanpassingsvermogen

DE PLEZIERZOEKER

Pijnlijke emotionele toestanden

Hongerig
Hebzuchtig
Ongeduldig
Narcistisch

Algemeen gestoorde gedachten (geconditioneerde opvattingen uit het verleden)

Wat ik wil en waar ik van geniet, is belangrijker dan wat ik nodig heb.
Pluk de dag.

Bevrijdende wijsheid om je op te richten

Door binnen mijn grenzen te leven en voor mijn toekomst te zorgen schep ik een echt, hoewel ander soort plezier, en daar houd ik van.

Archetypen die je moet benadrukken om balans te creëren

Bewaker: alertheid, voorzichtigheid
Spaarder: zelfvoorzienendheid, overvloed

DE IDEALIST

Pijnlijke emotionele toestanden

Verveeld
Sceptisch
Wantrouwig
Opstandig
Boos

Algemeen gestoorde gedachten (geconditioneerde opvattingen uit het verleden)

Om creatief of spiritueel te zijn moet je lijden en jezelf opofferen.
Het is beter om pijn te voelen dan financieel vrij te zijn.

Bevrijdende wijsheid om je op te richten

Zelfvoorzienendheid maakt me zelfstandig en zal mijn idealen bevorderen.
Geld is goed als het wordt gebruikt om balans te scheppen.
Ik houd ervan om niet afhankelijk te zijn van andere mensen of het systeem.
Mededogen voelen is gemakkelijker als ik niet meer in een toestand van financiële behoeftigheid of afhankelijkheid verkeer.

Archetypen die je moet benadrukken om balans te creëren

Spaarder: zelfvoorzienendheid, overvloed
Onschuldig: hoop, aanpassingsvermogen
Ster: leiderschap, stijl

DE SPAARDER

Pijnlijke emotionele toestanden

Angstig
Obsessief
Gespannen
Hyperanalytisch
Altijd aan de toekomst denkend

Algemeen gestoorde gedachten (geconditioneerde opvattingen uit het verleden)

Als ik genoeg spaar, word ik gelukkig en zal ik me veilig en zeker voelen.
Ik ben bang dat ik niet genoeg heb.
Ik moet goed op mijn spaargeld letten.
Wat is nu mijn nettowaarde? Hoeveel meer of minder is dat?

Bevrijdende wijsheid om je op te richten

In dit uur probeer ik me te ontspannen en van het leven te genieten.
Via een relatie of een van mijn passies zal ik een manier vinden om met de wereld in contact te komen.
Voldoening vinden heeft vandaag mijn hoogste prioriteit.
Ontspannen is een veel belangrijker deel van mijn leven dan ik me realiseerde.

Archetypen die je moet benadrukken om balans te creëren

Plezierzoeker: plezier, genieten
Idealist: visie, mededogen
Verzorger: empathie, vrijgevigheid

DE STER

Pijnlijke emotionele toestanden

Gevoelig voor kritiek
Angstig
Onbeduidend
Waardeloos
Eenzaam
Alleen
Onecht

Algemeen gestoorde gedachten (geconditioneerde opvattingen uit het verleden)

Geld gebruiken om je stijlvol, elegant, cool en hip te voelen, maakt me gelukkig.

Bevrijdende wijsheid om je op te richten

Het is van belang dat geld ten goede komt aan heel mijn wezen.
Iets aan anderen geven geeft me vreugde en geluk.
Het weerstaan van de verleiding om dingen te kopen om aandacht te trekken getuigt van liefde voor mezelf.

Archetypen die je moet benadrukken om balans te creëren

Bewaker: alertheid, voorzichtigheid
Onschuldige: hoop, aanpassingsvermogen
Verzorger: empathie, vrijgevigheid
Idealist: visie, mededogen

DE ONSCHULDIGE

Pijnlijke emotionele toestanden

Gefrustreerd
Verlamd
Wanhopig
Inadequaat
Hulpeloos
Slachtofferrol

Algemeen gestoorde gedachten (geconditioneerde opvattingen uit het verleden)

Ik kan niet met geld omgaan – het is voor mij een voortdurend gevecht.
Ik zal nooit genoeg geld hebben om het leven te hebben waar ik naar verlang.
Als ik mijn financiële situatie negeer, voel ik de pijn niet en wordt alles vanzelf wel beter.

Bevrijdende wijsheid om je op te richten

Als ik mijn levensstijl vereenvoudig kan ik financieel zelfstandig worden.
Ik kan een baan zoeken waar ik van geniet en enthousiast over ben. Dat levert me genoeg inkomen op.

Archetypen die je moet benadrukken om balans te creëren

Imperiumbouwer: innovatie, besluitvaardigheid
Bewaker: alertheid, voorzichtigheid
Spaarder: zelfvoorzienendheid, overvloed

DE VERZORGER

Pijnlijke emotionele toestanden

Schuldig
Martelaar
Overbelast
Boos
Zichzelf vergetend
Superieur

Algemeen gestoorde gedachten (geconditioneerde opvattingen uit het verleden)

Zonder mij zouden ze het niet redden.
Wat ik wil is minder belangrijk dan wat zij nodig hebben.

Bevrijdende wijsheid om je op te richten

Ik kan anderen niet effectief helpen als ik niet goed voor mezelf zorg.

Archetypen die je moet benadrukken om balans te creëren

Onschuldige: hoop, aanpassingsvermogen
Plezierzoeker: plezier, genieten
Spaarder: zelfvoorzienendheid, overvloed

DE IMPERIUMBOUWER

Pijnlijke emotionele toestanden

Gedreven
Onverzadigbaar
Onzeker
Gestresst
Eenzaam
Megalomaan

Algemeen gestoorde gedachten (geconditioneerde opvattingen uit het verleden)

Als ik eenmaal .... heb, dan zal ik gelukkig zijn.
Macht geeft me veiligheid en een gevoel van voldoening.

Bevrijdende wijsheid om je op te richten

Ik heb nu genoeg om echt van mijn leven te kunnen gaan genieten.
Het bereiken van mijn doelen zal niet echt een verschil in innerlijke levenskwaliteit geven.
De enige plaats waar ik echt gelukkig kan zijn is het heden.

Archetypen die je moet benadrukken om balans te creëren

Plezierzoeker: plezier, genieten
Idealist: visie, mededogen

Hartslag omhoog?

Wees niet verrast als je een sterk innerlijk verzet bij jezelf voelt opkomen of een reactie in de trant van 'Al deze archetypen spreken elkaar tegen – welk moet ik volgen?' Maak je geen zorgen over de vraag welk actieplan je moet kiezen. Als je je tegelijkertijd bewust bent van je geconditioneerde opvattingen en je bevrijdende wijsheid is dat al een enorme stap vooruit.

Als je voor het eerst een paar stappen voorwaarts maakt, kan het zijn dat je hartslag omhoog vliegt als je dichter bij het midden komt. Als je je ondanks dat onbehagelijke gevoel direct tegen de bron van je lijden richt ('Ik lijd omdat ik ervan overtuigd ben dat .... en dat is niet helemaal waar') dan verdien je een compliment. Elke stap in de richting van evenwicht creëert conflicten. Spaarders die plotseling gaan doneren voelen dat ze nerveus worden. Plezierzoekers die geld opzijleggen voor de toekomst voelen zich onderdrukt. Aanvankelijk kun je heel beangstigd zijn. Je nieuwe gedragspatroon kan ertoe leiden dat je je slechter in plaats van beter gaat voelen. De kans is groot dat je dit onbehagelijke gevoel een tijd lang zult moeten verdragen voordat je bevrijding begint te ervaren. Dat is overigens ook de reden waarom veel mensen uiteindelijk niet veranderen – ze slagen er niet in om door deze pijnlijke beginperiode heen te komen.

Negenennegentig procent van de mensen sterft zonder op een zinvolle manier de conditionering van hun gedrag en opvattingen te hebben onderzocht. Nogmaals, de bevrijdende gedachten hierboven zijn bedoeld om je te helpen om de Middenweg te vinden en niet bedoeld om je kernverhaal te elimineren. Wees niet bang: dat verhaal zal je begeleiden tot je dood. De vraag is wel hoeveel macht je dit verhaal gunt om je financiële leven te beheersen.

Tegendelen trekken elkaar aan

Geld kan een van de meest verdelende, spanning veroorzakende krachten zijn in menselijke relaties. Geld geeft vaak problemen in relaties, of die nu romantisch, zakelijk of familiair zijn. Veel psychologisch onderzoek heeft aangetoond dat geld de belangrijkste oorzaak van echtscheiding is.

Een belangrijke reden hiervoor ligt in het feit dat de Verlangende Geest via het perspectief van het 'niet genoeg' altijd de buitenwereld als het probleem ziet dat moet worden opgelost. Bij een financiële relatie met een echtgenoot, zakenpartner, ouder, baas, kind of werknemer zien we de ander dus als het probleem. Hij of zij is de oorzaak van onze financiële onzekerheid, angst of pijn. Als zij anders met geld zouden omgaan, zo denken we, zouden onze problemen niet bestaan. Maar dat is natuurlijk zelden zo.

DE DANS OM GELD TUSSEN MAN EN VROUW

De auteur David Deida, die bekend is van zijn boeken over relaties tussen mannen en vrouwen en over spiritualiteit en seksualiteit, vertelde me zijn gedachten over geld en de rol van mannen en vrouwen: 'Als een man en een vrouw met elkaar dansen, of als een mannelijke en een vrouwelijke partner met elkaar dansen, is het niet leuk als ze allebei dezelfde passen doen. Als mensen gedijen we eigenlijk het beste in een dynamiek van tegenstellingen. De spanning over de vraag "Moeten we geld sparen voor toekomstige rampen of helpen we nu, zo goed als we kunnen?" is een creatieve spanning die nooit opgelost wordt.'

Ons kernverhaal heeft een belangrijk effect op onze relaties, omdat we vooral contact met elkaar zoeken op een onbewust niveau. We trekken vaak levenspartners aan die bij ons financiële leven passen en een rol vervullen waar ons onbewuste kernverhaal zich goed bij voelt. Toch wordt dit leven door ons eigen kernverhaal gecreëerd. Het zijn niet de daden van anderen die verantwoordelijk zijn voor onze ellende.

De Middenweg is het tegengif tegen een onevenwichtig kernverhaal. Maar in plaats van een tegengesteld kernverhaal in zichzelf te ontwikkelen kiezen veel mensen een levenspartner of echtgenoot die het archetype verpersoonlijkt dat hen in evenwicht brengt. Zoek je eigen archetype op in het overzicht in hoofdstuk 11 en kijk eens naar de aanbevolen archetypen onderaan – zijn een of meer van deze archetypen dominant bij je partner?

Ik ontmoet zelden een stel waarin beide partners tot hetzelfde archetype behoren. Integendeel: Bewakers trekken Onschuldigen aan of een ander archetype dat meestal totaal geen kijk heeft op financiële zaken. Idealisten zoeken een Imperiumbouwer. En Plezierzoekers vallen op Spaarders.

Zo handhaven we het idee dat de oplossing voor onze problemen buiten onszelf ligt – in dit geval bij onze partner of echtgenoot. Dat compliceert de dynamiek van een relatie. Want hoewel we onbewust op zoek kunnen zijn naar de tegenpool in onszelf, besteden we een groot deel van onze tijd aan het verzet tegen onze partner, terwijl de echte verandering die we zoeken in onszelf ligt.

Langzaam aan

Het veranderen van je onbewuste kernverhaal gaat langzaam. Vergelijk dit veranderingsproces maar met yoga. Ook daar transformeren we het lichaam millimeter voor millimeter. Als een leerling (of leraar) zijn houding aanpast aan een visueel beeld in zijn gedachten (bijvoorbeeld door het been hoger op te tillen zoals in de houding van de voorbeeldige leerling naast hem), kan er een blessure optreden en duurt het langer om echte flexibiliteit of kracht te ontwikkelen. Bij het opbouwen van innerlijke en uiterlijke welstand geldt hetzelfde principe. De krant staat vol verhalen van mensen die in een mum van tijd hun fortuin maken. Maar we horen nooit iets over het overweldigende aantal mensen die door hard te werken, heel langzaam, niet in maanden maar in jaren, miljonair worden. Transformatie, of dat nu lichamelijk is of financieel, kost tijd – veel tijd. Maar gelukkig kun je onderweg al wat vruchten plukken. Daarvoor hoef je je bestemming niet te hebben bereikt.

'De meerderheid van de mensen zijn te betrokken [bij geld], bij het verdienen van de kost en het hebben van een comfortabel leven. Maar het hoeft zo niet te zijn. Je kunt in deze cultuur leven en niet overweldigt worden door materialisme. Onze cultuur waardeert de spirituele kant van het leven niet echt – dat is het probleem. Als onze cultuur zowel het geld als het spirituele zou waarderen, zou er evenwicht zijn.'

A.H. Almaas,
AUTEUR EN LERAAR

Mensen die de Middenweg volgen zien er van buitenaf niet sensationeel uit. Hun leven lijkt niet op de van glamour vervulde, stressvrije idyllen die we zo vaak in onze naïviteit projecteren op mensen die rijk en beroemd zijn. Mensen die de Middenweg leven passen zich beter aan de duizenden financiële situaties aan waar het leven ons mee confronteert. Een mens die zich met meer dan één archetype identificeert, heeft noodzakelijkerwijs een veel bredere kijk op de wereld dan iemand die slechts één bepaald archetype in zichzelf herkent. Een gevarieerde en flexibele benadering van geld kan zich op allerlei manieren uiten, van een gezonde gevarieerde portefeuille tot de bereidheid om van carrière te veranderen, van het beter bijhouden van je financiën tot het genieten van eenvoudige dingen zoals eten en op vakantie gaan met het gezin.

Speel!

Ik heb een cliënte, die ik Ariel zal noemen. Ze was ooit een Spaarder. Een *echte* Spaarder. De typische superzuinige miljonair. Ze ging slechts eenmaal per maand naar een restaurant, kocht twee stel nieuwe kleren per jaar en om de tien jaar een nieuwe auto. Terwijl haar bedrijf op het gebied van graphic design en marketing groeide, ontwikkelde ze zich tot Imperiumbouwer. Ze had cliënten uit de Fortune 1000. Maar toen kwam het internet. De traditionele reclamebudgetten van grote ondernemingen slonken en haar inkomen daalde. De Bewaker in haar nam de leiding over en zorgde ervoor dat ze bezuinigde op de algemene kosten van haar privéleven en haar bedrijf. In de laatste drie jaar heeft haar zaak zich weten aan te passen aan het digitale tijdperk. Ze heeft nu hogere inkomsten dan ooit tevoren. Toch droomt ze niet meer van de schaalvergroting die haar als Imperiumbouwer voor ogen stond. Ze heeft nu De Plezierzoeker, De Verzorger en De Idealist in zichzelf ontdekt. Ariel heeft nu een benijdenswaardig leven, reist om het jaar naar Vancouver en Maine, ondersteunt het plaatselijke opvanghuis voor misbruikte vrouwen en kinderen, werkt twintig tot dertig uur per week in haar zaak en verdiept zich in haar religie. Als ik een woord zou moeten vinden om haar omgang met geld te benoemen, dan is het *speelsheid.* Ze kan goed relativeren en springt niet meteen op bij een impulsieve gedachte. Ze heeft in het verleden extreme gezichtspunten ingenomen en is de vergankelijkheid van haar eigen ervaring gaan beseffen. Daarom laat ze zich niet meer meeslepen door de extreme visies van haar eigen kernverhaal. Ze is in staat om verschillende gezichtspunten in te nemen op grond van eerdere momenten uit haar leven waarin deze invalshoeken dominant waren.

Je goddelijke natuur en je menselijke natuur

Op het eerste gezicht kan de Middenweg nogal saai lijken, zoals de kleur beige. Maar is het werkelijk een karakterloos en neutraal compromis dat ons van passie en inspiratie berooft? Nee. Het tegendeel is waar.

Doordat er energie vrijkomt – energie die je kernverhaal tot nu toe nodig had voor de worsteling om te overleven – zul je de kracht vinden om elk financieel leven te creëren dat je voor ogen staat. Je kunt het leven creëren dat jou het diepst bevredigt. Je zit niet langer vast aan een leven dat door allerlei ervaringen uit een ver verleden wordt bepaald. Het gevoel van bevrijding is geweldig, maar vergis je niet, het is geen vlekkeloos proces. De oude gedachten zullen nooit helemaal verdwijnen. De onbewuste patronen zitten nog steeds in je hoofd. Het verschil is dat je er niet langer aan gebonden bent. En dat is echte vrijheid.

Als je in staat bent om bij die plek te komen waar je je eigen verdeelde, tegenstrijdige zelf kunt ervaren, dan wil ik je feliciteren! Je hebt iets gedaan wat maar weinig mensen kunnen.

Het is eerzaam, nobel en waardig dat je deze innerlijke strijd aangaat en zowel je verstoorde gedachten als het bevrijdende perspectief in je aandacht durft vast te houden. Onze geest heeft echter de neiging om zo naar een eindoplossing te verlangen dat hij tegensputtert. Voordat we het weten steken we onze kop weer in het zand zodat we de verdeeldheid en het conflict niet hoeven te voelen. Maar de Middenweg trekt ons hoofd uit het zand en laat ons zowel onze geconditioneerde gedachten zien als onze aangeboren wijsheid. Houd beide zo vaak mogelijk tegelijk vast in je bewustzijn. Want als we de Middenweg bewandelen overschatten we de stem van onze aangeboren financiële wijsheid niet, maar houden we beide in gedachten. We beseffen dat we zonder het kind in ons niet zouden zijn uitgegroeid tot de volwassen mens die we nu zijn. We ontkennen ons onbewuste niet en proberen het niet te onderdrukken. We benadrukken zowel het spirituele als het wereldlijke. We benadrukken zowel de archetypen die ons decennia lang werden ingepompt als de visionaire en transcendente wijsheid die de kern vormt van elk menselijke wezen.

Als Shrek en de Dalai Lama samen kunnen bestaan in het Gibson Amphitheater in Hollywood, dan kunnen wij gewone stervelingen leren om de Middenweg te bewandelen!

HOOFDSTUK TWAALF

DE BEWUSTE INVESTEERDER

'Je toekomst en je fortuin hangen af van je naaste. Dat is tegenwoordig evidenter dan ooit tevoren.'

Dalai Lama

Tot hier toe heb ik je in dit boek vooral aangemoedigd om je te richten op je innerlijk, zodat je echte rijkdom opbouwt, van binnenuit. Nu je met dat proces bent begonnen vraag ik je om dat alles niet te vergeten als ik je aandacht in dit hoofdstuk op de buitenwereld richt.

Of je financiële doel nu primair ligt in het vergroten van je plezier, je spaargeld of je vrijgevigheid, een van de beste manieren om een solide financieel leven op te bouwen is door slim te investeren. Wat je nu gaat lezen is geen utopische nieuwagetheorie. Met dit investeringsprogramma heb ik het geld van mijn cliënten sneller zien groeien dan met welk ander investeringsprogramma ook – en met minder ups en downs. Dit programma wordt gebruikt door enkele van 's werelds meest succesvolle investeerders. De stijl van investeren waar ik je mee vertrouwd zal maken is niet alleen gebaseerd op de principes van yoga en andere grote spirituele tradities, maar ook op westers academisch onderzoek naar de werking van financiële markten. En het mooiste van alles is dat het geheel in de lijn ligt van de kerngedachten die ik in dit boek heb gesproken.

Deze manier van investeren...

- Richt de aandacht van de investeerder op het innerlijk in plaats van op de buitenwereld, omdat zelfkennis de sleutel is tot succesvol investeren en andere vormen van financieel beheer. Jezelf kennen betekent dat je standvastig bent en dat emotionele reactieve impulsen geen kans krijgen om je investeringsbeslissingen te beïnvloeden.
- Berust op de vooronderstelling dat alle mensen met elkaar verbonden en van elkaar afhankelijk zijn. In plaats van voortdurend de nadruk te leggen op het doen van investeringen in je eigen land of stad pleit deze

benadering voor een wereldwijde aanpak. Ze richt zich eenvoudig op de beste investeringskandidaten, waar ze ook leven. Daardoor omvat dit investeringssysteem meer bedrijven en mensen dan bijna alle andere systemen.

• Vereist dat je luistert naar wat de markt zegt en niet je eigen gevoel volgt, zoals investeerders, adviseurs en geldbeheerders graag doen. Veel spirituele tradities zetten vraagtekens bij de verlangens en oordelen van ons ego en moedigen ons aan om te luisteren naar de wijsheid van ons eigen lichaam, onze diepste waarheden of het woord van God.

• Maakt gebruik van een ontvankelijk en coöperatief perspectief en ziet investeren niet als een competitie die moet worden gewonnen of een wedstrijd waarin alleen plaats is voor de beste. Deze methode geeft op de lange termijn betere rendementen dan de meerderheid van de competitief ingestelde investeringsmethoden.

• Kent kosten en tarieven die ver onder het branchegemiddelde liggen, waardoor de investeerder geld overhoudt om aan zijn eigenlijke doel te besteden in plaats van aan de investeerderbranche. Net als in yoga wordt er van ons verwacht dat we zo weinig mogelijk energie verspillen. 'Geen onnodige inspanningen' is een van mijn leraars favoriete uitdrukkingen. Je zou dat als volgt kunnen vertalen naar het investeringsvak: 'Geen onnodige tariefkosten, uitgaven en belastingen'.

Er wordt gezegd dat de meest succesvolle investeringsstrategie een strategie is waar je vijfentwintig jaar aan vasthoudt. Zoals gezegd laten de meeste investeerders hun investeringsbeleid te veel door emoties bepalen – vragen zoals welke aandelen of beleggingsfondsen ze moeten kopen, wanneer ze moeten verkopen en hoe agressief of conservatief een portefeuille moet worden opgebouwd. Ze veranderen te vaak van strategie. Zoals je zult zien heeft onderzoek aangetoond dat de meeste investeerders een behoorlijk lager rendement hebben dan verantwoord is voor het risico dat ze nemen. Er is een betere methode.

Het heilige investeren!

Gezond en succesvol investeren is eigenlijk heel eenvoudig. Veel van de meest succesvolle investeerders in de wereld gaan in hun investeringsbena-

'Iedereen meent dat je rijk kunt worden met investeringservaring. Dat leidt tot domme dingen. Mensen hebben de neiging om overdreven te reageren op nieuwe ontwikkelingen omdat ze de willekeurigheid van hun rendementen niet begrijpen en zich niet bewust zijn van de risico's van het niet gediversifieerd beleggen. Want alle marketing en media-aandacht gaat in de andere richting.'

DR. EUGENE FAMA,
HOOGLERAAR FINANCIËN
AAN DE UNIVERSITY OF CHICAGO,
GRADUATE SCHOOL OF BUSINESS

dering, vaak zonder het te weten, uit van de principes van ontvankelijkheid en standvastigheid. Ze gedragen zich zoals mensen die een hoger spiritueel evenwicht hebben bereikt – heiligen zo je wilt.

Dit hoofdstuk onthult een aantal fundamentele waarheden over investeren – waarheden die gemakkelijk ten onder gaan in de waan van de dag en de holle retoriek die in de investeringsbranche de dienst uitmaken. Met deze inzichten kwamen we om een investeringsprogramma op te bouwen dat vrij is van de stress en de onzekerheid die veel investeerders voelen. Het zorgt ervoor dat het geïnvesteerde geld sneller en met minder fluctuaties groeit. Een prachtig gevolg is dat deze stijl van investeren ons in verbinding brengt met de rest van de mensheid. Dit hoofdstuk is niet bedoeld om je ervan te overtuigen om je hele investeringsstrategie in de prullenbak te gooien en je huidige adviseur (als je er een hebt) de deur te wijzen. Door met deze principes te investeren of je investeringen in deze richting om te buigen zul je zowel innerlijk als uiterlijk grote resultaten boeken.

Wat investeren is

Als we aan het woord *investeren* denken komen er beelden in ons op van de strenge zelfdiscipline van mensen die hun zuurverdiende geld opsparen voor hun pensioen. Het doet ons denken aan de duizenden raadselachtige getallen op de financiële pagina van de krant of misschien aan de machtsbeluste titanen van Wall Street die profiteren van minder gefortuneerde beleggers. Hoewel al deze dingen in onze moderne maatschappij voorkomen, is investeren in essentie veel eenvoudiger en directer.

Het woord *investeren* komt van het Latijnse woord *investire* wat 'bekleden' betekent. Onze betekenis van het woord ('geld gebruiken om winst te maken') drukt de gedachte uit dat iemand zijn kapitaal opnieuw vorm geeft, 'bekleedt'. Als we het geld dat we hebben verdiend als een symbool zien van onze levensenergie (een thema dat is uitgewerkt door Joel Dominguez en Vicki Robin in *Your money or your life*) is de vraag van een investeerder: 'Welke vorm wil ik dat mijn levensenergie aanneemt?'

Investeren in zijn beste vorm is een actieve bijdrage aan de mensheid. Het gaat om het verschaffen van kapitaal aan andere mensen zodat ze een productiever leven kunnen creëren. Als we aandelen van een bedrijf kopen, verschaffen we dat bedrijf samen met andere eigenaars (aandeelhouders) kapitaal, zodat het bedrijf nieuwe fabrieken kan bouwen, die arbeiders in dienst nemen om een product te maken, dat als het goed is het leven van de klanten verbetert. Als we investeren in een appartement of een kantoorgebouw gebruiken we ons kapitaal effectief om andere mensen een plaats te geven om te leven of te werken.

Ons financiële kapitaal bestaat uit de hoeveelheid reserves die we hebben die onze actuele behoeften overstijgen. Het is ons 'extra' en daarmee kunnen we relaties smeden met anderen. Deze onderlinge verbondenheid die ons economisch stelsel nu karakteriseert, bestond tot voor kort niet. Denk maar eens aan de tijd voordat we geld hadden. Er bestond toen nog geen abstracte manier om een surplus te representeren. Als een weefster een snellere methode uitvond om kleren te maken was er geen financiële stimulans om andere mensen te leren om die techniek te gebruiken. Ook waren er geen middelen waarmee de vruchten van haar productiviteit – of kapitaal – konden worden vermeerderd en aan anderen konden worden verschaft. Dus weefde ze meestal alleen voor de familie. Het was een enorme verspilling van productiecapaciteit die de levenskwaliteit van zowel de weefsters als andere mensen uit haar stam niet verbeterde. (Later waren er natuurlijk wel culturen die ruilhandel en opslag van artikelen en producten kenden, zodat een grotere groep mensen van het product of de techniek kon profiteren. Dergelijke systemen legden het fundament voor geld als abstract ruilmiddel.) Als we de wereldwijde economie van vandaag met een menselijk lichaam vergelijken, zou je geld de levenskracht kunnen noemen die de hele wereld over reist en overal leven mogelijk maakt.

Onderling verbonden tegenover geïsoleerde rijkdom

Je kunt zeggen wat je wilt over de markteconomie, maar een van de voordelen van dit systeem is dat we er niet alleen zelf van profiteren, maar dat ook anderen er beter van worden. Maar de meeste investeerders, of dat nu kleine beleggers zijn of professionals, beseffen niet dat ze door te beleggen hun kapitaal met anderen delen.

De meest geïsoleerde investeerders verschaffen hun kapitaal niet aan anderen. Ze bewaren hun geld in contanten of investeren het in hun eigen huis of bedrijf. In feite zeggen ze daarmee: 'Niemand kan beter gebruik maken van mijn geld dan ik.' Een tweede groep investeerders koopt een stuk onroerend goed of investeert in de zaak van een vriend. Daarmee wordt de cirkel al iets wijder en verbindt het kapitaal een kleine groep mensen met elkaar. Toch zeggen ook deze investeerders eigenlijk: 'Dit stuk onroerend goed of dit bedrijf van mijn vriend garandeert het meest effectieve gebruik van mijn reserves,' terwijl dat in werkelijkheid zelden het geval is. Een derde groep investeert in een gevarieerde verzameling aandelen of in een beleggingsfonds. Dat betekent dat ze eigenaar worden van twintig tot honderd bedrijven. Maar ook deze investeringsstrategie is gebaseerd op een selectie van een relatief klein aantal bedrijven, waarvan we denken dat die een beter rendement geven dan andere bedrijven.

> 'We zijn van nature toegerust om naar patronen te kijken.
> ... En wat voor veel mensen verwarrend is, is de situatie waarin er geen patroon is, als alles wordt beheerst door toeval. De aandelenmarkt is een volmaakt voorbeeld daarvan. De dikke en de dunne op CNBC (Consumer News and Business Channel). De een zegt dat de beurskoersen zullen stijgen, de ander zegt dat ze zullen dalen. Er is niemand die eenvoudig zegt: "Ik weet het niet en je kunt het ook niet weten."'
>
> DR. MEIR STATMAN,
> HOOGLERAAR FINANCIËN,
> SANTA CLARA UNIVERSITY

In de taal van de investeringsbranche wordt dit 'stock-picking' of 'actief management' genoemd. Deze strategie wordt bewust of onbewust door meer dan 90 procent van de individuele investeerders gebruikt. Toch wordt hun verwachting van een hoger rende-

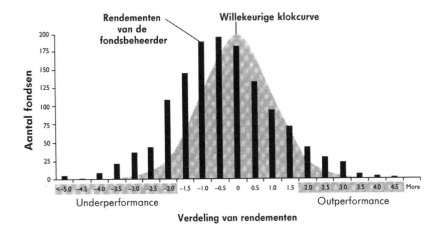

Verdeling van rendementen

ment niet bevestigd door de academische literatuur. De bijgevoegde grafiek van Mark Carhart laat zien dat de rendementen van fondsbeheerders die zelf hun aandelen kiezen niet hoger liggen dan die van beleggers die een volstrekt willekeurige keuze zouden maken.

Voor degenen die zenuwachtig worden van dergelijke grafieken, zal ik even een korte uitleg geven. Als we langs de horizontale as kijken (X) zien we aan de rechterkant de hogere rendementen die ook wel 'outperformance' worden genoemd. Het cijfer 0 in het midden representeert de fondsen die noch een outperformance, noch een underperformance hebben behaald. De negatieve getallen aan de linkerkant van de X-as representeren de fondsen die een underperformance scoorden en de positieve getallen aan de rechterkant representeren de fondsen met een outperformance.

Deze grafiek wordt pas echt interessant als we de grijze klokvormige kromme vergelijken met de kromme die wordt gevormd door de zwarte verticale balken. De grijze kromme is de distributie van aandelenrendementen bij willekeurige aandelenselectie met behulp van een muntje of een dobbelsteen. Het hoogste punt van beide krommen wordt gevormd door het punt waar de fondsen geen waarde toevoegen. Als je van daaruit naar rechts gaat dan zie je hoeveel willekeurig gekozen fondsen het beter zouden doen dan gemiddeld. Ga je naar links dan zie je hoeveel willekeurig gekozen fondsen slechtere rendementen zouden behalen dan gemiddeld. Bedenk wel: het gaat in dit geval om willekeurig gekozen fondsen – met andere woorden, er is hier geen sprake van bijzondere vaardigheden of inspanningen van de kant van de fondsbeheerder.

De verticale balken representeren de bestaande rendementen van bestaande fondsbeheerders die met snelle computers werken, business-class door heel Amerika vliegen om bedrijfsmanagers te interviewen en ondersteund worden door teams met net afgestudeerde en ervaren MBA-ers. Zoals je kunt zien is de distributie van de rendementen van de bestaande fondsbeheerders in vorm vergelijkbaar met de distributie van de rendementen van de willekeurig gekozen aandelen. Aan de uiteinden is een kleiner aantal fondsbeheerders die het beter doen dan het gemiddelde en een kleiner aantal die het slechter doen. De meeste fondsbeheerders zitten met hun rendement dicht bij het gemiddelde.

Conclusie? *De distributie van de rendementen van de bestaande fondsbeheerders ligt significant meer naar links (is dus slechter) dan het gemiddelde rendement van de willekeurig selecterende kopers. Dat betekent dat bestaande fondsbeheerders lagere rendementen boeken dan beleggers die hun keuze maken met behulp van een muntje of een dobbelsteen.*

De informatie in deze grafiek kan natuurlijk de hoop wekken dat we in staat zijn om van tevoren de beste fondsbeheerders te kiezen, waarvan sommigen inderdaad betere resultaten boeken. Dat is echter in de meeste gevallen gewoon een kwestie van geluk – zoals wanneer iemand een muntje opwerpt en tienmaal achtereen kop gooit. David Booth, de voorzitter en directeur van Dimensional, een passief investeringsbedrijf dat 150 miljard waard is, vertelde me: 'Het is net als bij de loterij. Iedereen weet dat loten een negatief verwacht rendement hebben' – wat betekent dat alle spelers samen met minder naar huis gaan dan ze hebben ingezet – 'maar mensen blijven spelen omdat ze hopen dat ze één van de gelukkigen zijn die winnen.'

Conclusie? *Hoewel ze in het investeringsspel de winnende fondsen trachten uit te kiezen, presteren de meeste individuele beleggers substantieel minder dan ze zouden hebben gepresteerd als ze een brede en gevarieerde index van aandelen zouden hebben gekocht.*

Investeren alsof alle mensen één zijn

Wat heeft dit te maken met voldoening op spiritueel vlak? De grote spirituele tradities beweren dat alle mensen één zijn. De investeringsstijl die in dit hoofdstuk wordt beschreven is, zoals we zo zullen zien, een praktische toepassing van dat inzicht.

De beste manier om te investeren is passief beleggen, ook wel indexbeleggen genoemd (ik gebruik deze namen door elkaar heen). In de meest eenvoudige vorm wordt er bij passief investeren een breed en gevarieerd aandelenpakket gekocht dat voldoet aan een reeks van financiële criteria en geen rekening houdt met de subjectieve voorkeur van de individuele investeerder. Klassieke voorbeelden van passief investeren zijn de indexfondsen die zijn gebaseerd op de index van de S&P500*. Deze fondsen zijn verplicht om alle vijfhonderd bedrijven die in de Standard and Poor's Index zijn opgenomen aan te kopen en wel naar verhouding van hun gewicht in de index. Met andere woorden, als General Electric 2 procent van de index omvat, dan moet een indexfonds dat is gebaseerd op de S&P500 2 procent van zijn vermogen in GE beleggen. Door dit fonds te kopen stellen de investeerders hun kapitaal op een evenredige wijze ter beschikking aan de grootste ondernemingen in de Verenigde Staten, waarbij subjectieve speculaties over de vraag wat de meest winstgevende bedrijven zouden kunnen zijn geen rol spelen.

Samen hebben deze vijfhonderd bedrijven tientallen miljoenen mensen in dienst en maken ze producten die door miljarden mensen in de wereld worden gebruikt. In vergelijking met een gewone portefeuille waarin twintig tot dertig aandelen zitten, of zelfs in vergelijking met een portefeuille van een beleggingsfonds met zo'n tweehonderd aandelen, biedt deze bekende indexstrategie een vertegenwoordiging van veel meer bedrijven. Toch vormen ook deze vijfhonderd grootste bedrijven in de

> '**De realiteit is dat je geen van de ingewikkelde aspecten van de aandelenmarkt hoeft te begrijpen. Je hoeft geen aandelen te bezitten. Je moet de aandelenmarkt bezitten.**'
>
> JOHN BOGLE, OPRICHTER VAN VANGUARD FUNDS

> '**Degenen die [het pad van indexfondsen] volgen kunnen er zeker van zijn dat ze de nettoresultaten (na aftrek van belastingen en kosten) van de grote meerderheid van de investeringsprofessionals verbeteren.**'
>
> WARREN BUFFETT

---

* Een bekende beleggingsstandaard die ruwweg de vijfhonderd grootste Amerikaanse ondernemingen omvat.

Verenigde Staten maar een kleine minderheid. Bij de strategieën die in mijn investeringsbedrijf worden gehanteerd investeren we in meer dan 11.500 ondernemingen – en hebben daarmee een veel grotere invloed op zowel werknemers als klanten. Conclusie? *Hoe groter het aantal bedrijven waarin je investeert, hoe groter het effect is van het geld dat je beschikbaar stelt.*

Werkt het echt?

'Alle mensen zijn één' kan een aantrekkelijke spirituele slogan zijn, maar wie zou een dergelijk inzicht in zijn investeringsstrategie willen gebruiken als het resulteert in lagere rendementen, waardoor je langer en harder moet werken om je financiële doeleinden te bereiken?

Je herinnert je misschien uit het hoofdstuk over de Verlangende Geest dat de meeste investeerders in beleggingsfondsen investeren als de fondsen stijgen en verkopen als de fondsen dalen. De volgende grafiek van Dalbars QAIB-onderzoek (eerder geciteerd in hoofdstuk 1) laat het verschil in groeicijfers zien tussen de typische investeerder in beleggingsfondsen en iemand die de S&P500-index koopt en aanhoudt.

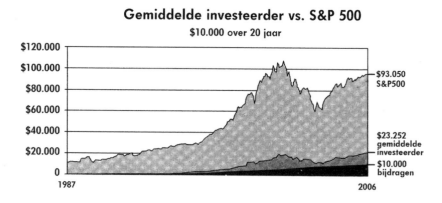

Gemiddelde investeerder vs. S&P 500
$10.000 over 20 jaar

Zoals je ziet zijn er enorme financiële voordelen verbonden aan het buitensluiten van menselijke subjectiviteit bij investeringskeuzes. Het geeft je de mogelijkheid dat je investering na twintig jaar viermaal zo veel waard is dan de investering van de gemiddelde investeerder. Als je zelf niet in staat bent om subjectiviteit uit je investeringsgedrag te weren, zou je een professionele adviseur kunnen vragen om je te helpen. Voor sommige mensen is het vasthouden aan hun eigen financiële en investeringsplannen nu eenmaal net zo moeilijk als het toepassen van psychotherapie op jezelf – er is gewoon niet genoeg objectiviteit. Conclusie? *Maak gebruik van een professional of een andere objectieve derde om je eigen emotionele impulsen af te remmen.*

Het verleden hoeft zich niet te herhalen

Zoals we in het voorbeeld van het opgeworpen muntje zagen, zijn er 'stock-pickers' die beter en 'stock-pickers' die slechter presteren, waarbij het niet uitmaakt of we uitgaan van de fondsbeheerders die over computers en een team van MBA-ers beschikken of van willekeurige beleggers die een muntje opgooien om te kiezen. De volgende figuur laat zien dat zelfs als je voor een periode van vijf jaar de dertig best presterende fondsen zou kopen, waarschijnlijk geen van die dertig fondsen in de volgende periode meer tot de top zal behoren.

Hoe presteren de 30 topfondsen vijf jaar later?

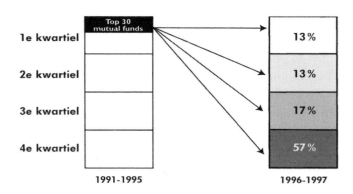

Bron: MicropalTM (excl. internationale fondsen, balanced funds en speciality funds)

Deze figuur toont aan dat van de dertig best presterende fondsen in de periode van 1991 tot 1995 maar liefst zeventien fondsen (57%) tot de slechts presterende fondsen behoorden in de periode van 1996 tot 2002. Slechts 13 procent (of vier fondsen) stonden in de buurt van de top, maar dan nog steeds lager dan hun notering in de eerste periode.

'Kopen als anderen
wanhopig verkopen, en
verkopen als anderen vol
gretigheid kopen vraagt
standvastigheid, maar
loont het meest.'
SIR JOHN TEMPLETON

(Overigens geeft een analyse over een tijdsbestek van tien jaar geen betere resultaten
dan een analyse over een tijdsbestek van
vijf jaar. De winnende fondsbeheerders
doen het in zo'n analyse zelfs nog slechter.)
Conclusie? *Uit goede beursprestaties in
het verleden valt geen voorspelling af te leiden van hogere rendementen in de toekomst.*

Goed doen en je goed voelen

Sommige lezers fronsen misschien hun wenkbrauwen dat een boek over
bewust investeren adviseert om de S&P500 te kopen, aangezien daarin verschillende bedrijven zijn opgenomen waarvan sociale activisten zeggen dat
ze een slechte reputatie hebben op het gebied van milieu en arbeidsrecht of
door de rechtbank gedwongen zijn om enorme schadevergoedingen te betalen omdat ze bewust hebben geprobeerd om onze kinderen aan het roken te
krijgen. Er zijn inderdaad te veel voorbeelden van bedrijven die producten
maken die mensen waardeloos of zelfs schadelijk vinden of van rijke investeerders die hun fortuin maken ten koste van anderen of het milieu. In het
midden van de jaren tachtig werd het maatschappelijk verantwoord investeren (MVI) een brede beweging op de investeringsmarkten met belangrijke
spelers zoals California Public Employees Retirement System (Cal-PERS) en
grote universitaire spaarfondsen. Deze fondsen besloten om hun investeringen terug te trekken uit bedrijven die zaken deden met Zuid-Afrika, dat
in die tijd werd geleid door een nationalistische regering en een racistisch
apartheidssysteem kende. Er kwamen beleggingsfondsen met een grote verscheidenheid aan ethische selectieprocedures, zoals fondsen die niet in Zuid-
Afrika, de tabaksindustrie en milieuvervuilende bedrijven wilden investeren
– om maar een paar voorbeelden te noemen. Hoewel deze nieuwe fondsen
baanbrekend werk verrichtten door de waarden en normen van hun aandeelhouders op te nemen in hun investeringsbeleid, vertoonden veel van
deze fondsen het typische gedrag dat al zo veel investeerders heeft geschaad,
zoals aandelen kopen op basis van subjectieve criteria, hoge kosten en fiscale
inefficiëntie. Met andere woorden, goed doen in maatschappelijke zin ging
ten koste van het goed doen in financieel opzicht.

In 1991 combineerde Amy Domini, een voormalig effectenmakelaar die als een van de eersten het MVI had gepromoot, passieve indexering en sociaal-ethische screening, wat tot het eerste maatschappelijk verantwoorde indexfonds leidde, de Domini Social Equity Fund. In 2000 richtte Vanguard samen met Calvert het Vanguard Calvert Social Index Fund (later Vanguard FTSE Social Index Fund genaamd) op. Het bedrag dat het fondsmanagement elk jaar van de rendementen aftrekt om de administratiekosten te dekken is hier slechts 0,25 procent, wat een zesde onder het branchegemiddelde ligt.

In een ideale wereld zouden er maatschappelijk verantwoorde indexfondsen zijn voor alle vermogensklassen, zoals grote aandelen, kleine aandelen, internationale aandelen, nationale aandelen en waardeaandelen. Maar die bestaan op dit moment nog niet en daarom klagen sommige maatschappijkritische beleggers dat de weinige indexfondsen waar je maatschappelijk verantwoorde aandelen kunt kopen (waaronder ook de twee fondsen die ik noemde) alleen investeren in grote Amerikaanse bedrijven, terwijl kleinere en buitenlandse bedrijven buiten beschouwing worden gelaten. En dat terwijl dat nu juist twee belangrijke bouwstenen zijn voor een gevarieerde investeringsstrategie, zoals ik je later zal uitleggen. De MVI-branche verdedigt zich door te stellen dat het als klein bedrijf nogal moeilijk is om tieners ervan te overtuigen dat ze niet moeten roken, om een gigantische kooldioxide uitstotende machine te bouwen of om een ecosysteem te verwoesten. Bovendien, zo zeggen ze, zijn de 'grootste zondaars' bedrijven die in de Verenigde Staten gevestigd zijn. Om die reden zijn de bedrijven die door de MVI-indexfondsen worden uitgesloten vaak grote in Amerika gevestigde ondernemingen. Op het moment van schrijven is het Vanguard Fund naar mijn mening de beste manier om passief en maatschappelijk verantwoord te investeren in grote Amerikaanse aandelen. Andere indexstrategieën die zich concentreren op kleine en buitenlandse bedrijven zijn in ontwikkeling, maar nog niet beschikbaar voor de kleine investeerder.

Een andere benadering van maatschappelijk verantwoord investeren is aandeelhoudersactivisme. Daarbij koopt de kritische belegger met opzet aandelen van bedrijven waarvan hij of zij het beleid wil veranderen. Als mede-eigenaar kun je bestuursleden kiezen die een koerswijziging voorstaan. Je kunt je zorgen uiten op aandeelhoudersvergaderingen en de IR-afdeling (Investor Relations) of op andere manieren van je laten horen. Je bent immers geen buitenstaander meer, maar een direct betrokkene. Natuurlijk kun je bij een multinationale onderneming de samenstelling van de directiekamer niet in je eentje veranderen als je tien aandelen bezit van dat bedrijf. Maar als aandeelhouder ben je wel in de gelegenheid om je aan te sluiten bij aandeelhouders met vergelijkbare waarden en normen en samen invloed uit te oefenen.

De middenweg voor investeerders

Als je een keus zou moeten maken tussen de volgende twee portefeuilles, zou je kunnen denken dat ze hetzelfde resultaat geven omdat het gemiddelde rendement hetzelfde is. Maar dat is niet zo. Welke van de twee is volgens jou de beste investering?

PORTEFEUILLE	RENDEMENT VAN A	RENDEMENT VAN B
Jaar 1:	40%	10%
Jaar 2:	-20%	10%
Jaar 3:	10%	10%
GEMIDDELD:	10%	10%

Het antwoord – ondanks de 40 procent winst die A maakt in Jaar 1 – is B. In een periode van drie jaar groeit een investering bij A van $100.000 naar $123.200, terwijl dezelfde $100.000 bij B na drie jaar is uitgegroeid tot $133.100, ook al is er in beide gevallen sprake van een rendement van 10 procent! Het is het oude raadsel van de schilpad en de haas. De stabielere, meer soepele groei van B (wat een 'lagere volatiliteit' wordt genoemd in het jargon van de investeringsbranche) heeft een veel hoger samengesteld rendement en dat bepaalt hoeveel geld je hebt aan het einde van de periode. Wie zou er geen hoger rendement willen met een lagere volatiliteit? Het vinden van een investering zonder een groot risico die je jaar in, jaar uit 10 procent rendement oplevert, is nogal lastig – waar het om gaat is het verloop te versoepelen (de volatiliteit te verlagen) van onze investeringsportefeuille. Maar hoe doe je dat?

Tot nu toe hebben we gesproken over passieve indexering en maatschappelijke toetsing. Beide leveren een bijdrage aan een bewuste en holistische benadering van investeren. Maar er is nog een ander sleutelelement voor een bewust investeringsprogramma: investeringsklassen opnemen die niet in ganzenpas met elkaar mee bewegen. Dit wordt 'diversificatie van vermogensklassen' genoemd – wat er kort gezegd op neerkomt dat je je geld investeert in aandelen die op verschillende momenten in verschillende richtingen bewegen.

In 1990 won dr. Harry Markowitz de Nobelprijs voor de economie met zijn werk over de portefeuilletheorie. Hij vertelde me in een interview dat ik met hem had: 'De wereld is onzeker en zelfs de insiders weten niet of een bedrijf succes zal hebben. Ik heb formele wiskunde gebruikt om uit te vinden hoe we onze investeringsportefeuilles zouden moeten diversifiëren om een maximaal rendement te krijgen op willekeurige momenten waarbij er onzekerheid of risico is.' Markowitz' werk laat zien dat investeerders dit maximaal rendement kunnen bereiken door verschillende vermogenstypen te verzamelen. Het investeren in een combinatie van grote aandelen, kleine aandelen, buitenlandse aandelen en onroerend goed zal bijvoorbeeld op lange termijn het rendement verhogen en het risico verlagen in vergelijking met een portefeuille waarin slechts een van deze vier vermogenstypen aanwezig is. Hoewel Markowitz' werk niet is gebaseerd op spirituele teksten, vinden we deze gedachte van het combineren van verschillende vermogensklassen opvallend genoeg ook in de Talmoed, het oude tekstcorpus over de wet en de ethiek van het jodendom. Daarin staat: 'Laat iedere man zijn geld verdelen in drie delen. Laat hem een derde investeren in land, een derde in zaken en een derde in reserve houden.' Met andere woorden, een goede vermogenstoewijzing (allocatie) is 33 procent onroerend goed, 33 procent aandelen en 33 procent obligaties – wat ik beschouw als de drie belangrijkste vermogensklassen.

Investeerders zouden er wijs aan doen om naar dit bijna tweeduizend jaar oude advies te luisteren, aangezien deze drie vermogensklassen op verschillende tijdstippen in verschillende mate in waarde stijgen of dalen. (Wiskundig gesproken bestaat er nauwelijks correlatie tussen deze klassen.) Tijdens de beurscrisis van 2000-2003, een periode waarin de S&P500 maar liefst 44 procent van haar waarde verloor, steeg het onroerend goed (volgens de index van de National Association of Real Estate Investment Trusts) met 45 procent, terwijl de obligatiemarkt (volgens de Lehman Intermediat Government/Corporate Index) met 28 procent steeg. In plaats van 44 procent van zijn kapitaal te verliezen (zoals beleggers die alleen aandelen van de S&P500 hebben), zou een investeerder met een op vermogensklasse gediversifieerde portefeuille 10 procent hebben *gewonnen*. Niet slecht voor een advies dat tweeduizend jaar oud is.

Ware diversiteit

Veel investeerders denken ten onrechte dat diversificatie eenvoudigweg betekent dat je niet al je eieren in hetzelfde mandje moet bewaren. Sommige beleggers hebben al het gevoel dat ze diversifiëren als ze twintig verschillende aandelen hebben. Anderen denken dat ze door te investeren in verschillende beleggingsfondsen of meerdere beleggingsadviseurs in te huren genoeg diversiteit aanbrengen in hun investeringen.

Het probleem is dat het er bij diversificatie primair om gaat dat je *vermogensklassen* gediversifieerd zijn. Het maakt niet uit hoeveel aandelen je bezit of hoeveel adviseurs je raadpleegt. Ik heb vele portefeuilles gezien die samengesteld waren door betrouwbare professionals met een goede naam, die acht tot tien beleggingsfondsen telden en gescheiden accountmanagers hadden met verschillende namen en honderden individuele aandelen. Een ongetraind oog had de indruk dat hier sprake was van een goede diversificatie. Maar als ik onderzocht welke vermogensklassen deze portefeuille omvatte, dan bleek dat meer dan twee derde van het vermogen was belegd in grote Amerikaanse ondernemingen. Dat is de reden waarom zo veel mensen 50 tot 75 procent van hun investeringen verloren tijdens de beurscrisis van 2000-2003.

Binnen de drie grote vermogensklassen die in de Talmoed worden genoemd – aandelen, onroerend goed en obligaties – zijn verdere onderverdelingen te maken, die het risico voor de gehele portefeuille reduceren, met name als je passief (dat wil zeggen via een indexfonds) investeert in deze vermogensklassen. Tot deze verdere onderverdelingen behoren:

WAARDEAANDELEN. Dit zijn aandelen waarvan de totale marktwaarde (de waarde waarvoor het bedrijf verkocht kan worden) relatief laag is in verhouding tot de jaarlijkse verkoopcijfers of de boekwaarde (een technische term voor de som van alle activa – bijvoorbeeld afdelingen, gebouwen, inventaris en apparaten die eigendom zijn van het bedrijf). Dit is een klasse met aandelen die op een bepaald moment uit de gratie zijn geraakt. Hier worden geen succesverhalen verteld. Misschien heeft het management fouten gemaakt of behoort het bedrijf tot de zogenaamde 'oude economie'. De waarden van deze bedrijven zijn als gevolg daarvan relatief sterker gedaald dan bij andere bedrijven. Op het moment van schrijven betaal je voor een aandeel Microsoft bijvoorbeeld achtmaal de boekwaarde, terwijl je een aandeel Southwest Airlines slechts tweemaal de boekwaarde kost. Het is net als in de tuin waar je soms stukken aantreft waar de bodem vrij kaal is omdat er een boom staat die met zijn takken en bladeren het zonlicht wegneemt, terwijl andere delen genoeg zon en water krijgen en floreren. Het zonnige gedeelte van de tuin dat genoeg water en zonlicht krijgt kun je vergelijken met goed geleide, snelgroeiende bedrijven, waarvan iedereen verwacht dat ze het goed zullen doen. Maar als je slechts een beperkte hoeveelheid reserves – water en zonlicht – hebt, op welke plek kun je met die reserves dan het meest tot stand brengen? Inderdaad, in het schaduwrijke en droge gedeelte van de tuin!

Met investeren gaat het precies zo, met dit verschil dat de schaarse reserves die zo efficiënt mogelijk moeten worden gebruikt ons kapitaal zijn in plaats van zonlicht en water. Als je voor $100 een bedrijf zou kunnen kopen met een jaarlijkse verkoop van $100, of voor $300 een bedrijf met een jaarlijkse verkoop van eveneens $100, en je niets zou weten over het ene of het andere bedrijf, dan zou je natuurlijk liever het eerste bedrijf kopen. De kans is immers groot dat je dan substantieel minder betaalt voor het recht op elke dollar netto-inkomen die het bedrijf verdient. Het is alsof het bedrijf te koop staat, hoewel datgene wat hier verkocht wordt niet het bedrijf zelf is, maar de toekomstige verdiensten van het bedrijf – want dat koop je als je eigenaar wordt van de aandelen van dit bedrijf.

Het punt is dat het eenvoudige feit dat een bedrijf het goed doet of goed wordt bestuurd, geen goede reden is om er in te investeren – immers: *omdat de rest van de investeerders in aandelen dit ook weet, weerspiegelt de prijs die je betaalt voor een aandeel dat optimisme.* Sommige van de meest beroemde en succesvolle investeerders, waaronder Warren Buffett en Benjamin Graham, waren investeerders in waardeaandelen. Het pessimisme van investeerders met betrekking tot waardeaandelen is gerechtvaardigd als je naar de risico's van één bedrijf kijkt. Maar als je een deel van je vermogen investeert in een breed gediversifieerde index van waardeaandelen, daalt het risico van de totale portefeuille omdat de delen die de pessimistische verwachtingen van de markt weerleggen en overschrijden de delen die slecht blijven presteren meer dan compenseren. In de afgelopen veertig jaar gaven waardeaandelen meer dan 3 procent meer rendement dan aandelen van grote Amerikaanse bedrijven. Dat klinkt misschien wat mager. Maar over een periode van veertig jaar komt dat neer op een verdriedubbeling van het rendement dat je anders zou hebben gehad.

KLEIN KAPITAAL. Dit zijn aandelen waarvan de totale marktwaarde in absolute termen laag is. Er is veel onenigheid over de vraag wat 'klein' is, maar mijn overtuiging is: hoe kleiner, hoe beter. Zo krijg je immers het meeste tegenwicht ten opzichte van large-cap-aandelen (groot kapitaal), die de meeste aandelenportefeuilles domineren. In de laatste veertig jaar lag het rendement van small-cap-aandelen (klein kapitaal) ongeveer 2 procent hoger dan bij aandelen van grote Amerikaanse bedrijven.

ONROEREND GOED. De eenvoudigste manier om onroerend goed te bezitten in de Verenigde Staten is via de Real-Estate Investments Trusts (REITs), die aan onroerend goed verdienen in plaats van aan producten of diensten. Net als bij aandelen is het heel belangrijk dat investeerders op de geografische diversificatie letten: het eigendom moet zich niet in één stad of één geografische regio bevinden. Dat gaat in tegen hoe de meeste investeerders over onroerend goed denken. Vaak worden de keuzes in deze branche bepaald door de wens om het eigendom te kunnen zien en aanraken. Vaak betreft het erfgoed van de familie en is het eigendom om die reden in één geografische regio geconcentreerd. Een tweede manier om diversificatie aan te brengen is diversiteit op basis van eigendomstype. Dat wil zeggen dat het verstandig is om meer dan één enkel type eigendom (zoals kantoren, appartementen, winkels of fabrieken) te bezitten. Dat zou immers betekenen dat je maar één type aandelen zou hebben, zoals de olie-industrie of de financiële dienstverlening. De reden om op deze manieren te diversifiëren is dat dalende koersen in onroerend goed op verschillende momenten een effect hebben in verschillende regio's en eigendomstypen. Een regionale recessie die tot lege kantoorgebouwen leidt in het noordoosten van het land heeft meestal geen effect op de leegstand in appartementen aan de westkust. Rijke cliënten zouden direct in onroerend goed moeten investeren, want daarvoor moet je genoeg geld hebben om minstens drie verschillende eigendomstypen te kunnen kopen, het liefst zo verschillend mogelijk. Als je investeringsportefeuille niet groot genoeg is om dit te doen, kan een goed indexfonds van REITs je de benodigde diversificatie verschaffen.

COMMODITIES. Agrarische producten, edelmetalen en olie gedragen zich op dezelfde wijze als onroerend goed: in beide gevallen betreft het goederen die heel anders op de markt reageren dan aandelen en obligaties. Er zijn bijzonder riskante manieren om te investeren in commodities, zoals het investeren in futures (termijncontracten), waarmee veel geld is verdiend maar ook veel geld is verloren. Mijn voorstel is dat je niet probeert om mee te spelen in dit veld. Er bestaat op dit gebied een handvol indexfondsen die een goede verdeling van verschillende typen commodities kennen – metalen, energie en agrarische producten – waardoor de volatiliteit van je portefeuille wordt verlaagd, ook al lijken commodities individueel gezien erg volatiel (instabiel en gevoelig).

OBLIGATIES. Zoals je zult zien is het verhogen van het aantal obligaties in je beleggingsportefeuille de beste bescherming tegen het risico van dalende koersen op de beurs. De algemene regel is dat je op de lange termijn geen voordeel behaalt met junkbonds (obligaties met een hoge rente en een hoog risico) of het risico van langetermijnobligaties (die gevoeliger zijn voor veranderingen van de rente). Conclusie? *Ik adviseer cliënten om zich te concentreren op obligaties van hoog gewaardeerde bedrijven en overheidsinstellingen, die in maximaal vijf tot zeven jaar zijn afbetaald.*

De voordelen van een gediversifieerde portefeuille

Op zichzelf kunnen al deze vermogensklassen zich nogal extreem gedragen als het gaat om volatiliteit, marktcondities die het succes bepalen en de vraag hoe ze in of uit de belangstelling raken. Conclusie? *Zoals we naar evenwicht moeten streven tussen de verschillende archetypen in onszelf, zo ligt de sleutel tot succesvol investeren in een evenwichtige combinatie van vermogensklassen.*

Hieronder volgt de allocatie die ik aanbeveel voor een investeringsportefeuille zonder obligaties. Als je een wat conservatievere portefeuille nodig hebt, koop je natuurlijk wel obligaties. De percentages hieronder zijn alleen van toepassing op het gedeelte van je portefeuille dat geen obligaties bevat.

vs: Large-cap (groot kapitaal)	21%
vs: Large-value (grote waardeaandelen)	21%
vs: Small-cap (klein kapitaal)	9%
vs: Small-value (kleine waardeaandelen)	9%
Internationaal: Large-value	8%
Internationaal: Small-cap	4%
Internationaal: Small-value	4%
Opkomende markten: Portefeuille	3%
Opkomende markten: Small-cap	3%
Opkomende markten: Value	3%
Onroerend goed	10%
Commodities	5%

LAAG INKOPEN EN HOOG VERKOPEN

Nadat je de allocatie van je vermogen hebt geregeld, verplaatst de aandacht zich naar een andere bijzonder belangrijke beleggingsdiscipline: 'rebalancing'. Daarbij herstel je door middel van re-allocatie periodiek de oorspronkelijke doelstellingen van je investeringsportefeuille.

Laten we een eenvoudig voorbeeld nemen: Stel dat je portefeuille voor 40 procent is gealloceerd aan een indexfonds met grote aandelen, voor 20 procent aan een indexfonds met kleine aandelen en voor 40 procent aan een fonds met kortetermijnobligaties. Als de aandelenmarkt (zowel de kleine als de grote) 30 procent stijgt en de obligaties stagneren, zul je 66 procent van je vermogen in aandelen hebben en slechts 34 procent in obligaties. Rebalancing betekent dat je grote aandelen en kleine aandelen verkoopt totdat ze (in dit voorbeeld) opnieuw 40 resp. 20 procent van portefeuillewaarde vertegenwoordigen. De opbrengst gebruik je om de obligaties weer op het niveau van 40 procent te krijgen. Dit dwingt je bij wijze van spreken om te verkopen waar je je net aan begon te hechten en te kopen wat zojuist in waarde is gedaald.

De meeste investeerders doen precies het tegenovergestelde – ze kopen wat in waarde is gestegen en verkopen wat in waarde is gedaald. Op het eerste gezicht lijkt dit op hoog inkopen en laag verkopen, terwijl succesvolle investeerders van nature het tegendeel nastreven. Rebalancing eist echter van je dat je ingaat tegen je emotionele instincten, maar het wordt gepraktiseerd door de meest succesvolle investeerders en wordt beschouwd als een van de beste strategieën in de sector. Veel investeerders vragen zich af hoe lang ze hun 'winnaars' moeten vasthouden – de activa die het meest in waarde zijn gestegen. De meeste investeerders houden er te lang aan vast. Rebalancing dwingt ons om onze winnaars te verkopen en te investeren in die vermogensklassen die minder in waarde zijn gestegen. Hoe vaak moet je dit doen? De meeste professionele adviseurs doen het met periodieke tussenpozen, bijvoorbeeld elk kalenderjaar. Anderen stellen een aanvaardbaar bereik vast waarbinnen elke vermogensklasse nog niet verkocht hoeft te worden. Als je portefeuille bijvoorbeeld gericht is op het bezit van 40 procent grote aandelen, zou je een bereik van 32 tot 48 procent kunnen vaststellen. Dat betekent dat je meer van deze vermogensklasse koopt als de portefeuillewaarde ervan onder de 32 procent daalt, terwijl je begint te verkopen boven de 48 procent. Hoeveel precies? Genoeg om de oorspronkelijk bedoelde allocatie te herstellen.

Hieronder zie je twee voorbeeldportefeuilles. De een is gericht op veilig investeren, wat betekent dat deze portefeuille veel verschillende aandelen en fondsen bevat, hoewel het grootste deel is geïnvesteerd in grote Amerikaanse ondernemingen. Bij de andere portefeuille is er sprake van diversificatie op grond van vermogensklassen in overeenstemming met de percentageadviezen die in dit hoofdstuk werden besproken. Bekijk de grafiek maar eens.

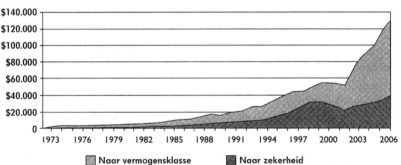

Waarde van $1000 investering na 34 jaar

Een van de belangrijkste redenen waarom een op vermogensklassen gediversifieerde portefeuille veel sneller groeit is dat er minder ups en downs zijn wanneer we de uitersten van het spectrum combineren (zoals het ook voordeel geeft als iemand tegenstrijdige archetypen combineert). Het gevolg is dat je uiteindelijk veel meer over houdt (zoals een evenwichtige investeerder meer gemoedsrust heeft en zich vrijer voelt).

Alle investeerders willen iets voor niets: een interessante tip of veilige investering die ons grote winsten zal opleveren. Diversificatie naar vermogensklassen is naar mijn mening het enige wat je voor niets krijgt in de investeringswereld en waarbij je werkelijk op een betrouwbare en door de tijd beproefde manier je risico kunt verlagen en je rendement kunt verhogen. Veel spirituele tradities benadrukken dat het aanbrengen van evenwicht tussen extremen de sleutel is voor groei en vooruitgang. Dat geldt dus ook voor investeren.

De verborgen tarieven en onkosten van investeren

Als het om de kosten en tarieven gaat die worden gerekend, krijg je in de financiële dienstverlening niets voor niets. Om te voorkomen dat je meer betaalt dan je zou moeten betalen is het verstandig om iets te weten over de geschiedenis van deze adviesbranche. Vroeger benaderde een onderneming een financiële dienstverlener om kapitaal te vinden, waarna de afdeling investment-banking van deze instelling de verkoop van de aandelen op zich nam. Vervolgens greep een verkoopteam, later effectenmakelaars genoemd, naar de telefoon om de aandelen aan investeerders te verkopen. Als je één cliënt hebt – deze onderneming – die je miljoenen dollars aan tarieven betaalt, terwijl je duizenden cliënten hebt die ieder voor zich misschien enkele honderden of duizenden dollars aan tarieven betalen, waar ligt dan je primaire loyaliteit? Hoogstwaarschijnlijk bij de onderneming die miljoenen betaalt voor de verkoop van haar aandelen en niet bij de individuele investeerders die je als afnemers van die aandelen beschouwt.

Er wordt weinig druk gelegd op financiële dienstverleners om hun prijzen en tarieven transparanter te maken voor individuele investeerders. Het gevolg is dat de meeste investeerders meer aan tarieven betalen dan ze denken. (Later in dit hoofdstuk zal ik laten zien hoe je uitrekent hoeveel meer dat is.) Een bekend verweer van financiële adviseurs is: 'Wat maakt het uit hoe hoog onze tarieven zijn? Waar het om gaat is wat de resultaten zijn die we bieden!' Dit soort redeneringen negeert echter een groot aantal studies dat heeft aangetoond dat hoge tarieven en onkosten leiden tot slechtere investeringsresultaten.

John Bogle, stichter van de Vanguard Group, stelde vast dat aanhoudende hoge kostenverhoudingen (de kosten die een beleggingsfonds berekent voor zijn diensten) een van de belangrijkste oorzaken vormden van de matige resultaten van beleggingsfondsen die we eerder in dit hoofdstuk bespraken. Uit Bogle's analyse van de resultaten van fondsen met actieve portefeuillebeheerders (dat wil zeggen fondsbeheerders die zelf de aandelen uitkiezen die ze willen kopen of verkopen) tegenover die van de passieve marktindex (zoals de S&P500) bleek dat van de tekorten van de beleggingsfondsen ten opzichte van de marktindex maar liefst 92 procent was toe te schrijven aan dit soort onkosten. Dat is ook wel logisch, want iedereen die bij het proces betrokken is, moet betaald worden voor het brutorendement, hoe hoog of laag dat ook is

Eigenlijk zou er een compleet en overzichtelijk rooster moeten bestaan met kosten en tarieven, dat door elke investeerder zou moeten worden getekend voordat er investeringen worden gedaan. Zoiets als het schermpje op het dashboard dat laat zien hoeveel kilometer je rijdt met een liter benzine, of de voedingsinformatie op verpakte voedingsmiddelen. Er zou eenvoudig op staan:

De totale kosten die worden berekend voor deze investering zijn **3,10 %**, ervan uitgaande dat de investering drie jaar wordt aangehouden.

Conclusie? *Hoge tarieven en onkosten zijn de reden waarom fondsbeheerders die niet met indexfondsen werken door de tijd heen minder goed hebben gepresteerd.*

De meeste investeerders zouden geschokt zijn als ze per jaar tussen de 2 en 5 procent van hun investeringsvermogen zouden moeten betalen (ja, 2-5%) aan effectenmakelaars en financiële dienstverleners. Ik heb het hier niet over te hoog geprijsde annuïteitenhypotheken of verzekeringsproducten, die nog meer kunnen kosten. Ik heb het hier over een heel gewone investeringsrekening bij een gewone effectenmakelaar, een trust, een beleggingsfonds of een firma die zich bezighoudt met money-management (geldbeheer).

Andere belangrijke kostenposten waarmee rekening moet worden gehouden zijn belastingen. Ze kunnen het rendement sterk verlagen. Toch worden de meeste fondsbeheerders en accountmanagers aangenomen en ontslagen op basis van de resultaten vóór belastingaftrek. Daarom besteden veel adviseurs te weinig aandacht aan de invloed van belastingen. Volgens een recent academisch onderzoek zou er 1,4 tot 4,1 procent aan brutowinst zijn verdwenen in de zakken van de Amerikaanse belastingdienst (IRS), waarbij de variatie afhankelijk is van de vermogensklasse in kwestie. Daarentegen zijn er fiscaal efficiënte portefeuilles van indexfondsen die over het algemeen minder dan 0,5 procent per jaar verliezen aan de belastingen.

'Wall Street heeft hard gewerkt om investeren erg ingewikkeld te maken. Dat is waarom ze in staat zijn om veel geld te vragen voor het geven van advies en begeleiding.'

JOE MOGLIA,
CEO, TD AMERITRADE

Onderschat het belang van tarieven en belastingen alsjeblieft niet. Als je meer betaalt dan je zou moeten betalen, zou dat je in de toekomst heel veel geld kunnen schelen. Een kostentoename van 1 procent kan betekenen dat je vijf jaar langer moet werken voordat je met pensioen kunt of dat je kind naar een universiteit moet die half zoveel kost als de opleiding die je had kunnen betalen als je de kosten van je investeringen eerder had verlaagd.

Conclusie? *Zorg dat je weet wat de onkosten van je investeringen zijn.*

VERBORGEN ONKOSTEN

Omdat het zo moeilijk is om verborgen onkosten te ontdekken, geef ik een aantal vragen die je kunt stellen aan beleggingsadviseurs en fondsbeheerders. Ik geef je ook wat typisch investeringsjargon dat je kunt gebruiken om nauwkeurige en betrouwbare antwoorden te krijgen, ook al is de betekenis ervan je misschien niet helemaal duidelijk. Bij elke vraag vermeld ik tussen haakjes de standaardpercentages die naar mijn mening kunnen worden gerekend. Als je meer betaalt (en dat is heel waarschijnlijk) gok je erop dat de betere prestaties van deze tussenpersoon de extra kosten dekken (wat volgens de gegevens zelden gebeurt). Vraag de adviseur of beheerder om de antwoorden te berekenen op basis van de voorafgaande twaalf maanden waarin je met hem werkte. Laat hen, als het om tussenpersonen gaat met wie je voor het eerst werkt, een voorbeeldportefeuille samenstellen van zaken waarin ze namens jou zouden willen investeren, en stel onderstaande vragen over die portefeuille – misschien kunnen ze het voorbeeld geven van een bestaande cliënt met vergelijkbare doelstellingen. Laat bij vaste bedragen het jaarlijkse totaalbedrag omrekenen in percentage van je vermogen.

1. Hoeveel betaal ik u en uw bedrijf rechtstreeks aan beheerkosten, transactiekosten (voor het kopen en verkopen), kosten voor financiële planning en voorschotten?

.................% (0,25%-1,25%; hoe meer vermogen je investeert, hoe lager het percentage behoort te zijn)

2. Hoeveel bedragen de totale handelskosten, inclusief de marges tussen aanbod (het bedrag dat ik krijg als ik aandelen verkoop) en vraag (het bedrag dat ik betaal om aandelen te kopen), uitgedrukt in een jaarlijks percentage van de aandelenportefeuille die ik direct van u of uw firma koop?

.................% (0%-0,25%)

3. Hoeveel commissie of plaatsingskosten betaal ik vooraf of achteraf voor de beleggingsfondsen of andere investeringen die u me aanbeveelt?

.................% (0%)

Op een paar uitzonderingen na zou dit bedrag nul moeten zijn als het percentage bij vraag 1 hierboven hoger was dan 0%. Omdat commissie of plaatsingskosten slechts eenmaal worden betaald kun je de kosten verdelen over de verwachte investeringsperiode. Een commissie van 5% is bijvoorbeeld bij een investering die je drie jaar aanhoudt 1,67% per jaar.

4. Wat zijn de TER-kosten (total expense ratio: de totale kosten die een fondsbeheerder doorberekent aan een cliënt of fonds voor hun diensten) of doorlopende beheertarieven van de fondsbedrijven of geldbeheerders waarbij ik investeer?

.................% (0,15%-0,50%, afhankelijk van de vermogensklasse. In het algemeen zouden de kleine en internationale vermogensklassen aan de hogere kant van dit spectrum moeten liggen.)

5. Hoeveel betaalt u aan transactiekosten, inclusief de marges tussen vraag en aanbod en uitgedrukt in een jaarlijks percentage van mijn aandelenportefeuille?
Dit is een andere vraag dan de vraag bij 2 hierboven. Net als elke investeerder moeten beleggingsmaatschappijen en geldbeheerders op elk aandeel vergelijkbare marges toestaan tussen vraag- en aanbodprijzen, evenals andere transactiekosten op aandelen die ze voor je kopen. Als een fonds bijvoorbeeld een aandeel voor $15,50 koopt, maar hetzelfde aandeel verkoopt voor $15,00, dan zullen de kosten van $0,50 uiteindelijk worden gedragen door de aandeelhouders van het fonds.
..................% (Het gemiddelde van de bedrijfstak ligt volgens auteurs tussen de 0,6% en 0,8%.)

6. Zijn er nog andere kosten of commissies waar we nog niet over hebben gesproken? Waar zijn die op gebaseerd? Op welke manier zie ik die kosten terug in mijn rendementen? Als er nog aanvullende kosten zijn, welk percentage van mijn vermogen bedraagt dat elk jaar?
..................%

De tijd staat aan jouw kant

Een van de moeilijkste dingen voor investeerders is om te aanvaarden dat elke investeringsstrategie het risico met zich meebrengt dat je op een gegeven moment geld verliest. Misschien ben jij daar niet van overtuigd en denk je dat het je nooit zal gebeuren. Veel mensen verkeren bijvoorbeeld in de veronderstelling dat de waarde van hun huis altijd stijgt. Maar ze controleren de waarde ervan alleen als ze het huis kopen, de hypotheek oversluiten of het huis verkopen. Vergeleken met de informatie die beschikbaar is over de beurskoersen worden we bij het bezit van een huis veel minder lastiggevallen met nieuwe informatie. Als de krant of televisie de waardedalingen van huizen net zo vaak zou doorgeven als de daling van de beurscijfers dan zouden we waarschijnlijk precies hetzelfde reageren op de huizenmarkt.

Een ander bezwaar dat je zou kunnen inbrengen tegen mijn stelling dat je op elke investering op een zeker moment verliezen boekt, zou kunnen zijn dat het ook mogelijk is om te investeren in termijndeposito's – die verliezen nooit aan waarde. Er wordt daarbij echter geen rekening gehouden met het effect van belastingen en inflatie. Als je 5 procent verdient op een termijndeposito en vervolgens 25 procent belasting betaalt over dat rendement, houd je 3,75 procent over. Hogere belastingschalen verlagen de rente die je na belastingaftrek overhoudt nog meer. En wat belangrijker is, de kosten van levensonderhoud nemen op de lange termijn gemiddeld met 3 tot 4 procent toe, afhankelijk van de kostenpost waar het over gaat. In het geval van onze investeerder in termijndeposito's zou hij langzaam maar zeker aan koopkracht

'Er is een interessant onderzoek op het gebied van gedragsneigingen – het zou moeten worden gepubliceerd in een rood boekje dat aan iedereen wordt uitgedeeld. Het zegt dat mensen die veel handel drijven in het algemeen bruto hetzelfde verdienen als ieder ander. En dat ze het netto een stuk slechter doen, omdat excessieve handel tot excessieve kosten leidt.'

DR. HARRY MARKOWITZ, ECONOOM EN NOBELPRIJSWINNAAR

kunnen verliezen, hoewel hij denkt dat hij zonder risico investeert.

Conclusie? *Hoe meer risico je durft te nemen op de korte termijn, hoe groter de kans dat je genoeg zult hebben om op lange termijn je doelen te financieren.* In de afgelopen honderd jaar zijn er nauwelijks perioden geweest van tien jaar en zeker geen perioden van vijftien jaar (of langer) waarin aandelen slechter hebben gepresteerd dan obligaties. Als je met een dergelijke termijn rekent (en de meeste mensen doen dat) loop je veel minder risico wanneer je portefeuille aandelen en onroerend goed bevat dan in het geval van een portefeuille met obligaties. Dus, waar gaat je voorkeur naar uit? Naar de angstige ervaring van het vasthouden aan je investeringsstrategie waarbij je er rekening mee moet houden dat je aandelenportefeuille volgend jaar met 25 procent in waarde kan dalen? Of de emotionele ellende die je door moet maken als je als tachtig- of negentigjarige geen geld meer over hebt?

De volgende grafiek illustreert dat zowel de risico's op winst als die op verlies afnemen als we langer aan een investering vasthouden. (Merk op dat ik voor deze figuur de S&P500 voor aandelen heb gebruikt.)

S&P 500 rendementen op jaarbasis: oktober 1926 tot september 2006

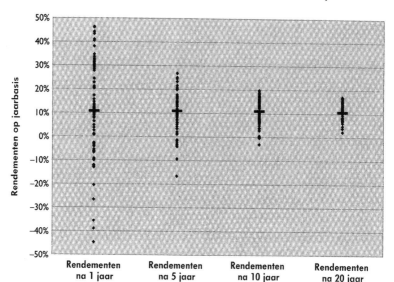

Zoals je kunt zien zijn er in de eerste kolom (rendementen na 1 jaar) beleggers die bijna 50 procent op hun investering hebben gewonnen of verloren. Als we naar de rendementen na vijf jaar kijken, zien we dat 17 procent jaarlijks het hoogste verlies is en dat de hoogste winst ongeveer 28 procent is. Bij de rendementen na tien jaar is de meest negatieve score 4 procent en de meest positieve 20 procent. Ten slotte blijkt er bij de rendementen na twintig jaar niemand te zijn met een negatief rendement. Het toprendement na twintig jaar is bijna twintig procent.

De risicoverlaging met het verstrijken van de tijd verklaart waarom het zo belangrijk is dat investeerders innerlijke discipline hebben. De beleggers die worden beloond – wat volgens het Dalbar-onderzoek betekent dat ze hun $10.000 zien groeien naar $93.050 in plaats van $23.252 – zijn degenen die niet verkopen op momenten dat de situatie uitzichtloos lijkt. Ze verkopen zelfs niet als iedereen zegt: 'Deze keer is het anders, je kunt het niet vergelijken met wat er eerder in de geschiedenis is gebeurd.' Deze investeerders weten dat je bij *elke* beurscrisis een iets andere versie van hetzelfde refrein hoort. Daarom negeren ze deze geluiden of, wat nog beter is, ze kopen juist meer als alle andere beleggers pessimistisch zijn.

Niettemin zijn er bepaalde situaties waarin het beleggen in aandelen en onroerend moet worden vermeden. Hoe gediversifieerd de portefeuille die ik hierboven heb aanbevolen ook is, je zult ook hiermee op een gegeven moment verlies maken. Als je op korte termijn van dit geld afhankelijk bent, zul je je allocatie moeten heroverwegen. Je wilt geen 20 procent verlies staan als over een paar jaar de opleiding van je kinderen moet worden gefinancierd. Gebruik de volgende tabel om de maximaal veilige allocatie te bepalen van aandelen en onroerend goed. (Een waarschuwing: als het pensioen je doel is of een andere langzame vermindering van je vermogen die op korte termijn begint maar zich uitstrekt over een veel langere periode, moet je bij de toepassing van deze tabel gebruikmaken van het moment waarop je de gemiddelde dollar, in tegenstelling tot de eerste en de laatste dollar, wilt verzilveren.)

Tijd totdat de gemiddelde dollar wordt verzilverd voor je doel	Maximaal % in aandelen	Maximaal % in REIT's en commodities	Korte termijn obligaties en geldmarkten
Minder dan 2 jaar	0%	0%	100%
2-4 jaar	25%	8%	67%
4-6 jaar	50%	16%	34%
6-8 jaar	65%	20%	34%
Meer dan 8 jaar	75%	25%	0%

Bereid jezelf voor

Het is, vooral als je nooit eerder hebt geïnvesteerd bij dalende beurscijfers, heel belangrijk om te begrijpen hoe het voelt om verliezen te boeken op je investeringen. Het belang hiervan hangt af van de vraag met welk archetype je je het meest identificeert. De volgende oefening is goed voor ons allemaal, maar vooral als je een Bewaker, een Spaarder of een Imperiumbouwer bent. Doe deze oefening en je zult in staat zijn om de spanning van een dalende markt te verdragen zonder te verkopen.

WAT IS VOOR JOU DE JUISTE MIX VAN AANDELEN EN OBLIGATIES?

De grote vraag is hoeveel marktwaardeverlies je als belegger aankunt. (Zelfs als je maar een paar honderd euro hebt om te investeren, moet je dat zeker doen. Dus lees door!) De beste manier om jezelf te beschermen tegen risico is door het percentage te verhogen van de investeringen die een regelmatig of vast inkomen genereren (bijvoorbeeld obligaties, contanten, geldmarkten en termijndeposito's), hoewel dat niet betekent dat meer van dit soort investeringen goed zijn voor iedereen.

Schrijf allereerst op hoeveel je nu bezit aan investeerbaar vermogen (daartoe behoren onroerend goed dat je persoonlijk niet gebruikt, de nettowaarde van leningen en bedrijven of ander vermogen dat je binnen twee jaar wilt verkopen):

€...................(a)

Je weet dat een gediversifieerde portefeuille op den duur verliezen altijd goed maakt. Tot welk bedrag zou de waarde van je portefeuille mogen zakken voordat je eruit stapt en verkoopt? Wees eerlijk. Het gebeurt een keer; het is een kwestie van tijd, ook al is het je tot nu toe niet overkomen.

€...................(b)

Nu, (a) – (b) = €...................(c)

En ten slotte, (c) + (a) = ...% (d)

Zoek nu het antwoord op (d) in de linkerkolom van het overzicht hier beneden. De rechterkolom vertelt je hoeveel van je totale portefeuille moet worden geïnvesteerd in investeringen die een regelmatig of vast inkomen genereren (obligaties, contanten, geldmarkten en termijndeposito's):

Maximaal verlies dat je aanvaardt voordat je investeringen terugtrekt	Minimaal percentage dat geïnvesteerd moet worden in obligaties en geldmarkten
0%	80%
15%	40%
20%	20%
30%	10%
>30%	0%

Deze allocatiedoelen veronderstellen dat je de principes hanteert die in dit hoofdstuk zijn beschreven. Als je portefeuille minder gediversifieerd is of qua tarieven en kosten duurder is dan wat ik hier aanbeveel, zal je waarschijnlijk meer verliezen bij dalende beurscijfers. Je zult dan meer moeten investeren in obligaties.

Als je een extreme Bewaker bent, ben je misschien nieuwsgierig hoe je portefeuille het zou hebben gedaan tijdens de crisis van de jaren dertig. Je kunt dat nagaan op www.BrentKessel.com. Daar vind je een spreadsheet (getiteld '1929') die je kunt invullen om te zien wat het effect van de Grote Depressie zou zijn geweest op verschillende combinaties van aandelen en obligaties. Dit kan je ook helpen om te bepalen welke portefeuille voor jou de beste is bij wat volgens mij een extreem worstcasescenario is. (Overigens denk ik niet dat we opnieuw een dergelijke zware crisis zullen meemaken. Wel zullen er om de paar jaar marktcorrecties plaatsvinden van 20-50 procent, zij het met onregelmatige en onvoorspelbare tussenpozen.)

Conclusie? *Het is bijzonder belangrijk dat je nagaat of je in staat bent om risico op korte termijn te verdragen, zodat je ook in moeilijke situaties vasthoudt aan de portefeuilleallocatie die je hebt gekozen – dat is de belangrijkste sleutel tot succes. Om die reden denk ik dat het belangrijker is om jezelf kritisch te onderzoeken dan de markt.*

Investeren kan een bijzonder krachtige en positieve ervaring zijn als we van binnen naar buiten denken. In dit hoofdstuk zijn veel zaken behandeld, waaronder een aantal concepten die door veel investeerders verkeerd worden begrepen: passief investeren, maatschappelijk verantwoord beleggen, je tarieven en kosten verlagen, je risico's reduceren door vermogensklassen te kiezen die verschillend reageren op fluctuaties in de beurscijfers, bereid zijn om op lange termijn te investeren en je emoties in de hand te houden als je investeringen anders verlopen dan gepland. Hoe je op dit moment ook investeert, probeer deze maand in elk geval een eerste stap te zetten in de richting van bewust investeren. Ik kan je talloze verhalen vertellen van cliënten die kleine stappen namen en ruimschoots werden beloond. John, een Bewaker naar eigen zeggen, besloot om zijn aandelen in de farmaceutische sector (veertig aandelen) te verkopen voor een meer gediversifieerd en mondiaal pakket (650 aandelen). Ursula, een Onschuldige die vijf jaar lang haar makelaarsafschriften ongeopend in een la bewaarde, stelde haar effectenmakelaar een aantal vragen met betrekking tot zijn tarieven en kosten en was in staat om een heel gunstige regeling te treffen. Als je de tijd neemt om je investeringen in overeenstemming te brengen met deze beproefde principes, zal dat je financiële reserves doen toenemen, wat je in staat stelt om je meest dierbare doelstellingen en waarden sneller en met meer gemoedsrust te bereiken.

IK RAAK HET ALLEMAAL KWIJT!

Op een gegeven moment krijgen zelfs de meest zelfbewuste investeerders het benauwd van de grillen van de markt – wat ertoe kan leiden dat ze overwegen om van strategie te veranderen. Als je in zo'n situatie terechtkomt, wees dan moedig en volg deze stappen. Het klinkt misschien te mooi om waar te zijn, maar geloof me, ze zijn erg praktisch en ik heb ze samen met mijn cliënten met succes toegepast bij verschillende beurscorrecties, waaronder de ergste crisis sinds de Grote Depressie.

- **LET OP JE GEVOELENS.** Observeer je gevoelens en benoem wat je verontrust. Reageer niet onmiddellijk met de oude beproefde gedragspatronen die je gewoonlijk kalmeren. Misschien ben je je er niet eens bewust dat je iets voelt. Je denkt misschien dat deze strategie niet werkt. Je bent er moe van om op resultaat te wachten. Ga niettemin even zitten, al is het maar vijf minuten en kijk of je kunt voelen wat er onder de oppervlakte van die gedachten leeft. Welke van de volgende woorden beschrijven hoe jij je voelt?

☐ Boos ☐ Verdrietig ☐ Gefrustreerd ☐ Verward
☐ Woedend ☐ Jaloers ☐ Hopeloos ☐ Waardeloos
☐ Overweldigd ☐ Hebzuchtig ☐ Strijdlustig ☐ Angstig

Kijk of je de veranderingen in je gevoelens kunt observeren. Observeer hoe ze door je lichaam golven of vast komen te zitten. Doe absoluut alles wat in je macht ligt om geen investeringsbesluit te nemen zolang je intense emoties voelt.

• **ALS JE EEN INVESTERINGSADVISEUR HEBT, BEL HEM OF HAAR.** Je betaalt je adviseur om te doen wat het beste voor je is. Als hij of zij alleen een uursalaris rekent en geen commissies of bonussen ontvangt voor de producten die worden aanbevolen* kan er moeilijk een belangenconflict ontstaan en zal je adviseur jouw belangen op de eerste plaats stellen. Als je het geloof kwijt bent in je adviseur, bezoek dan een ander voor een second-opinion. Een goed adviseur zal je vrijwel altijd adviseren om vol te houden, tenzij de omstandigheden in je leven – niet de beurskoersen of de wereld als geheel – zijn veranderd.
Spreek met vrienden of collega's, maar alleen als zij zelf succesvolle en gedisciplineerde investeerders zijn (het liefst voor langere tijd). Vraag hun wat zij doen in deze omstandigheden.

• **ALS JE IETS WILT ONDERNEMEN, WACHT DAN TOT JE EMOTIES ZIJN BEDAARD.** Misschien is het goed om enkele oefeningen te doen uit de hoofdstukken over de archetypen, met name hoofdstuk 3. Als het kind in je schreeuwt dat je nu toch echt iets moet doen, omdat je anders alles kwijtraakt, neem dan het worstcasescenario door (ook in hoofdstuk 3). Probeer vervolgens op een systematische manier een nieuwe strategie te vinden – een strategie waar je aan kunt vasthouden in het licht van de nieuwe informatie *over jezelf* die deze ervaring je heeft gegeven. Bedenk wel, echt nieuwe dingen gebeuren er niet op de geldmarkten.

---

* Wat in het Engels een *fee-only financial advisor* wordt genoemd.

Samengevat kunnen we stellen dat de bewuste investeerder...

- een breed en gediversifieerd pakket aandelen heeft en de aandelen niet zelf of met behulp van een fondsbeheerder uitkiest,
- emotionele reacties op investeringsresultaten verwerkt via innerlijke in plaats van uiterlijke handelingen,
- een portefeuille samenstelt die duurzaam is, zowel voor de planeet als voor zijn eigen financiële toekomst,
- begrijpt dat diversificatie van de investeringsportefeuille over verschillende vermogensklassen wezenlijk is en dat diversificatie onder aandelen of industrieën binnen één enkele vermogensklasse of onder financiële adviseurs veel minder belangrijk is voor het vermijden van risico's of verhoging van de rendementen,
- de kosten laag houdt, het liefst onder de 1 procent,
- inzicht heeft in zijn praktische en emotionele vermogen om risico's te verdragen,
- stelt verstandige doeleinden vast voor zijn aandelen/obligatiemix,
- en in goede en slechte tijden via rebalancing steeds terugkeert naar zijn oorspronkelijke doelen.

HOOFDSTUK DERTIEN

DE YOGA VAN GELD

'Laten we ons meer en meer richten op het aanboren van fondsen der liefde, van vriendelijkheid, van begrip, van vrede. Als we eerst het koninkrijk van God zoeken, komt het geld wel – al het andere zal ons worden gegeven.'

Moeder Teresa

Een vriend van me, Bob Patillo, bezat ooit een heel succesvol bedrijf in onroerend goed maar verkocht het en heeft zijn leven gewijd aan het helpen van de armen in ontwikkelingslanden. Terwijl we samen in een lounge over onze kinderen spraken, vertelde hij me een verhaal dat me diep raakte:

Ik reed samen met mijn acht jaar oude zoontje, Gus, in de auto. Op een gegeven moment zagen we een vrachtwagen langs de kant van de weg staan. De deuren stonden open. Een groep nonnen sjouwde dozen met verpakt voedsel en verse groenten uit een kruidenierswinkel. Ik zei: 'Kom, laten we eens kijken of we kunnen helpen.' We parkeerden de auto, stapten uit en liepen naar de zusters. Ze vertelden dat ze een weeshuis hadden en dat er een week geleden, drie dagen voor Kerst, een grote brand was uitgebroken waarbij alle cadeautjes van de kinderen waren beschadigd. De kruidenierswinkel had voedsel gedoneerd, ook al kon dat de verloren cadeautjes waar de kinderen zo naar hadden uitgekeken niet vervangen.

Ik had de gewoonte om het zakgeld van mijn zoontje bij te houden op een klein kaartje dat ik bij me droeg. We verdeelden zijn wekelijkse budget van zes dollar in drie gelijke denkbeeldige potjes, een uitgavenpotje, een spaarpotje en een giftenpotje. Nadat de zusters hun verhaal hadden gedaan, keek hij me aan en vroeg: 'Pap, hoeveel heb ik in mijn giftenpotje?' Ik stak mijn hand in mijn zak, haalde daar het kaartje uit en zei: 'Zesentwintig dollar'. Hij keek me aan en zei: 'Mag ik alstublieft twintig dollar aan de kinderen geven?'

Bobs ogen vulden zich met tranen terwijl hij vertelde over het gebaar van zijn zoon. 'Wat kun je je als ouder nog meer wensen?' vroeg hij. De Dalai Lama zei onlangs: 'Liefde, mededogen, vergeving en tevredenheid vormen het hart van elke grote religie.' Liefde en mededogen zijn aangeboren, natuurlijke kwaliteiten van het mens-zijn. We zijn daar van nature mee vertrouwd, niet door een wet of een religieuze leer. Zoals iedereen die wel eens iets heeft gegeven weet, profiteert niet alleen degene die ontvangt van vrijgevigheid. Veel nieuwe ouders zijn onder de indruk van het besef dat zij verantwoordelijk zijn voor de zorg en de opvoeding van hun kind. Dat ontzag leidt tot een gevoel van eenheid, mededogen en inspiratie dat hen ertoe brengt om hun uiterste best te doen voor dit onschuldige wezen. Of je nu een ouder bent of niet, het gevoel in staat te zijn om te geven, om een verschil te maken in iemands leven, is een kostbare ervaring.

Mededogen is een gemoedstoestand, terwijl vrijgevigheid een handeling is. Geld kan tot de bevrijdende ontdekking leiden dat we van nature compassioneel zijn. Het kan een middel zijn om de wereld een beetje mooier te maken. Een van de grootste gaven van een gezonde relatie met geld is het inzicht en de ervaring dat ons materieel bevredigd voelen, zelfs als die gewaarwording wegvloeit. Uit die voldoening groeit inspiratie, voldoening, vrede en mededogen. Als mensen het gevoel hebben dat ze genoeg hebben, zijn ze van nature bereid om te geven van wat ze hebben, ongeacht de omvang van hun bankrekening. De uitdrukking die ik daar voor gebruik is de yoga van geld. Het woord yoga betekent 'verbinden, dingen samenbrengen' of eenvoudig 'eenheid'. De yoga van geld is dus het gebruik van geld om ons gevoel van eenheid te bevestigen en te versterken – met het geld zelf, met elkaar en uiteindelijk ook met iets dat groter is dan alle fysieke vormen.

Gericht zijn op jezelf

Ooit waren we allemaal kinderen die zorg en steun ontvingen van een ander mens – anders zouden we niet hebben overleefd. Maar toen we ouder werden gingen we ons realiseren dat de wereld niet altijd een veilige of gelukkige plaats is. We gingen beseffen dat onze noodkreet soms wel, maar soms ook niet wordt gehoord en dat we uiteindelijk in deze wereld voor onszelf moeten zorgen. Dit is de tijd waarin het kernverhaal wordt gevormd. Ons kernverhaal is in wezen een antwoord op de vraag: 'Hoe kan ik overleven en

WANNEER WERD JIJ GERAAKT DOOR JE EIGEN GENEROSITEIT?

Denk terug aan een moment in je leven waarop je iets weggaf of voor iemand zorgde en op een positieve manier geraakt werd. Het kan zoiets kleins zijn als de rekening betalen voor een lunch of zo ingrijpend als vrijwilliger worden in het Peace Corps. Probeer je zo goed als het kan de effecten te herinneren die deze generositeit had op je gemoedstoestand en misschien zelfs op de vrede of onrust in je lichaam. Neem een moment om te genieten van dat wezenlijke deel van je dat wilde geven. Ga terug naar deze herinneringen en voeg daar andere momenten van mededogen of vrijgevigheid aan toe, momenten waarop je je goed voelde. Deze oefening stelt je in staat om je meer bewust te worden van de wijze waarop geven je fysiek, emotioneel en spiritueel kan beïnvloeden.

gelukkig zijn in deze wereld?' Zoals we hebben gezien varieert het antwoord op deze vraag bij ieder mens. Sommige mensen voelen zich het veiligst door onmiddellijk van hun geld te genieten of dingen te kopen die hun plezier geven. Anderen voelen zich juist veilig door geld te vermijden, hun kop in het zand te steken en te wachten tot alles vanzelf weer goed komt. Wat je kernverhaal ook is, de positie ervan is altijd volledig op onszelf gericht. Het kernverhaal wil immers onze overleving veiligstellen.

Maar de ironie wil dat hoe zelfgerichter we zijn, hoe onwaarschijnlijker het wordt dat we overleven. In een medische studie onder meer dan drieduizend mensen over een periode van zeven jaar werd de frequentie onderzocht waarmee de proefpersonen de woorden *ik*, *mij* of *me* uitspraken. Het doel was te zien of er een correlatie bestaat tussen het gebruik van deze woorden en hartkwalen. Verbazingwekkend genoeg ontdekte men

'Mijn vader was een advocaat in die tijd en ik zei: "Je hebt pas wat juridische klusjes voor oom Henry gedaan. En ik weet dat je hoge tarieven vraagt. Ga je bij hem dezelfde tarieven rekenen?" Hij zei: "Ben je gek! Het is oom Henry." Ik zei: "Vader, bij het werk dat ik doe, is iedereen oom Henry!"'

RAM DASS

dat het verwijzen naar jezelf inderdaad gerelateerd is aan de kans op een hartkwaal. Het bleek De Sterkste voorspeller van sterfelijkheid te zijn onder mensen die een hartaanval hadden gehad.

Naast de vraag of zelfgerichtheid onze dood wordt of niet, is het belangrijk om te weten of de gerichtheid op anderen ons gelukkiger maakt of dat het eenvoudig een van buitenaf opgelegd verantwoordelijkheidsgevoel is om een 'goed mens' te zijn. Als het voor anderen zorgen ons gelukkiger maakt, dan hebben we een sterkere stimulans om ons kernverhaal te overstijgen en voor ons eigen bestwil uitdrukking te geven aan onze generositeit.

> 'De meest sensibele manier om voor jezelf te zorgen, vrijheid te vinden en gelukkig te zijn, is niet om deze dingen direct na te streven, maar om prioriteit te geven aan de belangen van anderen. Help anderen om vrij te worden van angst en pijn. Draag bij aan hun geluk. Je hoeft niet te kiezen tussen vriendelijk zijn voor jezelf en anderen. Het is een en hetzelfde.'
>
> PIERRO FERRUCCI,
> TRANSPERSOONLIJK PSYCHOLOOG

Als we niet gevangen zitten in ons kernverhaal – of dat nu de overlevingsstrijd is van De Onschuldige of De Idealist, de onverzadigbare ambitie en verzameldrang van De Imperiumbouwer of De Spaarder, of het ongeremd spenderen van De Ster of De Plezierzoeker – zijn we evenwichtig genoeg om ons geld zo te gebruiken dat het de meest natuurlijke staat van onze ziel tot uitdrukking brengt. En naar mijn mening is dat mededogen.

Maar we hoeven daar niet mee te wachten tot we volledig vrij zijn. Als we onszelf een uur per dag toestaan om niet te worden beïnvloed door ons primaire archetype, dan hebben we de tijd om ons gevoel van mededogen te ontwikkelen. De Bewaker stopt voor een uur per dag met het zich zorgen maken, De Plezierzoeker zegt nee tegen een impuls om iets te kopen voor eigen plezier, en De Verzorger breidt zijn mededogen uit naar een andere persoon, groep of zichzelf. Er is geen vast doel dat we moeten bereiken. We proberen onszelf te bevrijden door de regels en gewoonten van ons kernverhaal los te laten – voor een moment.

Zoals eerder gezegd is mijn kernverhaal dat ik van jongs af aan probeerde om zo veel mogelijk te sparen en spaarzaam te besteden zodat ik genoeg financiële vrijheid zou verwerven om me veilig te voelen en me geen zorgen meer hoefde te maken. Omdat ik ben opgegroeid in Zuid-Afrika heb ik veel lijden gezien dat mensen elkaar aandeden. Ik wist dat ik later andere mensen wilde helpen, maar afgezien van wat vrijwilligerswerk en de gebruikelijke bijdragen aan goede doelen was generositeit voor mij geen primaire motivator in de tijd dat ik mijn bedrijf opbouwde. Ik wilde eerst rijk worden en hoopte dat ik dan op den duur vanzelf wat genereuzer zou worden.

Maar het leven nam een geheel onverwachte wending. In maart 2002 begon mijn oudste zoon, Kaden, toen twee jaar, opeens uitzonderlijk veel te plassen. Mijn vrouw Britta en ik namen hem mee naar een kinderarts. Zijn vijf maanden oude broertje, Rumiah, sleepten we ook mee. We hoorden dat Kaden diabetes type 1 had. Vanaf dat moment veranderde alles. We moesten acht tot tien maal per dag thuis zijn bloedsuiker testen, wogen elk stukje voedsel dat zijn mond inging en gaven hem insuline-injecties. Nadat we de eerste schok hadden verwerkt en we aan ons nieuwe levenspatroon begonnen te wennen, deden we meer onderzoek naar de ziekte om te zien of en wanneer er genezing mogelijk was. We ontdekten dat jeugddiabetes een mysterieuze ziekte is waarnaar op verschillende fronten onderzoek is uitgevoerd. Via de Juvenile Diabetes Research Foundation, een non-profitorganisatie die in de jaren zeventig werd opgericht door ouders van kinderen met type 1 diabetes, ontdekten we dat geld de sleutel vormde tot de bevordering van dit onderzoek.

Ondanks de neigingen die ik als Spaarder had, werden we enthousiaste fondswervers en donateurs voor ons goede doel. Plotseling vertienvoudigden onze giften aan goede doelen. En het vreemde was dat we ons in plaats van armer rijker gingen voelen. Ik voelde meer zekerheid dan in mijn zuinige jaren. Dat was eigenlijk heel onlogisch. Ik had gedacht dat ik rijk moest zijn om mijn generositeit tot uitdrukking te brengen en me vrij te voelen. Maar in plaats daarvan had de natuurlijke neiging om mijn mededogen tot uitdrukking te brengen me op een concrete manier een gevoel van rijkdom gegeven.

Het is belangrijk om te benadrukken dat ik mijn ingewortelde overlevingsstrategie – die van De Spaarder – nooit helemaal heb opgegeven nadat ik vrijgeviger werd. Ik had natuurlijk tegen mezelf kunnen zeggen: 'Ik heb het licht gezien – het gaat inderdaad om vrijgevigheid. Alleen zo voel ik me rijk. Voortaan zal ik niet meer zo zuinig en voorzichtig zijn als vroeger.' Maar ik denk dat ik dan niet op dezelfde wijze zou zijn geraakt. Ondanks mijn persoonlijke relatie met dit goede doel zou het niet lang hebben geduurd voordat mijn oude gewoonten en gedachten weer de kop opstaken en riepen: 'Jij idioot! Hoe kun je zo zorgeloos zijn en ongedisciplineerd? Ga aan het werk, stop met dit dwaze gedrag. Je geld zomaar uitgeven of weggeven... Zorg liever dat ik me veilig voel!' In plaats van mezelf aan te moedigen om vrijgeviger te zijn, beoefende ik ook in het geven de Middenweg. Dat betekende dat ik een beroep deed op de positieve eigenschappen van De Spaarder – voorzichtigheid, zelfvoorzienendheid, en overvloed – terwijl ik ook de gevoelens van empathie en generositeit ontwikkelde die kenmerkend zijn voor een gebalanceerde Verzorger.

Ik heb vele voorbeelden gezien van de waarheid dat meer vrijgevigheid leidt tot meer in plaats van minder overvloed. In de zomer van 2006 werd ik uitgenodigd voor een happening in het Los Angeles Hilton. Daar zou ik Amma ontmoeten, een Indiase vrouw uit een klein vissersdorp die bekend staat als de 'knuffelheilige'. Deze gezette, stralende vrouw zat gewikkeld in een eenvoudige witte mantel vooraan in een groot banketzaal die was gevuld met een paar honderd mensen. Ik moest net als iedereen een nummertje trekken en stond vier uur in de rij. Toen ik dichterbij kwam, zag ik hoe ze gehandicapte mensen omarmde, maar ook rijke beroemdheden en de dienstmeisjes die het hotel schoonhielden waarin het evenement werd gehouden. Amma betekent 'moeder'. Ze is in staat om honderdduizenden mensen per jaar te knuffelen met heel weinig slaap en zonder dat ze lichamelijk instort. Amma leek meer liefde uit te stralen dan welk ander mens ook dat ik ooit had ontmoet. Toen het mijn beurt was om te worden geknuffeld, keek ik in haar warme bruine ogen, ontving een knuffel en voelde een golf van diepe vrede en welzijn door me heen stromen.

Tijdens de ontmoeting had ik het gevoel dat Amma op de een of andere wijze de natuurwetten trotseerde. Ik had altijd gedacht dat geld en tijd en lichaamsenergie tijdelijke verschijnselen zijn – onweerlegbare wetten van het universum. Hoe meer geld je weggeeft, hoe minder je overhoudt voor jezelf. Maar hier stond een arme, eenvoudige vrouw van middelbare leeftijd waarvan ik wist dat ze een biljoen roepies had ingezameld voor de tsunamislachtoffers (ongeveer $23 miljoen, de helft van wat de vs toezegde). Hoe kon ze zo'n grote donatie doen? Waar kwam dat geld vandaan? Ze vroeg geen geld voor haar bijeenkomsten en was niet eens hoofd van een grote fondswervende organisatie. Ik had natuurlijk al die oude wijsheden wel eens gehoord: 'Hoe meer je geeft, hoe meer je onvangt', 'Geven is zijn eigen beloning' en 'Het is beter te geven dan te ontvangen'. Maar hier gebeurde het. Deze vrouw creëerde letterlijk geld, tijd, energie en liefde door te geven. De student economie in mijn hoofd stond versteld. Misschien is het verschil tussen soberheid en overvloed niet zo eenvoudig te doorgronden als ik had gedacht. Het leek alsof de wetten van het universum buigen voor de liefde. Financiële wetten. De wetten van tijd en ruimte. Grenzen zijn blijkbaar betrekkelijk. Door meer te geven dan we gevoelsmatig prettig vinden, zouden we wel eens rijker kunnen worden.

Het is niet alleen voor heiligen

Er is een oud joods verhaal dat aan me werd verteld door rabbi Harold Kushner. Een rabbi sprak tot een leerling en zei: 'Er was een man die vijfhonderd zilveren munten had. Hij gaf er honderd weg. Hoeveel had hij er nog over?' De leerling keek hem ongelovig aan en zei: 'Vierhonderd, natuurlijk.' 'Nee,' zei de rabbi, 'dat is niet juist. Honderd. Die vierhonderd munten is hij kwijt. Ze kunnen gestolen worden. Hij kan ze verkeerd investeren. Nee, het enige wat hij voor altijd heeft zijn de honderd munten die hij weggaf.'

Generositeit is een van de vijf zuilen van de islam. In de volgende woorden uit Soera 17 van de Koran worden we uitgenodigd om vrijgevigheid te beoefenen: 'Geef je verwanten hun recht, evenals de behoeftige en de reiziger. En verspil het niet.'

In het boek Lucas krijgen de volgelingen van Christus het bevel: 'Geef, dan zal je gegeven worden; een goede, stevig aangedrukte, goed geschudde en overvolle maat zal je worden toebedeeld.'

En in het boeddhisme wordt mededogen gezien als een belangrijk middel om ons zelfgerichte lijden te beëindigen. Het boeddhistische onderricht noemt drie typen van mededogen. Het eerste is als we een gevoel van intimiteit of empathie voelen voor een vriend of iemand die aardig is voor ons, die we mogen. Dit type van mededogen is gemengd met onze emotionele gehecht-

'Vrijgevigheid geeft een onmiddellijk soort geluk, anders dan andere gewoonten, die vaak een uitgestelde werking hebben. Daarom leidt generositeit tot meer generositeit met steeds minder inspanning.'

JOSEPH GOLDSTEIN, MEDEOPRICHTER VAN DE INSIGHT MEDITATION SOCIETY heid aan de persoon, waardoor deze vorm van mededogen niet vrij is van vooroordelen. Als de ander niet langer aardig voor ons is, zal ons gevoel van mededogen waarschijnlijk verdwijnen. Van het tweede type is sprake als we voor anderen een gevoel van zorgzaamheid koesteren dat vermengd is met superioriteitsgevoel en gevoelens van distantie. In dit type van mededogen schuilt meer medelijden dan empathie. Het is eigenlijk een gebrek aan respect voor de ander. Ten slotte is er ook het belangeloze mededogen, waarin we ieder mens toewensen dat hij het lijden zal overwinnen, ongeacht onze gevoelens voor die persoon of de manier waarop hij of zij ons behandelt. Dit type mededogen komt niet spontaan op bij de meeste mensen. Het moet worden ontwikkeld door training en inspanning, maar we krijgen er heel veel voor terug. Als we dit onbevooroordeeld mededogen voelen, lijkt ieder mens een vriend. Ook ervaren we minder zorgen, angsten, twijfel en jaloezie.

Al deze tradities zien altruïsme niet alleen als een verantwoordelijkheid of een manier om voor anderen te zorgen, maar als de belangrijkste weg om voor *onszelf* te zorgen en vrijheid te creëren voor *onszelf*.

GEDEELDE SMART IS HALVE SMART

Het boeddhisme kent twee oefeningen die je helpen om onbevooroordeeld mededogen te ontwikkelen:

1. STEL JE HEBT SLECHT FINANCIEEL NIEUWS GEKREGEN. Misschien verwachtte je een belastingteruggave, maar in plaats daarvan kreeg je van je accountant te horen dat je de belastingdienst duizenden euro's verschuldigd bent. Of je hebt zojuist een aantal geweigerde medische claims teruggekregen van de verzekering. Of je hebt zojuist gehoord dat een belangrijke zakentransactie niet doorgaat.

De eerste stap is om je te realiseren dat ook andere mensen deze pijn ervaren, dezelfde pijn die jij nu voelt. Misschien voelt het in het begin niet oprecht, maar het eenvoudig toegeven dat je niet de enige bent schept ademruimte in deze situatie.

De tweede stap is om in jezelf de wens uit te spreken om vrij te zijn van de pijn die je voelt.

De derde stap is om je wens uit te breiden naar andere mensen, terwijl je voelt of zegt: 'Ik hoop dat andere mensen ook bevrijd worden van pijn.' Pema Chodron, een bekend leraar van het Tibetaans boeddhisme, biedt een variatie op dit thema: 'Terwijl ik ervaar hoe deze pijn voelt, kan ik misschien diezelfde pijn ook voor anderen voelen zodat ze misschien opluchting en geluk voelen in plaats van pijn.'

Deze oefening kun je letterlijk in een paar seconden doen. Probeer het als je met tegenslag worstelt en zie wat er gebeurt.

2. STEL JE HEBT EEN FINANCIËLE MEEVALLER GEHAD. Misschien heb je een veel hogere bonus of salarisverhoging gekregen dan je had verwacht. Of je hebt zojuist een borgsom betaald voor je eerste huis. Of je hebt eindelijk de creditcardschulden afbetaald waar je zo lang mee hebt geworsteld.

Wens dat andere mensen dit gevoel van vreugde ook zouden kunnen ervaren.

Ik was onlangs in een geweldig restaurant en kreeg daar een heerlijke soep toen ik aan deze oefening moest denken. Ik zei zachtjes tegen mezelf: 'Ik hoop dat alle mensen in de wereld die honger hebben vandaag iets proeven dat net zo lekker en voedzaam is als dit.'

Een cynicus zal zeggen: 'Tja, dat schietgebedje zal die arme kerel die verhongert goed hebben gedaan!' Toch blijf ik erbij dat het effect heeft. Ten eerste haalt het ons weg uit onze zelfgerichtheid. Dat betekent dat we minder snel gevangen raken in ons geconditioneerde gedrag met geld en gestimuleerd worden tot meer mededogen. Ten tweede verdiept het onze vreugde van de ervaring als we anderen het goede toewensen. Hoewel het ons op het moment niet gelukkiger hoeft te maken (we zouden ons bedroefd kunnen voelen als we aan het lijden van anderen denken), opent dit bewustzijn ons hart. Daardoor raken we minder gevangen in onze starre gedragspatronen met geld. Generositeit genereert een ervaring die ons verbindt met anderen. En zoals dit boek herhaaldelijk heeft benadrukt, begint blijvende verandering in onze uiterlijke financiële leven vanbinnen.

De juiste motivatie

Het mysterieuze van de voldoening die we voelen bij het geven is dat het niet iets is wat we logisch kunnen plannen. We voelen deze voldoening op momenten waarop ons geven heel natuurlijk is, gewoon een deel is van ons leven, geheel zonder 'moeten'. Veel mensen hebben het gevoel dat ze vrijgevig 'moeten' zijn. Onze motivatie is vaak een mengeling van schuld en moralistische dwanggedachten. Voorbeelden daarvan zijn uitspraken zoals 'Het hoort zo' en 'Ik probeer een goed mens/burger te zijn'. Maar er gaat iets heel belangrijks verloren als we het geven vanuit dit perspectief benaderen. In wezen laten we ons kernverhaal – de geconditioneerde innerlijke stemmetjes in ons hoofd – ons vertellen hoe we ons moeten gedragen. Dat voelt niet als vrijheid en het is niet erg vreugdevol.

Als het onze motivatie is om lijden te verlichten of iets toe te voegen aan de levensvreugde van andere mensen – wat iets anders is dan de behoefte om aan een soort morele standaard van buitenaf te voldoen – komt onze generositeit zowel onszelf als ons doel ten goede. Dat is wat de spirituele tradities bedoelen als ze spreken over het scheppen van een hemel op aarde. Het doel is niet om verdiensten op te stapelen voor een hiernamaals (hoewel veel religieuze stelsels dat ook beloven). Het gaat erom uiting te geven aan ons mededogen en medeleven zodat we hier en nu meer liefde ervaren, wat ons motiveert om meer te geven, wat meer liefde en mededogen schept, enzovoort. Als donoren zich goed voelen over geven, geven ze niet alleen meer, maar de ontvangers van hun giften hebben ook een gevoel van verbinding met de gever en voelen zich geen voorwerp van liefdadigheid. De grens tussen degene die geeft en degene die ontvangt begint te vervagen en dan begint het leven pas echt leuk te worden.

Als niet nu, wanneer dan?

Als je wilt weten of je er goed aan doet om te geven, kun je jezelf de vraag stellen of je nu *op dit moment* een verandering voelt in je emotionele toestand. Of is het zo dat je geeft in de hoop op een verandering *in de toekomst?* Geven voor een toekomstige beloning (zoals erkend willen worden als een vrijgevig mens) is een garantie voor teleurstelling. Geven omdat het nu goed

VERPLICHTING OF INSPIRATIE?

Als je de neiging hebt om uit plichtsgevoel te geven in plaats van vanuit je hart, dan vraag ik je om terug te denken aan een ervaring waarin je gaf uit plichtsgevoel. Wat gaf je en aan wie? Hoe voelde je je na afloop? Hoe reageert je lichaam als je aan die ervaring terugdenkt. Hoe voel je je vandaag over deze gift? Denk als contrast aan een tijd (misschien uit de eerste oefening in dit hoofdstuk) toen je vanuit je hart gaf, uit een gevoel van empathie of gewoon omdat het je plezier gaf om te geven. Wat raakte je in dat goede doel of in die situatie? Hoe reageert je lichaam als je terugdenkt aan die ervaring van geven?

In welke ervaring voelde je meer een behoefte aan erkenning? In welke ervaring voelde je de meeste voldoening?

Zelf herinner ik me een tijd dat ik geld gaf voor de kerstmaaltijd van een opvangcentrum voor daklozen. Ik deed dat jaar in, jaar uit. Als in november de 'Dank u voor uw eerdere vrijgevigheid, maar we hebben uw hulp juist nu nodig'-brief door de bus viel, kreeg ik het benauwd. Ik voelde me verplicht tot eenzelfde bijdrage. Maar hoe nobel dit werk ook was, mijn hart was er niet meer bij. Daarentegen doneerde ik onlangs voor een soepkeuken op een naschools activiteitencentrum voor AIDS-wezen in Zuid-Afrika. De verhalen van deze kinderen en hun verlangen om te overleven raakten me. Ik moet glimlachen als ik eraan denk en er stroomt een tevreden gevoel door mijn lichaam als ik aan hen denk. Daarom heb ik ervoor gekozen om te geven aan de naschoolse soepkeuken in Zuid-Afrika. Ik vertrouw erop dat anderen die oprecht bewogen zijn met de plaatselijke daklozenopvang daar hun bijdrage aan zullen geven.

voelt zal een veel grotere invloed hebben op de wereld.

Onze motivatie hoeft niet absoluut zuiver te zijn als we geven. De meesten van ons worden bewogen door een mengeling van gelukkig willen zijn in het nu en in de toekomst – en dat is prima. Wat we moeten waarderen is dat een deel van ons het goede wil voor anderen, ook al voelen we ons daartoe verplicht of zijn we gericht op de erkenning die (naar we hopen) volgt op het geven. Door ons meer en meer bewust te worden van onze innerlijke motivaties kunnen we positieve motivatie ontwikkelen en de aspecten van ons kernverhaal loslaten die deze groei hinderen.

Kortom, verwijt jezelf niets als je begint te merken dat je soms geeft vanwege de belastingen of omdat je wilt dat anderen een goede indruk van je krijgen. Het is veel nuttiger om je te richten op het goede deel van je intentie dan jezelf te bekritiseren voor een aantal niet geheel zuivere motieven. Als je kritiek levert toon je geen mededogen, zeker niet tegenover jezelf. Jezelf bemoedigen en complimenten geven is een benadering die wel tot mededogen leidt.

Hoeveel moeten we geven?

Religieuze en spirituele tradities kennen vele geboden die over dit onderwerp gaan. Het meest bekende gebod is het gebod om tienden te geven van je inkomen. Helaas hadden de schrijvers die met deze eenvoudige regels kwamen geen accountancy gestudeerd. Stel dat iemand $10 miljoen bezit in landgoederen die geen inkomen genereren en $5000 per maand krijgt aan pensioen en sociale zekerheid, terwijl een ander die geen spaargeld of andere activa bezit vijftig uur per week werkt als leidinggevende en $15.000 verdient, wie moet er dan meer geven? Claude Rosenberg, een voormalige fondsbeheerder en auteur van *Wealthy and wise*, stelt als alternatief voor dat we per jaar één procent van onze nettowaarde geven. Het geven van hetzij tien procent van je inkomen, hetzij één procent van je nettowaarde (afhankelijk van de vraag wat redelijker is) draagt zeker bij aan de gelijkheid tussen mensen.

Zeker, hoeveel we geven is iets wat we vanuit onszelf moeten beslissen en niet vanuit een van buitenaf opgelegde autoriteit of culturele gewoonte. Maar als we oprecht op zoek zijn naar een bewuste relatie met geld en ons eigen geluk, gaan we ons vanzelf realiseren dat geven een integraal deel vormt van onze levensvervulling. Het is normaal dat we in de verschillende fasen van ons leven verschillende bedragen geven.

Veel mensen zouden meer geld willen geven en hebben zeker mededogen met anderen, maar ze houden zich in omdat ze bang zijn dat ze niet genoeg geld overhouden voor hun eigen behoeften. In een eerder hoofdstuk heb ik over de Verlangende Geest en het 'niet genoeg'-perspectief gesproken. De Verlangende Geest evalueert elke handeling op basis van de vraag of het bijdraagt aan of ten koste gaat van onze kans op overleving. En als we niet hoeven worstelen om te overleven, kijkt de Verlangende Geest hoe hij de dingen voor ons misschien nog wat beter kan maken.

Sommige mensen willen steeds meer geven en dat veroorzaakt weer zijn eigen problemen. Ja inderdaad, er zijn mensen die te veel geven! Ik had een cliënt genaamd Ben, een grafisch ontwerper die toen hij bijna veertig was een erfenis kreeg. Vrijwel onmiddellijk begon hij geld te geven aan goede doelen waarin hij geloofde en aan familie en vrienden in nood. De uit evenwicht geraakte Zorgdrager in Ben bracht hem in gevaar. Zijn uitgaven overschreden op een zeker moment zijn inkomen. Zijn vrijgevigheid had een flinke dosis voorzichtigheid en zelfzorg nodig (van De Bewaker, een rol die hij aanvankelijk aan zijn financiële planners had toevertrouwd).

Maar de meeste mensen die bang zijn om te veel te geven verkeren niet in Bens financiële positie. Hun (soms irrationele) angst om zonder geld te zitten berooft hen van de vreugde die ze zouden ervaren als ze hun vrijgevigheid tot uitdrukking zouden brengen.

Ieder mens heeft deze angst in zich, in meer of mindere mate. En we willen allemaal de wereld verbeteren, al is het maar voor onszelf. De vraag is: 'Welk deel van onszelf dient het meeste te groeien – de voorzichtige Bewaker of de genereuze Verzorger?' Of om de vraag te herhalen die eerder werd gesteld: 'Wat is ons diepste verlangen?' Thich Nhat Hanh zegt: 'Geef water aan het zaad dat je wilt laten groeien.'

Als we geven, zeggen we onbewust tegen onszelf en de wereld: 'Ik heb genoeg.' Dat is de reden waarom ik me zo rijk voelde nadat mijn vrouw en ik, aangespoord door de diabetes van Kaden, onze giftenlijst hadden uitgebreid. Mijn oude gedachte 'Ik heb niet genoeg en daarom moet ik meer verdienen en sparen' begon te schuiven en er ontstond een nieuwe: 'Ik heb genoeg om voor mijn gezin te zorgen en om geld te geven voor onderzoek naar een geneesmiddel tegen deze ziekte.' Zo gaf ik water aan het zaad van het genoeg. En raad eens wat er gebeurde? Er kwam meer dan genoeg binnen. Noem het toeval als je wilt, maar onze nieuwe generositeit voerde ons naar een absoluut hoogtepunt van financiële overvloed. Als je oriëntatie verschuift naar 'Ik heb genoeg, ik ben dankbaar en ik zal het geld goed gebruiken' dan bespeuren mensen een energie die hen aantrekt, waar ze van willen kopen en die ze willen ondersteunen – of ze zich dat nu realiseren of niet.

Pas op dat je niet overdrijft door te veronderstellen dat geven je op een magische manier meer inkomen of rijkdom bezorgt (zoals De Onschuldige zou kunnen denken). Zoals gezegd vindt deze magie alleen plaats als het niet onze belangrijkste motivatie is om te geven. Vooral als je een Zorgdrager, een Onschuldige of een Plezierzoeker bent, doe je er goed aan om je gulheid te temperen met de voorzichtigheid van De Spaarder, De Imperiumbouwer of De Bewaker. Maar zolang je financiële zekerheid objectief niet wordt bedreigd, kun je gerust je gang gaan. Laat je hart maar sneller kloppen. Dat is een teken dat je zelfgerichte kernverhaal wordt uitgedaagd om te groeien en meer aandacht en mededogen ontwikkelt.

HOEVEEL HEB JE GEGEVEN EN WAAROM?

Hoeveel heb je het laatste jaar aan anderen gegeven? Kijk op de af- schriften van je bankrekening, je creditcard en je belastingteruggave. Maak een overzicht van de giften die je hebt gedaan en schrijf erbij waarom je hebt gegeven:

Ontvanger of categorie	Reden van de gift	Bedrag
....	....	....
....	....	....
....	....	....
....	....	....
....	...............Totaal:	....

Ben je tevreden met deze giften? Ben je tevreden met de motivatie erachter? Neem de lijst door en leg een cheque bij elke gift waar je je nog steeds goed over voelt. Kijk nu naar het totaal van je giften. Welk percentage van je nettowaarde vertegenwoordigt dit bedrag? De gemakkelijkste manier om daarachter te komen is je totale giften te delen door je totale nettowaarde (de som van al het vermogen dat je bezit minus de som van je schulden). Denk je dat je voldoening groter wordt door dit bedrag te verhogen of te verlagen?

....
....
....
....

Is het waar dat we altijd iets kunnen geven, hoeveel we ook hebben? In het boeddhisme wordt zelfs de ontvanger van een gift gevraagd om te geven aan de minderbedeelden. De grootte van de gift is niet belangrijk. Het gaat om de intentie.

WEGGEVEN

Wat je financiële situatie ook is, sta er volgende week voor open om iets te geven, het liefst aan iets wat je raakt. Besteed aandacht aan de gevolgen die dit voor je heeft. Probeer een nieuw doel te vinden, iets waar je in het verleden nooit eerder aan hebt gegeven, om te voorkomen dat je aan oude gewoonten blijft vastzitten.

Drie potjes

Generositeit is een waarde die al op vroege leeftijd kan worden ontwikkeld. Zeker, veel van mijn cliënten vragen me hoe ze hun kinderen kunnen leren omgaan met geld. Het verhaal aan het begin van dit hoofdstuk is gebaseerd op een van de beste methoden die ik ken: het zakgeld verdelen in drie potjes. Een om te besteden aan de dingen die je nu wilt kopen, het tweede om te sparen voor dingen die je in de toekomst wilt kopen en het derde om weg te geven. Ik ben van mening dat je hiermee al kunt beginnen als je kinderen vier jaar oud zijn. Bovendien is niemand te oud om ervan te leren.

Bij rijke mensen zou de oefening met de drie geldpotjes ertoe kunnen leiden dat ze het grootste deel van hun vermogen in de giftenpot stoppen, zoals Bill Gates en Warren Buffett in de afgelopen jaren hebben gedaan. Zonder dit soort oefeningen zijn veel rijken geneigd om bedragen of percentages te geven die gerelateerd aan hun nettowaarde naar verhouding klein zijn. Ze missen daardoor de intensiteit van het gevoel van voldoening, het gevoel genoeg te hebben en verbonden te zijn met anderen, dat het gevolg is van vrijgevigheid. Maar of je vermogen nu drie of tien cijfers lang is, wat je geeft hoeft de wereld niet te veranderen. Als het jou maar verandert. Dat is al revolutionair genoeg.

Mike Murray, voormalig hoofd Personeelszaken bij Microsoft en investeerder in microkredieten aan armen, vertelt het volgende verhaal:

Mijn vrouw en ik keken naar de totale som van de activa die we hadden verzameld. Mede vanwege onze religieuze opvattingen kozen we ervoor om met een groot deel daarvan een stichting voor het gezin op te richten. Dat leverde ons een paar heel goede dingen op.

Ten eerste voorkwam het dat we elke morgen rijk wakker werden. Daarmee bedoel ik dat als je een fonds opricht en daar geld in stopt, dat geld niet langer van jou is. Je kunt het niet gebruiken om een nieuwe auto te kopen, je huis opnieuw in te richten, nog een vakantiehuis te kopen, enzovoort.

Hoewel het nog steeds deel uitmaakt van die hele paraplu van financiële invloed die je hebt, is het toch plotseling 'buiten je controle' in de zin van verbetering van je persoonlijk leven.

Een ander goed aspect ervan is dat je, als gevolg van de manier waarop de Amerikaanse wet werkt, elk jaar wordt verplicht om 5 procent van dat bedrag aan goede doelen te geven. Plotseling heb je een budget voor giften en moet je beslissen wat belangrijk voor je is. Of dat nu armoedebestrijding is of milieuproblematiek of onderwijs of gezondheidszorg – de lijst is oneindig – of openbare werken of de opera.

Zoals ik naar ik hoop heb kunnen overbrengen, bestaan er geen vaste regels als het gaat om de vraag hoeveel ieder van ons kan of moet geven. Toch wil ik een paar vuistregels geven zodat je in elk geval kunt inschatten hoe het met jouw vrijgevigheid gesteld is.

Als je nog bezig bent met de opbouw van je vermogen, is dit wat je gerust kunt geven:

- Dat deel van je verdiende inkomen dat je niet nodig hebt voor je huidige bestedingen en pensioenspaargelden. Je zult waarschijnlijk een professionele financiële planner of een andere objectieve adviseur nodig hebben om je te helpen om dit bedrag precies te bepalen.

Als je rijk of gepensioneerd bent kun je over het algemeen een combinatie van het volgende weggeven:

- Maximaal 100 procent van je passieve inkomen (het inkomen dat je hebt verdiend aan investeringen, verhuur van onroerend goed of een zaak waarin je niet actief werkt) voorzover je het niet nodig hebt voor het betalen van vaste lasten.

• Van je activa kun je zoveel weggeven als je wilt, zolang je maar inkomensproducerend vermogen overhoudt dat ongeveer vijfentwintig keer de waarde van je vaste jaaruitgaven waard is. Als je nog jong bent of als je verwacht dat je inkomen in de toekomst behoorlijk zal stijgen, moet je niet vergeten om deze veranderingen te verwerken in de berekening. Als de aard van je activa zo is dat ze op lange termijn een rendement van minder dan 7 procent opleveren, zul je meer dan vijfentwintig keer je jaarlijkse uitgaven moeten vasthouden.

Wat kun jij geven?

Er is een prachtige fabel over een man die bedroefd langs de kant van de weg staat. Er loopt een vrouw langs die medelijden heeft met de man en naar hem glimlacht. Bemoedigd door de glimlach besluit de man om een brief te schrijven aan een vriend die hij lang geleden is kwijtgeraakt. De vriend is zo geraakt als hij de brief ontvangt dat hij tien dollar geeft aan een dakloze bedelaar op straat. De bedelaar ziet diezelfde dag een verdwaald hondje dat staat te bibberen in een steegje. Hij gebruikt het geld om voedsel te kopen voor het arme dier en een vuurtje te stoken waarbij het zich kan warmen. Het hondje besluit om de bedelaar te volgen. Die nacht belt de bedelaar aan bij een huis en vraagt of ze de nacht mogen doorbrengen op de veranda aangezien het gaat regenen. De familie stemt toe. Tijdens de nacht kan niemand slapen door het voortdurende gejank van de hond. Ze ontdekken dat het huis in brand staat – vlak naast de slaapkamer van de kinderen. Ze kunnen het kind redden. Het kind wordt later een beroemde onderzoeker die een geneesmiddel tegen de malaria uitvindt dat miljoenen levens redt. En dat alles begon met een eenvoudige glimlach.

Als we onszelf weten te bevrijden van het dictaat van de Verlangende Geest en ons kernverhaal onder controle krijgen, groeit de kans dat we een glimlach of andere positieve energie uitstralen naar degenen die lijden. Als de bezorgdheid om onszelf afneemt, neemt onze sensitiviteit en empathie op natuurlijke wijze toe – daar is geen echte inspanning voor nodig. Liefde, energie en tijd geven zijn stuk voor stuk waardevolle manieren om ons mededogen tot uitdrukking te brengen. Maar ik ben een financieel planner en daarom zou ik je graag ook nog wat praktische tips geven die gericht zijn op het doneren van geld of het geven van andere tastbare eigendommen.

Financieel gesproken zijn er twee bronnen vanwaaruit we kunnen geven: ons inkomen en ons vermogen. Ons inkomen is de beloning voor het werk dat we in de wereld doen of de winst uit ons kapitaal (onze investeringen). Als je assistent bent van een advocaat en een salaris verdient van €6.000 per maand, is dat de beloning voor je werk. Als je daarnaast een portefeuille bezit met investeringen waarmee je €2.000 per maand verdient, dan is dat de beloning voor je kapitaal. Als die portefeuille je enige vermogen is en €400.000 waard is, dan is dat de omvang van je kapitaal of je nettowaarde. Deze assistent van de advocaat zou het volgende kunnen geven:

1. Een deel van zijn salaris
2. Een deel van zijn investeringsinkomen
3. Een deel van zijn nettowaarde
4. Een combinatie van deze drie.

Als we proberen te bepalen hoeveel we moeten geven denken we gewoonlijk alleen aan ons inkomen. Ik wil echter je aandacht vragen voor verschillende financiële bronnen vanwaaruit je kunt geven en ook wijzen op de voordelen van het geven van vermogen in plaats van geld.

In de Verenigde Staten kun je als je aan een erkend goed doel geeft een deel van de gift aftrekken van de belasting tot een bepaald percentage van je inkomen. Als iemand 10 procent van zijn salaris geeft, wordt dat bedrag waarschijnlijk een aftrekpost op zijn belastingaangifte. Als hij in een belastingschaal van 25 procent valt, dan is 25 procent van zijn gift in feite een overheidsgift in de vorm van een belastingkorting. Met andere woorden, hij geeft $1.000 aan een goed doel en krijgt $1.000 belastingkorting, wat $1.000 compenseert, waar hij anders $250 belasting over zou hebben betaald. Hoewel hij dus afstand heeft gedaan van $1.000 zijn de nettokosten van de gift in werkelijkheid $750 ($1.000–$250). Als hij een percentage van zijn inkomen zou geven in contanten, zou de belastingteruggave hetzelfde zijn.

Als hij in plaats daarvan een deel van zijn investeringsportefeuille zou geven aan een openbare liefdadigheidsinstelling, dan zou hij een aftrek krijgen die gelijk was aan de marktwaarde van de bijdrage, opnieuw tot een bepaalde grens. Maar laten we een stapje verder gaan. Stel dat sommige van de fondsen in zijn portefeuille dramatisch in waarde zijn gestegen of erfgoed zijn en veel minder gekost hebben dan de marktwaarde nu is. Hij zou dan nog steeds een aftrek krijgen die gelijk is aan de marktwaarde en hoeft geen kapitaalwinstbelasting te betalen die hij zou hebben moeten betalen als hij zijn investeringen had verkocht en een donatie in contanten had gedaan. De volgende vergelijking laat zien hoe dat uitpakte bij een van mijn cliënten, die aan haar oude school sterk in waarde gestegen aandelen doneerde in plaats van contanten om schoolboeken te kopen. Daardoor kon ze haar donatie met 25 procent verhogen zonder meer kosten te maken:

VOORWAARDEN
Verlangde waarde van de gift: $10.000
Kosten in haar vermogen: $0[**]
Kapitaalwinstbelasting: 15%
Schaal van de inkomstenbelasting: 25%

	GELD DONEREN	VERMOGEN DONEREN
Verkoop van vermogen:	$11.765	N.v.t.
Kapitaalwinstbelasting (15%):	($1.765)	$0
Gedoneerde bedrag:	$10.000	$10.000
Aftrek voor giften (25%):	$2.500	$2.500
Netto kosten van de donatie:	**$9.265**	**$7.500**

Hieruit blijkt dat het mijn cliënt in feite ongeveer $0,93 van elke dollar zou hebben gekost als ze geld had gedoneerd, terwijl ze slechts $0,75 voor elke dollar van haar in waarde gestegen vermogen betaalde. Dat betekende dat ze in vermogen ongeveer 25 procent meer kon geven bij eenzelfde belastingresultaat. Misschien werp je tegen dat ze haar vermogen niet hoefde te verkopen en dan ook geen kapitaalwinstbelasting had hoeven betalen. Maar zij (of haar erfgenamen) verkoopt op een dag waarschijnlijk toch. Veel mensen overlijden met sterk in waarde gestegen activa. Als je successierecht moet betalen zal het tarief daarvan naar alle waarschijnlijkheid veel hoger

---

[**] De kosten zijn bijna nooit nul voor activa die we als investeringen hebben gekocht, maar zijn vaak nul voor geërfde of geschonken aandelen die we al heel lang in bezit hebben of voor sterk in waarde gedaald onroerend goed.

liggen dan het tarief van de kapitaalwinstbelasting, wat de relatieve waarde van de vermogensdonatie alleen nog maar groter maakt. Als je kosten hoger dan nul zijn, zul je nog altijd beter af zijn dan wanneer je contanten zou doneren. Over het algemeen kun je zeggen: hoe lager de kosten, hoe beter. Als het vermogen dat je bezit veel meer waard is dan wat je in een bepaald jaar aan goede doelen wilt geven, is er een alternatief: het zogenaamde *donor-advised fund*. Daarbij kun je geld of ander vermogen in een fonds onderbrengen, dat gewoonlijk door een plaatselijke stichting wordt beheerd. Zo kun je door de jaren heen in een tempo dat jou schikt bijdragen geven aan liefdadigheidsinstellingen. Dat is erg gemakkelijk als je onroerend goed, een bedrijf of een andere minder liquide vermogensvorm wilt verkopen en niet het hele bedrag ineens wilt doneren (bijvoorbeeld het onroerend goed is $500.000 waard, maar je wilt slechts $25.000 per jaar doneren).

Wat is je goede doel?

Ieder mens wordt geraakt door andere dingen. Dat is de reden waarom liefdadigheid zoveel verschillende gezichten heeft.

Waaraan geven Amerikanen?

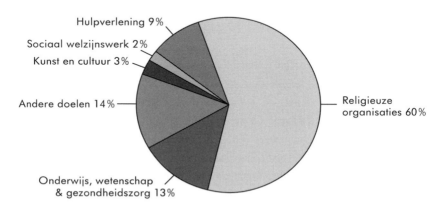

Hulpverlening 9%
Sociaal welzijnswerk 2%
Kunst en cultuur 3%
Andere doelen 14%
Religieuze organisaties 60%
Onderwijs, wetenschap & gezondheidszorg 13%

Sommige mensen worden geraakt door de milieuproblematiek. Aangezien de Verenigde Staten 26 procent van de energie van de wereld verbruikt – met name fossiele brandstoffen – en een gemiddelde Amerikaan 122 kilo vlees per jaar eet, lijkt de achteruitgang van ons milieu niet te stoppen. Andere mensen worden geïnspireerd door kunst of muziek en willen vooral dat soort doelen steunen. In de afgelopen vijf jaar is de publieke subsidiëring van de kunsten met 60 procent afgenomen, terwijl onderzoek heeft aangetoond dat kunsteducatie het leren bevordert, met name bij kinderen van ouders met een laag inkomen. Weer anderen worden geraakt door het streven om een einde te maken aan de armoede in de wereld. Drie miljard mensen op onze planeet leven van minder dan twee dollar per dag, 640 miljoen kinderen hebben geen goed onderdak en 400 miljoen kinderen hebben geen toegang tot schoon drinkwater. Nog weer anderen worden bewogen om dichter bij huis te geven, in hun eigen lokale gemeenschap of hun eigen familie. En zoals het bijgaande diagram laat zien, geeft de grote meederheid van de mensen aan religieuze instellingen, die op hun beurt weer aan goede doelen geven zoals milieubescherming, armoedebestrijding en kunst en cultuur.

Leer de ander vissen

Tot zover heeft dit hoofdstuk zich gericht op het geven van geld om onze onderlinge verbondenheid tot uitdrukking te brengen. Er is ook een belangrijk alternatief, dat dertig jaar geleden werd bedacht en microfinanciering wordt genoemd. Meer dan honderd miljoen mensen die onder de armoedegrens leven zijn hier al mee geholpen. Dat aantal groeit spectaculair. In plaats van een gift verschaft iemand die in een microfinancieringsfonds investeert kapitaal aan iemand met een klein bedrijf, meestal een vrouw in een ontwikkelingsland. Met die lening kan ze een oven kopen en het brood dat ze daarmee bakt verkopen, of een melkkoe waarvan ze de melk naar de markt brengt. De gemiddelde lening ligt onder de $200 en van het totaal aantal leningen wordt meer dan 95 procent terugbetaald. De leningen zijn gegarandeerd door een groep micro-ondernemers om het risico te verminderen.

Deze paragraaf zou goed hebben gepast in het hoofdstuk over bewust investeren, omdat investeerders in microfinanciering zowel een financieel rendement als een sociaal rendement genieten. Het financieel rendement kan tussen de één en vijf procent liggen. Voor investeerders die op zoek zijn naar een hoger rendement is er een aantal fondsen die aandelen van micro-

MAAK JE EIGEN DONATIEPLAN

Wat onze goede doelen ook zijn en hoeveel we ook moeten geven, het kan helpen om een donatieplan te maken, dat wil zeggen een geschreven plan waarin je de volgende zaken beschrijft:

1. Aan wie je geeft (inclusief specifieke namen van liefdadigheidsinstellingen waaraan je zou willen geven).
2. Hoeveel je per jaar aan elk van deze doelen geeft (in geld of tijd).
3. Of en hoe je de effectiviteit van deze donaties gaat meten.

Om te beginnen schrijf je alle goede doelen op waaraan je ooit hebt gegeven. In aanvulling daarop maak je een overzicht van de doeleinden of mensen waarvan je het gevoel hebt dat ze je het meest hebben geraakt. Als jij 'de touwtjes in handen had', wat zou je dan veranderen in de wereld?

Zorg ervoor dat er een percentage overblijft – tussen de 10 en 50 procent van je jaarlijkse giftenbudget – voor spontane giften. Als je een Verzorger bent, zal dit document je helpen om structuur in je donaties aan te brengen en niet te veel te geven. Als nieuwe doelen of mensen je hulp vragen, kun je ermee instemmen om ze op de lijst te plaatsen voor volgend jaar of hen te steunen uit je spontane giftenbudget. Als je een Spaarder bent en de neiging hebt om op te potten, zal dit document je helpen om te luisteren naar de innerlijke stem die je vraagt om wat guller te worden door een concreet donatieplan te maken.

financieringsinstellingen kopen (de banken die de leningen geven). Deze fondsen bieden een financieel rendement dat mogelijk zelfs beter is dan de rendementen van investeerders in aandelen in de ontwikkelde wereld, behalve dat er meer risico en meer onzekerheid aan verbonden is.

Maar veel belangrijker dan de financiële rendementen zijn de sociale rendementen die micro-investeerders creëren. Over het algemeen verschaft een lening van $200 genoeg kapitaal om een zaak te beginnen of uit te breiden die een inkomen verschaft aan een gezin van vijf mensen. Bovendien verdwijnt het geld niet, maar wordt het terugbetaald en in de toekomst opnieuw geinvesteerd in andere micro-onder-nemers. Zo dragen we bij aan meer zelfstandigheid van mensen over de hele wereld.

Bij Abacus hebben we ontdekt dat dit een goede aanvulling is op donaties en zuiver financiële investeringen van cliënten. Maar denk niet dat dit instrument alleen geschikt is voor de rijken. Ik heb schoolklassen en bedrijfsafdelingen leningen zien geven van honderd dollar aan micro-ondernemers een aantal straten verderop of aan de andere kant van de wereld. Als je dit onderwerp uit-gebreider wilt onderzoeken bezoek dan mijn website: www.BrentKessel.com.

> 'Dit is geen liefdadigheid. Dit is business, zaken doen met een sociaal doel, namelijk om mensen uit de armoede te helpen.'
>
> MUHAMMED YUNUS,
> NOBELPRIJSWINNAAR EN PIONIER
> VAN DE MICROKREDIETEN,
> OPRICHTER VAN DE GRAMEEN BANK

Dus je wilt een erfenis nalaten

Of het nu Imperiumbouwers zijn of niet, veel mensen die ik in de afgelopen jaren als cliënt heb gehad, willen worden herinnerd. Ieder mens wil dat zijn of haar leven ertoe doet. Te vaak worden onze testamenten en vermogensplan-nen – de documenten die de tastbare resultaten van ons levenswerk beheren – gedicteerd door sociale normen of de marsorders van ons kernverhaal.

Ik heb talloze cliëntbijeenkomsten meegemaakt met advocaten waarin iedereen eenvoudig aanneemt dat de cliënten zoveel mogelijk geld willen nalaten aan hun kinderen en kleinkinderen en streven naar zoveel mogelijk belastingaftrek. Maar het plannen van wat er met ons geld zal gebeuren begint met een leeg doek. Dat betekent dat we de verwachtingen van onze cultuur en familie op het spoor moeten zien te komen en vervolgens moeten verwijderen voordat we beginnen aan onze vermogensplannen.

De meeste mensen realiseren zich niet dat hun eigen leven in de vergetel-heid zal raken als ze hun eigen verlangens volgen. Zelfs Imperiumbouwers die een grote onderneming bouwen of ander erfgoed dat door toekomstige generaties onderhouden kan worden, vechten tegen de bierkaai. Zeventig procent van de familierijkdom is binnen twee generaties verdwenen, ne-gentig procent binnen drie generaties. Dit komt doordat de meeste families bijna al hun geld nalaten aan hun kinderen, die niet of nauwelijks getraind

ZULLEN ZE ME HERINNEREN?

Weet jij de naam van een van je overgrootouders? Wat weet je over hun levensverhalen? Als het jou vergaat zoals de meeste mensen, vind je het moeilijk deze vragen beantwoorden. Je hoeft maar een of twee generaties terug te gaan en het leven van je voorouders is uit het familiegeheugen gewist. Hoe belangrijk hun levens ook waren, hun behoeften en verlangens en hun kernverhalen zijn nu onbelangrijk.

zijn hoe ze ermee moeten omgaan en zich er niet van bewust zijn welke impact dit zal hebben op de wereld om zich heen. Het kernverhaal van De Imperiumbouwer is zo dominant dat volgende generaties liever tegen zijn waarden rebelleren dan die te koesteren – waarbij extreme versies ontstaan van De Ster, De Verzorger of De Plezierzoeker, wat leidt tot verdere erosie van de rijkdom.

Maar er zijn natuurlijk uitzonderingen op deze regel – families zoals de Rockefellers, die in staat zijn geweest om hun erfgoed te onderhouden en te laten groeien, meestal door een substantieel deel van hun reserves aan iets te besteden dat het algemeen belang dient.

Hoewel er vele factoren zijn die bijdragen aan het geheim dat families zoals de Rockefellers in staat stelt om hun welstand te continueren, geloof ik dat het hebben van een evenwichtige kijk op het besteden van geld aan goede doelen een belangrijke bijdrage levert. Niet omdat God of een andere goddelijke kracht degenen die goed doen in deze wereld beloont. Er zijn te veel voorbeelden van goedwillende mensen die zijn gemarteld, gedood of op een andere manier hebben geleden ondanks hun mededogen. Wat ik wel geloof is dat we niet meer zo gedomineerd worden door ons eigen zelfgerichte kernverhaal als we onze gevoelens van mededogen ontwikkelen. En dan ontstaan er veel meer mogelijkheden.

Wacht niet totdat je dood en vergeten bent

Hoewel er heel veel goed is gedaan door grote filantropen, wens ik vaak dat ze nog zouden leven zodat ze konden zien hoeveel goede dingen er met hun

---

SCHRIJF JE EIGEN NECROLOGIE

Wat wil je dat de mensen in de volgende twee generaties over je zeggen? Wat hoop je dat jouw invloed op de wereld zal zijn? Wat kwam je hier doen dat je nog niet hebt gedaan? Misschien kun je daar eens over praten met je kinderen en andere geliefden.

---

geld zijn gebeurd.

Geven tijdens ons leven is een geweldige manier om het plezier in het leven te vergroten. Daarnaast is actieve filantropie een van de meest krachtige methoden om kinderen de principes van wijs rentmeesterschap met geld bij te brengen. Als je het idee hebt dat filantropie jou veel voldoening schenkt, doneer dan zoveel als verstandig is voordat je overlijdt, zodat je zelf kunt genieten van het wiel dat je in beweging zet en van de relaties die zich rondom die vrijgevigheid vormen.

LOVING-KINDNESS-MEDITATIE

De term *liefdevolle vriendelijkheid* komt uit het boeddhisme[*], maar er zijn talloze vergelijkbare gebeden en meditaties in andere tradities. Deze stille contemplatie kan worden beoefend door mensen van alle religies. De enige vereiste is dat je gelooft in je vermogen om mededogen te voelen voor anderen.

Zoek een stille plek waar je niet wordt afgeleid. Ga zitten en let allereerst op je ademhaling. Zeg als je inademt zonder veel ophef tegen jezelf: 'Ik adem in'. En zeg als je uitademt: 'Ik adem uit'. Je kunt het verkorten tot 'In' en 'Uit' als je wilt.

Wens jezelf vrede en welzijn toe tijdens de meditatie, bijvoorbeeld door te zeggen: 'Dat ik gelukkig mag zijn' of 'Dat ik vrij mag zijn van lijden'. Doe je uiterste best om een zachte houding ten opzichte van jezelf aan te nemen en de gebieden waar je het meest mee worstelt in het leven. Doe alsof je dit toewenst aan je kinderen of geliefden en richt de liefde die je voor hen voelt op jezelf.

---

[*] Het begrip dat hiervoor in het boeddhisme wordt gebruikt is *metta* (Pali), dat in het Engels gewoonlijk wordt vertaald als *loving kindness* – Vertaler.

Breid na een poosje je wens uit naar iemand die dichtbij je staat – je moeder, je broer, je echtgenoot, je vriend of iemand die je nauwelijks kent die problemen doormaakt: 'Dat hij of zij gelukkig mag zijn', 'Dat hij of zij niet hoeft te lijden'.

Verwijd je blikveld nog verder, misschien naar een hele familie of gemeenschap: 'Dat ze allemaal vrede mogen hebben', 'Dat ze voldaan en gelukkig mogen zijn', 'Dat ze vrij mogen zijn van lijden'.

Vervolg dit gebed door te bidden voor het hele land, voor alle mensen in de wereld en uiteindelijk voor alle levende wezens.

Let tijdens deze meditatie op veranderingen die in jezelf plaatsvinden terwijl je hiermee bezig bent. Raak je verveeld of word je gemakkelijk afgeleid als de aandacht op anderen wordt gericht. Of is het juist gemakkelijker voor je om de aandacht van jezelf af te wenden? Voel je meer bezorgdheid of angst tijdens de meditatie? Welk deel van jezelf wordt het meest gestimuleerd? Terwijl je deze oefening doet, zul je ontdekken dat je antwoorden op deze vragen steeds verschillen. Waardeer je motivatie om vriendelijk te zijn en erken dat deze motivatie je helpt om te groeien.

Als we geld gebruiken om onze liefdevolle vriendelijkheid tot uitdrukking te brengen, zijn de resultaten vrij paradoxaal. We hebben geleerd dat hoe meer we geven, hoe minder we overhouden. Maar het is mijn ervaring dat we, binnen de grenzen van redelijkheid, door te geven werkelijk meer overhouden – niet alleen meer geld, maar ook meer ontspanning, plezier, vrede en de vrijheid om op een goede manier met je geld om te gaan. Hoe ver je ook bent op het pad van de vrijgevigheid, ik moedig je graag aan om na te gaan welke effecten deze daden op jouw leven hebben. Ik ben er tamelijk zeker van dat je zult ontdekken dat je een verrassend gefortuneerde weldoener bent van je eigen goede daden.

HOOFDSTUK VEERTIEN

JE BENT GEARRIVEERD

'Vrijheid is geen zaak van de toekomst. Het is een zaak van het huidige moment.'

Thich Nhat Hanh

Na het lezen van dit boek voel je je misschien geïnspireerd om grote veranderingen aan te brengen in je relatie met geld. Aan de andere kant kunnen de veranderingen die nodig zijn, je zoveel angst inboezemen dat je helemaal niets onderneemt. Hoewel beide reacties natuurlijk zijn, is het heel belangrijk om erop te letten dat je je niet te veel of te weinig inspant bij het veranderen van je relatie met geld. Alleen jij weet wat de juiste hoeveelheid inspanning is. *Ahimsa* is een Sanskriet woord dat 'geweldloos' betekent. In oude yogateksten betekent het jezelf of anderen geweldloos dwingen tot verandering, fysiek, emotioneel en spiritueel. Goede yogaleraren moedigen hun leerlingen vaak aan om niet te snel te streven naar het ideaalbeeld van een houding, maar om je bewust te worden van de subtiliteiten van je houding *zoals die nu is*, voordat je enige verandering aanbrengt. In die geest wil ik je aanmoedigen om aandacht te besteden aan concrete momenten in het dagelijks leven waarop je met geld worstelt. Realiseer je dat je, diep van binnen, okay bent, ook als je nooit verandert. Paradoxaal genoeg kan er alleen vanuit die diepe aanvaarding van je huidige bestaan waarachtige en blijvende verandering groeien.

Een van de manieren waarop ik cliënten en vrienden zichzelf heb zien beschadigen is door al hun aandacht en energie te richten op wat financieel verkeerd is. Voorbeelden daarvan zijn het met opgeheven vinger advies geven aan jezelf. 'Koop geen nieuwe kleren deze maand!' Of: 'Stop met het werken in de weekenden – we hebben het extra geld niet nodig.' Dit heeft hetzelfde effect als een ouder die zijn kind voortdurend vertelt wat het niet moet doen. Zoals de meeste pedagogen weten hebben kinderen de neiging om woorden als 'niet' en 'niet doen' te negeren. Dit soort bevelen versterken het gedrag dat we proberen te ontmoedigen. In plaats daarvan zouden we het vermogen moeten ontwikkelen om onze financiële beslissingen te nemen met minder onrust en in een geest van vrede.

Het is moeilijk in onze moderne maatschappij – vol financiële zorgen, toenemende kosten van gezondheidszorg en onderwijs, tienduizenden investeringskeuzes en materiële verleidingen – om je een waarlijk tot rust gekomen geest voor te stellen. Toch ligt dit binnen ons bereik.

> 'Aan de geest die stil is, geeft het hele universum zich over.'
>
> LIEH TZU,
> CHINEES FILOSOOF,
> VIJFDE EEUW V.CHR.

De meeste beslissingen over geld zijn weinig meer dan reflexen op onze conditionering. Als we anders waren opgevoed, anders waren geconditioneerd, zouden we andere keuzes hebben gemaakt. Wat ik heb proberen over te brengen in dit boek is dat er, ongeacht je situatie of conditionering, een andere manier bestaat van beslissingen nemen die ontstaat in de stilte die ieder van ons in zich draagt. Creativiteit en keuze bepalen hier ons leven en niet beperking of dwang.

WEES STIL

Als je een financiële beslissing moet nemen en je merkt dat je geest onrustig is, stel de beslissing dan uit. De angst en verwarring die je voelt maskeren vaak een aantal diepere emoties en opvattingen. Zoals Tsoknyi Rinpoche zegt: 'In plaats van ons te richten op de symptomen van onze hoop en onze angst, moeten we een "toegang" zien te vinden tot de hoop en de angst zelf; anders worden we misleid en gaan we denken dat het symptoom de werkelijkheid is.' Met andere woorden, we denken dat het besluit om onze hypotheek over te sluiten of onze investeringen te verkopen zal leiden tot vrijheid of iets voorkomt waarvoor we bang zijn. Maar doordat we deze gevoelens aan het symptoom koppelen in plaats van aan de oorzaak blijven de hoop en de angst in de toekomst voortduren. Dat komt doordat we ons niet op de wortel van het probleem hebben gericht.

1. Ga op een rustige plaats zitten waar geen afleiding is en ga na wat er achter de beslissing zit waar je mee worstelt. Welke gevoelens denk je over te houden aan dit besluit?

2. Probeer de financiële feiten te begrijpen die jouw besluit beïnvloeden. Verzamel deze informatie zonder er nu al op te reageren. Wat
zijn de feiten die je moet kennen om een goed onderbouwde keuze
te maken?

3. Schrijf een worstcasescenario voor de verschillende keuzes die je
hebt. Schrijf ook een bestcasescenario voor elke keuze.

4. Vervolgens – en dit is het belangrijkste deel – onderzoek je welke
invloed dit besluit heeft op je meest innerlijke wezen, dat zich onderscheidt van je gedachten en je emoties. Ga na wat er echt zal
veranderen voor dit meest stille deel van je wezen als je het ene
of als je het andere besluit zou nemen. Door dit te doen bereik je
waarschijnlijk een gezonde onthechting en een wat rustiger zijns-
toestand. Vanuit die stilte moet je proberen te luisteren naar wat
volgens je intuïtie de volgende stap is.

Wees niet verrast als er allerlei kritische gedachten in je opkomen nadat je de beslissing hebt genomen. Bekijk de bestcasescenario's en de
worstcasesecenario's nog eens door de bril van je essentie, je ziel of
welke naam je ook maar wilt geven aan die meest wijze en stille plek
in jezelf. Op die manier ben je in staat om te antwoorden in plaats van
impulsief te reageren op de geldproblemen en kansen die je hebt.

Doe niets, maar wees aanwezig

Er zijn vele manieren om je aandacht te richten op de essentie die je bestaan
bezielt. Het is een zoektocht die je in het hart van bijna alle spirituele tradities vindt. (Verschillende tradities verwijzen naar deze kwaliteit van aandacht als 'realiseren van je ware natuur', 'ontwaken', 'wedergeboren worden'
of 'verlichting'). Voor mijzelf is de meest diepzinnige leraar het stil worden
en dit bewustzijn onderzoeken, deze aanwezigheid die boven elke gedachte
of idee van het 'ik' uitgaat. Het heeft niets te maken met het aanvaarden van
een bepaald geloofsstelsel. Het is een uitnodiging om je eigen levenskracht
direct te ervaren, een bewustzijn dat altijd in je aanwezig is ongeacht wat je
doet of denkt.

'WIE BEN IK?'

Wat doet je nu op dit moment ademhalen?

Wat neemt waar via je lichaam, kijkt via je ogen, hoort via je oren, voelt de temperatuur van de lucht op je huis?

Zit een paar seconden of paar minuten stil en ervaar het meest fundamentele bewustzijn in je. Je kunt natuurlijk ook net zo lang blijven zitten als je wilt, zoals de heiligen en wijzen uit de geschiedenis.

De meest natuurlijke uitdrukking van deze kracht is liefde en mededogen. Naar mijn ervaring overschrijdt dit geheim onze lichamelijke grenzen. Het is natuurlijke liefde en mededogen omdat het één is met alles en iedereen. Het ligt niet overhoop met het leven – of met welk deel van het leven dan ook. Het eist niet van je Verlangende Geest om te stoppen met verlangen. Je kernverhaal hoeft niet te veranderen. Ook hoef je niet meer onderlinge verbondenheid te creëren met geld. Deze diepe kracht in ons is er slechts om te worden ervaren. Als onze aandacht erop is gericht, voelen we diepe vrede, diepe rust, een diep gevoel van welbevinden – dat is waarom de spirituele tradities van de wereld hiervoor woorden hebben gebruikt als hemel, paradijs, zijn en 'vrede die alle begrip te boven gaat'.

Onze geest sputtert tegen dat deze essentie tamelijk lui en ongemotiveerd is. 'Waarom zou ik nog opstaan om iets te ondernemen als het leven zo goed voelt?' Naar mijn ervaring gebeurt het tegendeel als mensen consistent hun aandacht richten op deze essentie van zijn. Ze krijgen meer energie en ondernemen meer dan ervoor. Wat ze doen is verbonden met de manier waarop hun essentie wil worden uitgedrukt in de wereld. De geest denkt dat het effectief ondernemen van actie discipline en wilskracht vraagt. Maar als onze aandacht volledig rust in deze aanwezigheid, is de volgende stap, hoe groot of hoe klein ook, helder als glas en moeiteloos.

AANWEZIGHEID EN DE CONTEMPLATIE VAN DE DOOD

Om het bewustzijn van deze essentie te ontwikkelen suggereert de auteur Ken McLeod de volgende oefening in *White Paper III*:

> 'Stop voor een moment met lezen en stel je voor dat je over een minuut sterft. De laatste dingen die je gaat ervaren zijn het lezen van deze pagina's, het in je kamer zitten, het dragen van de kleren die je draagt en het denken en voelen wat je denkt en voelt op dit moment. Dat is het. Je hebt geen tijd om daar iets aan te doen. Je hebt geen tijd om iets op te schrijven of te telefoneren. Je leven is voorbij. Je zult over een minuut sterven. *Alles wat je kunt doen is ervaren wat er nu op dit moment gebeurt.*'

Het mooie van deze oefening is dat je het echt doet. Je stopt met vechten. Je stopt met verlangen. Je stopt met streven. Je stopt met hopen op een beter leven. Ergens anders willen zijn wordt zinloos.

Wat blijft er over? Wat is die bewustzijnstaat in je die leeg is, zonder actie, zonder gedachten, zonder hoop, verlangend naar niets?

Met een beetje geluk was dit gewoon een oefening en leef je nog en leest dit boek! Als dat zo is, kun je dan nog steeds die volmaakte plaats in je binnengaan, de plek waar niets hoeft te veranderen? Als dat niet het geval is, doe de oefening dan nog eens. Of besteed enige tijd aan meditatie of het in de stilte zijn. Dit deel van ons is verheven en wordt gemakkelijk overschreeuwd door het voortdurende gejakker van de geest. Maar in stilte spreekt het met onmiskenbare kracht en is het onze meest vertrouwde gids.

Beter kan niet

In dit boek hebben we allerlei aspecten van onze relatie met geld onderzocht en vele methoden en inzichten aangereikt om die relatie in overeenstemming te brengen met onze spirituele natuur. Als je in de oppervlakkige aspecten van dit alles gevangen raakt, kun je alles goed doen met geld en toch nog steeds geen echte vrijheid ervaren. Dat komt omdat ware vrijheid in de lichamelijke en psychische dimensies van het bestaan zetelt. Wat ook je spirituele of materiële overtuiging is, tot welk archetype je jezelf ook rekent, hoe meer je dit aspect van je wezen onderzoekt – dat er al was voordat je een naam, een verhaal of zelfs de eerste gedachten had – hoe meer je de ware vrijheid zult ervaren in je dagelijks leven.

Het ging in dit boek vaak over het je bewust worden van de innerlijke drijfveren van je omgang met geld. Als we op een onbewuste manier met geld (of iets anders) omgaan lijden we, omdat onze essentie of ziel wil dat we ons in tegengestelde richting bewegen. Als we ons bewustzijn naar binnen richten zijn we in staat om te vragen: 'Wie kijkt er eigenlijk in mij? Welk bewustzijn doet dat?' Als mensen zich oprecht naar binnen keren, realiseren ze zich: 'Wauw! Het is allemaal conditionering. Ik hoef me helemaal niet zo te gedragen, tenzij ik er voor kies.' Op zo'n moment heeft ons kernverhaal niet langer dezelfde kracht. Vanaf dat moment is er een geleidelijke, maar duidelijke verandering waar te nemen in onze omgang met geld.

Bedenk dat je essentie geen problemen heeft met je kernverhaal of conditionering. In feite kijkt het vertederd en geamuseerd naar al die druktemakerij. En we kunnen er zelf ook om lachen als we niet langer in de waan leven dat we ons kernverhaal *zijn*. Pas dan ontstaat er ware vrijheid.

Denk aan een woeste oceaanstorm met harde rukwinden en hoge golven. Stel je vervolgens de rust voor die tien meter onder de waterspiegel heerst. Het deel van ons waar ik over spreek lijkt op die diepe onderstroom in de oceaan, die niet beïnvloed wordt door het drama en het kolkende weer van ons dagelijks leven.

Je bent gearriveerd als je financiële beslissingen neemt die steun geven aan dat wat het belangrijkst is voor je essentie. Het gaat om de bevrediging van je hart en ziel, en niet om de bevrediging van je ego. Dit is niet het middel maar het doel. Wat zijn de hoogste prioriteiten van je meest onbelaste staat van zijn? Neem deze lijst eens door en onderstreep de kwaliteiten die je het meest aanspreken:

Mededogen	Geloof	Eenvoud
Vrijheid	Creativiteit	Vreugde
Vervulling	Ontspanning	Tevredenheid
Inspiratie	Vrijgevigheid	Vrede

Wat heeft voor jou de hoogste prioriteit?
Wat is je talent?
Wat is je diepste verlangen?

JE BENT GEARRIVEERD

Maak een dag vrij waarin je niet aan de toekomst denkt en waarvoor je geen plannen maakt. Regel het van tevoren met je gezin, huisgenoten of collega's, zodat je spontaan kunt zijn en een lege agenda hebt. Dit is een dag waarop je volledig ongestructureerd kunt zijn en van moment tot moment je hart kunt volgen. Je hebt dit recht verdiend – het recht om gewoon van jezelf, je omgeving en de mensen om je heen te genieten, in je lichaam te zijn, in je leven.

De eerste keer dat ik deze oefening deed, was ik geschokt hoe vaak mijn geest bezig bleek te zijn met plannen maken voor de toekomst. Zoals te verwachten viel, klonk het in mijn hoofd: 'Er zijn zoveel leuke dingen die je in plaats hiervan zou kunnen doen. Schrijven. Lezen. Je iTunes organiseren. Naar muziek luisteren. Spelen met de kinderen. Een middagslaapje doen. Naar de sportschool gaan. Eten. Een vriend bellen. Kom op, er moet iets zijn wat je kunt doen! Hoe meer je doet, hoe gelukkiger je bent!'

Als er een stem in je opkomt die zegt: 'Wat een geweldige kans om X, Y of Z te doen', luister er dan niet naar, tenzij niet de voltooiing maar gewoon het doen van X, Y of Z je gelukkig maakt. Als je op deze ene dag niet geniet van wat je op het moment of in de volgende paar minuten doet, ga dan iets anders doen. Je hoeft aan het eind van de dag niets te laten zien.

Als een hele dag je afschrikt, begin dan met een uurtje. Misschien lukt het de eerste paar minuten niet, maar verplicht jezelf in elk geval om de oefening af te maken zodat je de ervaring van het gearriveerd zijn leert ontwikkelen. Op een dag zoals deze vier je het leven zoals het is – in plaats van krampachtig te proberen om het leven te creëren waarvan je geest denkt dat het je op een dag gelukkig zal maken.

Bij onze financiële beslissingen in contact zijn met dit aspect van onszelf is het beste wat we kunnen hebben. Geld is een winkel vol levensenergie. Als we die energie kunnen kanaliseren in de expressievorm die onze ziel het meest dierbaar is, vindt er een opwindende verbinding plaats tussen ons financiële en spirituele leven.

Met deze verbinding ontstaat er een gevoel van voldoening, van 'genoeg hebben'. Want onze essentie heeft altijd genoeg, zelfs als ons lichaam koud of hongerig of bang is. Belangrijker is dat onze essentie zonder enige inspanning liefhebbend, tevreden en dankbaar is, aangezien dat haar meest natuurlijke uitdrukkingsvorm is. We zijn vrij als we onze blik hebben verlegd van het *krijgen* van liefde, overvloed, vrede en vrijheid naar het *zijn* van liefde, overvloed, vrede en vrijheid. Als we één zijn met dat deel van ons dat genoeg heeft, dat al is gearriveerd, dat in plaats van schaarste overvloed ervaart, dan groeit er in ons liefde en generositeit – op een natuurlijke wijze en zonder inspanning.

Het is mijn oprechte wens dat geld een diepzinnige leraar mag worden in je leven. Een leraar die je begeleidt naar een blijvend gevoel van vrijheid en voldoening. Makkelijk zal het niet zijn, maar het is wel eenvoudig. Vrijheid en geluk zijn je geboorterecht. Wat je levenssituatie ook is, niets buiten je eigen geest kan jou ervan weerhouden om dat te ervaren.

Dat je gelukkig mag zijn.

Dat je vrij mag zijn.

Dat je leven een volledige expressie mag zijn van je unieke geest, op dit moment en alle momenten die nog komen.

BRONNEN

LEESSUGGESTIES

Op mijn website www.BrentKessel.com vind je meer leessuggesties. Hier zijn enkele van mijn favorieten.

Investeren

John C. Bogle, *The little book of common sense investing: The only way to guarantee your fair share of stock markets returns* (Hoboken: Wiley and Sons, 2007)

Charles Ellis, *Winning the losers game* (New York: McGraw Hill, 1998)

Roger Gibson, *Asset allocation* (New York: McGrawHill, 1990)

James P. O'Shaughnessy, *How to retire rich* (New York: Broadway Books, 1998)

James P. O'Shaughnessy, *What works on Wall Street* (New York: McGraw Hill, 1998)

Larry Swedroe, *The only guide to a winning investment strategy you'll ever need* (New York: St. Martin's Press, 2005)

Bruce Temkin, *The terrible truth about investing* (St. Petersburg, Fl: Fairfield Press, 2000)

Andrew Tobias, *The only investment guide you'll ever need* (San Diego, CA: Harcourt, 2002)

Kinderen van rijke ouders

John en Eileen Gallo, *Silver spoon kids. How succesfull parents raise responsible children* (New York: McGraw Hill, 2002)

David Owen, *The National Bank of Dad* (New York: Simon & Schuster, 2007)

Dan Rottenberg, *The inheritor's handbook* (New York: simon & Shuster, 2000)

Filosofie en persoonlijke groei

Adriane G. Berg, *Financial planning for couples* (New York: Newmarket Press, 1993)

David Chilton, *The wealthy barber* (Toronto: Stoddart Publishers, 2002)

George S. Clason, *The richest man in Babylon* (New York: Penguin, 2007)

George Kinder, *The seven stages of money maturity* (New York: Random House, 2000)

Olivia Mellon, *Money harmony: Resolving money conflicts in your life and relationships* (New York: Walker, 1994)

Jacob Needleman, *Money and the meaning of life* (New York: Doubleday, 1991)

Maria Nemeth, *The energy of money* (New York: Ballantine, 2000)

Inleiding financiële planning

Joe Dominguez en Vicki Robin, *Your money of your life* (New York: Penguin, 2002)

Janet Bryant Quinn, *Making the most of your money* (New York: Simon & Shuster, 1997)

Karen Ramsey, *Everything you know about money is wrong* (New York: ReganBooks, 1999)

Charles Schwab, *Charles Schwab's guide to financial independence: Simple solutions for busy people* (New York: Crown, 1998)

Eric Tyson, *Personal finance for dummies* (Foster City, CA: IDG Books, 2007)

HANDIGE WEBSITES

Websites worden sneller gemaakt en bijgesteld dan boeken. Voor een up-do-date-lijst van mijn favoriete sites, zie www.BrentKessel.com.

Aandelen en beurs

MSN Money: www.money.msn.com

Google Finance: http://finance.google.com/finance

The Wall Street Journal: http://online.wsj.com/home/us

Yahoo Finance: http://finance.yahoo.com

BigCharts geeft ons de kans om de historische prijzen op te zoeken van
bijna elk fonds: http://bigcharts.marketwatch.com/historical
Zacks.com: http://www.zacks.com

Rekenprogramma's
Hoeveel geef je uit? http://www.youcandealwithit.com/budgeting_tools/
budget_calculators.shtml
BankRate: http://www.bankrate.com/brm/ratel/calc_home.asp

Financiële planning
National Association of Personal Financial Advisors (NAPFA):
http://www.napfa.org
Financial Planning Association: http://www.fpanet.org
Certified Financial Planner Board of Standards: http://www.cfp.net
Chartered Financial Analyst Institute: http://www.cfainstitute.org

Algemeen
Sociale zekerheid: http://www.ssa.gov/
Advocaten: http://www.martindalehubbell.com

BOEKEN EN WEBSITES VAN MENSEN DIE IK GEINTERVIEWD HEB

ADYASHANTI Meditatieleraar uit de zen- en advaitatraditie. Aanbevolen
boeken: *Emptiness dancing, My secret is silence, True meditation, The impact
of awakening.*
Website: http//adyashanti.org

A.H. ALMAAS Meester en leraar van spiritueel zelfonderzoek. Aanbevolen
boeken: *The inner journey home, The pearl beyond price, Brilliancy.*
Website: http://www.ahalmaas.com

AMMACHI Bekend als de 'knuffelheilige'. Aanbevolen boeken: *Messages from
Amma: In the language of the heart.*
Website: http://www.amma.org

KEN BLANCHARD Leraar, auteur en zakenconsulent. Aanbevolen boeken: *The one minute manager, Leading at a higher level, Lead like Jesus.* Website: http://www.kenblanchard.com/about/bios/ken_blanchard

JOHN BOGLE Stichter van de Vanguard Group. Aanbevolen boeken: *The little book of common sense investing, The battle for the soul of capitalism.* Website: http://www.vanguard.com/bogle_site/bogle_home.html

DAVID BOOTH Directeur van Dimensional Fund Advisors. Aanbevolen boeken: *Trading costs and tracking error.* Website: http://www.dfaus.com

ZIJNE HEILIGHEID DE DALAI LAMA Staatshoofd en spiritueel leider van Tibet. Aanbevolen boeken: *The art of happiness, The wisdom of forgiveness.* Website: http://www.dalailama.com

RAM DASS Voormalig hoogleraar die leider werd van een grote spirituele beweging. Aanbevolen boeken: *Be here now, The only dance there is, Still here.* Website: http://www.ramdass.org

DAVID DEIDA Gericht op een niet-religieuze spiritualiteit met bijzondere aandacht voor de relatie tussen spiritualiteit en seksualiteit. Aanbevolen boeken: *The way of the superior man, Blue truth, Instant enlightment.* Website: http://www.deida.info

EUGENE FAMA Robert R. McCormick Hoogleraar Financiën, University of Chicago Graduate School of Business. Aanbevolen boeken: *The theory of finance, Foundations of finance.* Website: www.chicagogsb.edu/fac/eugene.fama

CHRISTINA FELDMAN Medeoprichtster van Gaia House in Engeland en lerares bij Insight Meditation Society in Barre, Massachusetts. Aanbevolen boeken: *Beginner's guide to Buddhist meditation: Practicers for mindful living, The Buddhist path to simplicity.* Website: http://www.gaiahouse.co.uk

GIL FRONSDAL Zen- en vipassanaleraar. Aanbevolen boeken: *The Dhammapada: A new translation of the Buddhist classic.*

Website: http://www.insightmeditationcenter.org

GANGAJI Onderzoekt vrijheid en innerlijke vrede gebaseerd op onderricht van H. W. L. Poonja, een discipel van Ramana Maharshi. Aanbevolen boeken: *You are that*, *The diamond in your pocket*.
Website: http://www.gangaji.org

JOSEPH GOLDSTEIN Vipassanaleraar en medeoprichter van de Insight Meditation Society. Aanbevolen boeken: *Insight meditation: The practice of freedom*, *One dharma*.
Website: http://www.dharma.org/ims.joseph_goldstein.html

JERU KABBAL Inmiddels overleden spiritueel leraar en auteur. Aanbevolen boeken: *Finding clarity*.
Website: http://www.jerukabbal.com

BYRON KATIE Schrijver van allerlei boeken over zelfonderzoek, ontworpen om mensen te helpen om hun eigen lijden te beëindigen. Aanbevolen boeken: *A thousand names for joy*, *Loving what is*.
Website: http://www.thework.com

RABBI HAROLD KUSHNER Rabbi en auteur. Aanbevolen boeken: *When bad things happen to good people*, *Living a life that matters*.
Website: http://www.tiofnatick.org

HARRY MARKOWITZ Nobelprijswinnende econoom achter de moderne portefeuilletheorie. Aanbevolen boeken: *The theory and practice of investment management*.
Website: http://rady.ucsd.edu/faculty/directory/markowitz

JOE MOGLIA Directeur van TD Ameritrade. Aanbevolen boeken: *Coach yourself to success: Winning the investment game*.
Website: http://www.tdameritrade.com

MIKE MURRAY Filantroop die risico's durft te nemen en zich toewijdt aan economische en sociale empowerment van de armen.

Website: http://www.unitus.com/sections/aboutus/aboutus_board_mmu-ray.asp

THICH NHAT HANH Vietnamese boeddhistische monnik en leider van vredesbeweging, die door Martin Luther King jr. werd genomineerd voor de Nobelprijs voor de vrede. Aanbevolen boeken: *The art of power, Peace is every step, The miracle of mindfullness, Living Buddha, living Christ.* Website: http://www.plumvillage.org/

WES NISKER Leraar in de vipassanameditatie. Aanbevolen boeken: *Crazy wisdom, The Big Bang, the Buddha, and the Baby Boom.* Website: http://www.wesnisker.com

CARRIE SCHWAB-POMERANTZ Senior vice-president en chief strategist van de afdeling Consumenteneducatie van Charles Schwab & Co. en president van de Charles Schwab Foundation. Aanbevolen boeken: *It pays to talk: How to have the essential conversations with your family about money and investing.* Website: http://www.schwab.com/public/schwab/research_strategies/market_insight/1/3/ask_carrie.html

MEIR STATMAN Glenn Klimek Professor of Finance aan de Leave School of Business Santa Clara University. Aanbevolen boeken: *Behavioral finance and decision theory in investment management.* Website: http://www.scu.edu/business/finance/faculty/profiles/statman.cfm

TSOKNYI RINPOCHE Tibetaanse meditatieleraar in de Dzogchentraditie. Aanbevolen boeken: *Carefree dignity, Fearless simplicity.* Websites: http://www.pundarika.org

DAVID WHYTE Past inzichten uit de poëzie toe op de wereld van het werk. Aanbevolen boeken: *River flow: New and selected poems 1984-2007, Crossing the unknown sea.* Website: http://www.davidwhyte.com

VERANTWOORDING

Er zijn veel mensen zonder wie dit boek niet zou zijn geschreven. Honderden mensen hebben me tijdens het schrijven geïnspireerd met hun enthousiasme en bemoediging. Ik ben niet in staat om hier al hun namen op te sommen. Mijn verantwoording is dus noodgedwongen onvolledig.

Allereerst zou ik Robert Strock willen bedanken, die sinds mijn negentiende mijn mentor en al bijna twee decennia mijn stiefvader is. Robert is een uniek inspirator die mensen helpt om hun spirituele potentie volledig te ontplooien. Zijn talent om de onbewuste conditionering met het grootst mogelijke mededogen tegemoet te treden, terwijl hij tegelijkertijd de fragiele stem van de innerlijke wijsheid steunt en stimuleert, vormt het hart van de Middenweg. Ik zou dat hoofdstuk nooit hebben kunnen schrijven zonder zijn begeleiding en diepe inzichten. Rob droeg bij aan veel van de ideeën die in dit boek zijn gepresenteerd, met name die over de archetypen, waarvan verschillende werden beïnvloed door inzichten die hij heeft opgedaan in zijn dertig jaar lange loopbaan als psychotherapeut en spiritueel counselor.

Mijn redactieteam is fenomenaal geweest. Mijn literair agent, Linda Chester, geloofde al na een kort gesprek tijdens een diner in mij en in dit project. Kyra Ryan heeft veel redactioneel werk verricht – ze heeft gaten gedicht, moeilijke vragen gesteld, de oefeningen aangekleed en een onderwerp aangepakt dat vol emotionele en creatieve complicaties zit. Mindy Werner ging met haar gevoelige maar scherpe ontleedmes de eerste versie van dit boek te lijf. En Eric Brandt, Mark Tauber en het HarperOne-team waren ervan overtuigd dat dit boek potentie had, drie jaar voordat ik zelf zover was.

Niets van dit alles zou mogelijk zijn geweest zonder de ervaringen die ik had bij Abacus en Kubera. Ik ben mijn partner en vriend Spencer Sherman dan ook zeer erkentelijk voor het feit dat hij samen met mij een bedrijf heeft opgezet dat het leven van onze werknemers, cliënten en de grotere gemeenschap heeft geïnspireerd en op een heel bijzondere manier heeft verrijkt. Ook ben ik hem dankbaar dat hij zijn gevoelens, zijn gezinsleven en zijn gedachten met mij en mijn gezin heeft gedeeld. Hij is een belangrijke inspirator geweest bij mijn spirituele, professionele en creatieve groei sinds

1999. Veel van de verhalen en lessen die in dit boek voorkomen zouden niet hebben bestaan als mijn cliënten hun hart en geest niet hadden geopend voor mij. Ze hadden de moed om hun angsten en kwetsbaarheid te delen, iets waar de meeste financiële consumenten waarschijnlijk niet toe bereid zouden zijn geweest. Spencer en ik hebben het voorrecht te mogen werken met een uitzonderlijke groep mensen die veel om onze cliënten en elkaar geven: Onze partner, Jason Cole; Angela Spirrison, JJ Sweeting en Nadia Fernandez, die veel van het logistieke werk hebben gecoördineerd dat het gevolg was van mijn reizen voor de interviews; en veel andere teamleden van Abacus en Kubera: Tom O'Connor, Suzanne Lawrence, Karen Reibel, Jesse Seaver, JD Bruce, Greg Aloia, Laura Giordano, Carleen Gazabat, Robert Barrimond, Pat Jennerjohn, Mike Weiner, Barbara Wolf en Barrett Porter.

Verder wil ik wijlen Richard Carlson en zijn vriend en schrijfpartner, Benjamin Shiled, bedanken voor hun onschatbare adviezen aan een debuterend auteur, waaronder de introductie bij mijn agent. Sting en Trudie Styler voor hun steun en bemoediging, en omdat ze me lieten schrijven op een van de mooiste plekken in de wereld. Tom Nadeau en Cary Granat dank ik voor hun ongelofelijke enthousiasme en geestkracht. Verder ook Alissa Bushnell, die als eerste mijn werk in de schijnwerpers zette. Voor alle gesprekken om 6 uur 's ochtends over yogafilosofie, vrijheid en geld dank ik mijn ashtangay-ogaleraar, Chuck Miller. Colin Horowitz en Louis Kessel, mijn vaders, dank ik voor hun steun op hun eigen unieke manier. Zij toonden mij verschillende soorten van financiële vrijheid en flexibiliteit. Victoria Moran dank ik voor de suggestie voor de titel.

Er zijn vele mensen die zich hebben ingezet om de interviews mogelijk te maken die ik voor dit boek heb gebruikt. Ze stelden me voor aan spirituele leiders, belangrijke zakenmensen en auteurs. Het zijn Robert Strock, Gina Thompson, Bryce Skaff, Gene Fama jr., Jade Kirdain en Giles Martin, broeder Phap Lai, Patty Botari, Greg Wendt, Johanna Hollomon, J.P. Azar, Asiff Hirji, Bobby Sager, Marc Pollock, en Mark Haddad. Zij liepen zich de benen uit het lijf in de vroegste stadia van het proces. Natuurlijk ben ik ook dank verschuldigd aan de spirituele leiders, hoogleraren en zakenmensen die zo bereidwillig waren om tijd vrij te maken en met mij van gedachten te wisselen tijdens de interviews.

Naast Kyra en Robert las een aantal mensen de vroege versies van dit manuscript, met name de hoofdstukken over de verschillende archetypen. Zij verschaften uiterst waardevol commentaar. Dat waren onder anderen

Donna Cashell, Pete Kovner, Vicky Schiff, Molly Rhodes, Maty Ezraty, Stephanie Solomon, Jennifer Bruce en Paula Pochelle. Adam Bendell stelde nuttige correcties voor van verschillende boeddhistische concepten, Pat Jennerjohn proeflas de appendix met een kritische blik, Pam England voorzag het kernverhaal en de hoofdstukken over de archetypen van meesterlijk commentaar. En Jay Totten, Danielle Anderson, Kim Weisberg en Jui-Fu Wang assisteerden bij het onderzoek. Stephanie Ptak en Lou Harvey van Dalbar verschaften genereus hun QAIB-studie over investeringsprestaties. Mike Powell leverde een bijdrage met zijn ongelofelijke talent als fotograaf.

Delen van dit boek vertellen mijn eigen spirituele reis en er zijn veel leraren die me hebben uitgedaagd en geïnspireerd om te groeien. Mijn moeder, Marilyn Levine, was mijn eerste leraar, een spirituele en wijze vrouw die met kracht en gratie zowel goede als slechte tijden doorstond. De vele leraren op het gebied van meditatie en spirituele groei, waarvan de meesten in dit boek worden geciteerd, hebben ook een onmiskenbare invloed gehad. George Kinder en Dick Wagner waren mijn eerste leraren in financiële planning, en Carolyn Dellúomo en Dave LaRue hebben me onschatbare adviezen gegeven op zowel persoonlijk als zakelijk vlak. Ik ben heel erkentelijk voor de schrijfleraren en coaches die ik heb gehad: Nancy Bacal, Hal Zina Bennett, Dorianne Laux, Joe Millar en Ellen Bass, en alle andere schrijvers die hebben meegeleefd en me hebben bemoedigd tijdens het schrijven. Ten slotte dank ik mijn vrouw, Britta Bushell, voor de standvastige bemoediging en omdat ze me op cruciale momenten bijstond met haar uitzonderlijke intuïtie, voor het verrijken van dit boek met haar gevoeligheid en ervaring als workshopleider en voor het zijn van een geweldige moeder voor onze zoons, Kaden en Rumiah, toen ik druk was met het schrijven, op retraite ging of op reis moest om de interviews voor dit boek te voeren.

Moge jullie allemaal gezegend worden.